가스기술사 용어 정의

주광호, 박현석 지음

가스기술사 용어 정의

발   행 | 2024년 02월 01일
저   자 | 주광호, 박현석
펴낸이 | 정현주
펴낸곳 | 이든북스
출판사등록 | 2018.12.03.(제2018-35호)
주   소 | 부산광역시 해운대구 좌동순환로99번길 22
전   화 | 051-731-3454
이메일 | edenbooks@naver.com

ISBN | 9791196478384(13500)

머리말

최근 안전산업은 다양한 환경에서 안전관리 방식을 재편하는 중요한 발전과 추세에 놓여 있습니다. 특히 가스산업은 전 세계 에너지 시장에서 중추적인 역할을 담당하며 에너지 전환 및 청정 에너지 정책의 변화를 주도하고 있습니다. 이에 탈탄소화, 디지털 전환, 글로벌 LNG 시장·특수가스 시장·재생에너지 성장 등에 힘입어 가스안전을 책임지는 가스산업의 안전·기술 전문가들의 역할이 더욱 강조되고 있습니다.

산업의 어떤 분야이든 용어의 정의는 이해와 의사소통에서 명확성을 제공합니다. 가스기술 전문 분야에서도 용어의 정의는 매우 중요하며 그 이유는 다음과 같다고 생각합니다.

1. 기술적 정확성: 가스기술인은 가스 관련 설비, 시스템, 안전 기준 등의 전문지식이 필요합니다. 따라서 용어를 정확히 이해하는 것은 이러한 복잡한 개념과 절차를 정확하게 이해하는 데 필수적입니다.

2. 안전: 가스산업은 높은 위험을 수반하며, 잘못된 용어 해석은 심각한 안전문제를 일으킬 수 있습니다. 따라서 정확한 용어의 사용은 오류를 줄이고, 안전한 작업환경을 유지하는 데 중요한 역할을 합니다.

3. 표준화된 커뮤니케이션: 가스기술인들 사이에서, 또한 다른 전문가들과의 의사소통에서 일관된 용어 사용은 오해를 줄이고 효율적인 정보 교환을 가능하게 합니다.

4. 법규 준수: 가스산업은 엄격한 법적 규제와 기준을 따라야 하므로, 법규와 규정에서 사용되는 용어를 정확히 이해하는 것은 법적 책임을 준수하고 법적 문제를 피하는 데 필수적입니다.

5. 전문성과 신뢰성: 정확한 용어 사용은 가스기술인으로서의 전문성과 신뢰성을 나타냅니다. 이는 동료, 고객, 그리고 산업 전반에 걸쳐 신뢰를 구축하는 데 중요한 역할을 합니다.

본서는 이러한 가스안전을 책임지는 가스기술인이 활용하고 적용할 수 있는 가스산업 관련 법령, 고시, 기술기준, 지침, 표준 등의 용어 정의를 일목요연하게 정리하여 나타냄으로써 전문지식의 정확한 이해, 안전한 작업환경의 유지, 법적 준수, 전문성과 신뢰성 향상 등에 이바지코자 합니다.

아무쪼록 많은 가스기술인들이 본서를 통하여 가스산업에서의 중요한 역할 수행에 도움이 되기를 기대하면서, 이 책의 미흡한 점은 지속적으로 수정 보완해 나갈 예정이니 여러분의 관심과 아낌없는 조언을 부탁드립니다.

2024 년 1 월

대표저자 주 광 호

CONTENT

제3장 도시가스 사업법령 ································· 63

제4장 가스3법 공통 상세기준 ····················· 85

제 6 장 관 련 고 시 ··· 185

제1장
고압가스 안전관리법령

1 고압가스 안전관리법

1. "저장소"란 산업통상자원부령으로 정하는 일정량 이상의 고압가스를 용기나 저장탱크로 저장하는 일정한 장소를 말한다.

> **시행규칙 제2조(정의)**
>
> ② 법 제3조제1호에서 "산업통상자원부령으로 정하는 일정량"이란 다음 각 호에 따른 저장능력을 말한다.
>
> 1. 액화가스 : 5톤. 다만, 독성가스인 액화가스의 경우에는 1톤(허용농도가 100만분의 200 이하인 독성가스인 경우에는 100킬로그램)을 말한다.
> 2. 압축가스 : 500세제곱미터. 다만, 독성가스인 압축가스의 경우에는 100세제곱미터(허용농도가 100만분의 200 이하인 독성가스인 경우에는 10세제곱미터)를 말한다.

2. "용기(容器)"란 고압가스를 충전(充塡)하기 위한 것(부속품을 포함한다)으로서 이동할 수 있는 것을 말한다.

2의2. "차량에 고정된 탱크"란 고압가스의 수송·운반을 위하여 차량에 고정 설치된 탱크를 말한다.

3. "저장탱크"란 고압가스를 저장하기 위한 것으로서 일정한 위치에 고정(固定) 설치된 것을 말한다.

4. "냉동기"란 고압가스를 사용하여 냉동을 하기 위한 기기(機器)로서 산업통상자원부령으로 정하는 냉동능력 이상인 것을 말한다.

③ 법 제 3 조제 4 호에서 "산업통상자원부령으로 정하는 냉동능력"이란 별표 3 에 따른 냉동능력 산정기준에 따라 계산된 냉동능력 3 톤을 말한다.

시행규칙 | [별표3] 냉동능력 산정기준

1. 원심식 압축기를 사용하는 냉동설비는 그 압축기의 원동기 정격출력 1.2 kW를 1 일의 냉동능력 1 톤으로 보고, 흡수식 냉동설비는 발생기를 가열하는 1 시간의 입열량 6 천 640 kcal 를 1 일의 냉동능력 1 톤으로 보며, 그 밖의 것은 다음 산식에 따른다.

$$R = \frac{V}{C}$$

여기서,

R : 1일의 냉동능력(톤)

V : 압축기의 표준회전속도에서 시간당 피스톤압출량 (m^3)

C : 냉매가스의 종류에 따른 정수

(1) 압축기 형식에 따른 V 산식

① 다단압축 또는 다원냉동방식 압축기: $V = V_H + 0.08 V_L$

② 회전피스톤형 압축기: $V = 60 \times 0.785 tn (D^2 - d^2)$

③ 스크류형 압축기: $V = K \times D^3 \times \dfrac{L}{D} \times n \times 60$

④ 왕복동형 압축기: $V = 0.785 \times D^2 \times L \times N \times n \times 60$

⑤ 그 밖의 것: 압축기의 표준회전속도에 있어서의 1시간의 피스톤압출량

여기서,

V_H : 압축기의 표준회전속도에 있어서 최종단 또는 최종원의 기통의 1시간의 피스톤 압출량(m^3)

V_L : 압축기의 표준회전속도에 있어서 최종단 또는 최종원 앞의 기통의 1시간의 피스톤 압출량(m^3)

t : 회전피스톤의 가스압축부분의 두께(m)

n : 회전피스톤의 1분간의 표준회전수

D : 기통의 안지름(m)

d : 회전피스톤의 바깥지름(m)

K : 치형의 종류에 따른 다음 표의 계수

구분	대칭 치형	비대칭 치형
3%어덴덤	0.476	0.486
2%어덴덤	0.450	0.460

L : 로우터의 압축에 유효한 부분의 길이 또는 피스톤의 행정(行程)(m)

N : 실린더 수

⑵ 냉매가스 종류에 따른 C 정수
  ① 표에 의한 냉매가스 C 값

냉매가스의 종류	압축기의 기통 1개의 체적이 5천㎤ 이하	압축기의 기통 1개의 체적이 5천㎤ 이상
프레온 21	49.7	46.6
프레온 114	46.4	43.5
노멀부탄	37.2	34.9
이소부탄	27.1	25.4
아황산가스	22.1	20.7
염화메탄	14.5	13.6
프레온 134a	14.4	13.5
프레온 12	13.9	13.1
프레온 500	12.0	11.3
프로판	9.6	9.0
후레온 22	8.5	7.9
암모니아	8.4	7.9

냉매가스의 종류	압축기의 기통 1개의 체적이 5천㎤ 이하	압축기의 기통 1개의 체적이 5천㎤ 이상
프레온 502	8.4	7.9
프레온 13B1	6.2	5.8
프레온 13	4.4	4.2
에탄	3.1	2.9
탄산가스	1.9	1.8

② 위 표에 규정하지 않은 냉매가스의 C 값

$$C = \frac{3320 \, V_A}{(i_A - i_B) \eta_v}$$

여기서,

V_A : -15℃에서의 그 가스의 건포화증기의 비체적(㎥/kg)

i_A : -15℃에서의 그 가스의 건포화증기의 엔탈피(kcal/kg)

i_B : 응축온도 30℃, 팽창밸브 직전의 온도가 25℃일 때 해당 액화가스의 엔탈피(kcal/kg)

η_v : 압축기 기통 1개의 체적에 따른 체적효율로서 기통 한 개의 체적이 5000㎤ 이하인 경우에는 0.75, 5000㎤를 초과하는 경우에는 0.8로 한다.

2. 냉동설비가 다음 각 목에 해당하는 경우에는 제1호에 따라 산정한 각각의 냉동능력을 합산한다.

가. 냉매가스가 배관에 의하여 공통으로 되어 있는 냉동설비

나. 냉매계통을 달리하는 2개 이상의 설비가 1개의 규격품으로 인정되는 설비 내에 조립되어 있는 것(Unit형의 것)

다. 2원(元) 이상의 냉동방식에 의한 냉동설비

라. 모터 등 압축기의 동력설비를 공통으로 하고 있는 냉동설비

마. 브라인(Brine)을 공통으로 사용하고 있는 2개 이상의 냉동설비(브라인 중 물과 공기는 포함하지 아니한다)

4의2. "안전설비"란 고압가스의 제조·저장·판매·운반 또는 사용시설에서 설치·사용하는 가스검지기 등의 안전기기와 밸브 등의 부품으로서 산업통상자원부령으로 정하는 것(제5호에 따른 특정설비는 제외한다)을 말한다.

시행규칙 제2조(정의)

④ 법 제3조제4호의2에서 "산업통상자원부령으로 정하는 것"이란 다음 각 호의 어느 하나에 해당하는 안전설비를 말하며, 그 안전설비의 구체적인 범위는 산업통상자원부장관이 정하여 고시한다.

1. 독성가스 검지기
2. 독성가스 스크러버
3. 밸브 - 수소자동차 충전소에 설치·사용하는 것으로 수동밸브, 체크밸브 및 유량조절밸브

5. "특정설비"란 저장탱크와 산업통상자원부령으로 정하는 고압가스 관련 설비를 말한다.

시행규칙 제2조(정의)

⑤ 법 제3조제5호에서 "산업통상자원부령으로 정하는 고압가스 관련 설비"란 다음 각 호의 설비를 말한다.

1. 안전밸브·긴급차단장치·역화방지장치
2. 기화장치
3. 압력용기
4. 자동차용 가스 자동주입기
5. 독성가스배관용 밸브
6. 냉동설비(별표 11 제4호나목에서 정하는 일체형 냉동기는 제외한다)를 구성하는 압축기·응축기·증발기 또는 압력용기(이하 "냉동용특정설비"라 한다)

>   7. 고압가스용 실린더캐비닛
>   8. 자동차용 압축천연가스 완속충전설비(처리능력이 시간당
>   18.5세제곱미터 미만인 충전설비를 말한다)
>   9. 액화석유가스용 용기 잔류가스회수장치
>   10. 차량에 고정된 탱크

6. "정밀안전검진"이란 대형(大型) 가스사고를 방지하기 위하여 오
   래되어 낡은 고압가스 제조시설의 가동을 중지한 상태에서 가스
   안전관리 전문기관이 정기적으로 첨단장비와 기술을 이용하여 잠
   재된 위험요소와 원인을 찾아내고 그 제거방법을 제시하는 것을
   말한다.

2 고압가스 안전관리법 시행규칙

1. "가연성가스"란 아크릴로니트릴·아크릴알데히드·아세트알데히드·
   아세틸렌·암모니아·수소·황화수소·시안화수소·일산화탄소·이황화탄
   소·메탄·염화메탄·브롬화메탄·에탄·염화에탄·염화비닐·에틸렌·산화
   에틸렌·프로판·시클로프로판·프로필렌·산화프로필렌·부탄·부타디
   엔·부틸렌·메틸에테르·모노메틸아민·디메틸아민·트리메틸아민·에틸
   아민·벤젠·에틸벤젠 및 그 밖에 공기 중에서 연소하는 가스로서
   폭발한계(공기와 혼합된 경우 연소를 일으킬 수 있는 공기 중의
   가스 농도의 한계를 말한다. 이하 같다)의 하한이 10퍼센트 이하
   인 것과 폭발한계의 상한과 하한의 차가 20퍼센트 이상인 것을
   말한다.

2. "독성가스"란 아크릴로니트릴·아크릴알데히드·아황산가스·암모니아·일산화탄소·이황화탄소·불소·염소·브롬화메탄·염화메탄·염화프렌·산화에틸렌·시안화수소·황화수소·모노메틸아민·디메틸아민·트리메틸아민·벤젠·포스겐·요오드화수소·브롬화수소·염화수소·불화수소·겨자가스·알진·모노실란·디실란·디보레인·세렌화수소·포스핀·모노게르만 및 그 밖에 공기 중에 일정량 이상 존재하는 경우 인체에 유해한 독성을 가진 가스로서 허용농도(해당 가스를 성숙한 흰쥐 집단에게 대기 중에서 1시간 동안 계속하여 노출시킨 경우 14일 이내에 그 흰쥐의 2분의 1 이상이 죽게 되는 가스의 농도를 말한다. 이하 같다)가 100만분의 5000 이하인 것을 말한다. 이 경우 혼합가스의 허용농도는 다음식에 따라 계산한다.

$$LC_{50} = \frac{1}{\displaystyle\sum_{i=1}^{n} \frac{C_i}{LC_{50i}}}$$

여기서,

LC_{50} : 독성가스의 허용농도

n : 혼합가스를 구성하는 가스 종류의 수

C_i : 혼합가스에서 i번째 독성 성분의 몰분율

LC_{50i} : 부피 ppm으로 표현되는 i번째 가스의 허용농도

2-1. "TLV-TWA(Threshold Limit Value-Time Weight Average)"란 정상인이 1일 8시간 또는 주 40시간 통상적인 작업을 수행함에 있어 건강상 나쁜 영향을 미치지 아니하는 정도의 공기 중 가스농도를 말한다.

2-2. "치사성 물질"이란 시안화 수소, 시아노겐, 겨자가스, 불화자일렌, 그 밖에 TLV-TWA 기준농도 1 ppm 이하인 것을 말한다.

3. "액화가스"란 가압(加壓)·냉각 등의 방법에 의하여 액체상태로 되어 있는 것으로서 대기압에서의 끓는 점이 섭씨 40도 이하 또는 상용 온도 이하인 것을 말한다.

4. "압축가스"란 일정한 압력에 의하여 압축되어 있는 가스를 말한다.

5. "저장설비"란 고압가스를 충전·저장하기 위한 설비로서 저장탱크 및 충전용기보관설비를 말한다.

6. "저장능력"이란 저장설비에 저장할 수 있는 고압가스의 양으로서 별표 1에 따라 산정된 것을 말한다.

시행규칙 | [별표1] 저장능력 산정기준

1. 압축가스의 저장탱크 및 용기는 다음 가목의 계산식에 따라, 액화가스의 저장탱크는 다음 나목의 계산식에 따라, 액화가스의 용기 및 차량에 고정된 탱크는 다음 다목의 계산식에 따라 산정한다.

   가. $Q = (10P + 1) V_1$

   나. $W = 0.9 d V_2$

   다. $W = \dfrac{V_2}{C}$

   여기서,

   Q : 저장능력(㎥)

   P : 35℃(아세틸렌가스의 경우에는 15℃)에서의 최고 충전 압력(MPa)

   V_1 : 내용적(㎥)

   W : 저장능력(kg)

   d : 상용온도에서의 액화가스의 비중(kg/L)

   V_2 : 내용적(L)

   C : 가스 종류에 따르는 정수

   [참고] C 값 상세설명 : 저온용기 및 차량에 고정된 저온탱크와 초저온용기 및 차량에 고정된 초저온탱크에 충전하는 액화가스의 경우에는 그 용기 및 탱크의 상용온도 중 최고 온도에서의 그 가스의 비중(단위: kg/L)의 수

치에 10분의 9를 곱한 수치의 역수, 그 밖의 액화가스의 충전용기 및 차량에 고정된 탱크의 경우에는 다음 표의 가스 종류에 따르는 정수

액화가스의 종류	정 수	액화가스의 종류	정 수
액화에틸렌	3.50	액화염화메탈	1.25
액화에탄	2.80	액화염화비닐	1.22
액화프로판	2.35	액화4불화에틸렌	1.11
액화프로필렌	2.27	액화프레온 152a	1.08
액화부탄	2.05	액화산소	1.04
액화부틸렌	2.00	액화프레온 500	1.00
액화씨클로프로판	1.87	액화프레온 13	1.00
액화암모니아	1.86	액화프레온 22	0.98
액화부타디엔	1.85	액화프레온 502	0.93
액화트리메틸아민	1.76	액화6불화항	0.91
액화메틸에테르	1.67	액화프레온 115	0.90
액화모노메틸아민	1.67	액화아르곤	0.87
액화염화수소	1.67	액화프레온 12	0.86
액화시안화수소	1.57	액화크세논	0.81
액화황화수소	1.47	액화염소	0.80
액화질소	1.47	액화취화수소	0.80
액화탄산가스	1.47	액화아황산가스	0.80
액화아산화질소	1.34	액화프레온 13B₁	0.79
액화산화에틸렌	1.30	액화프레온 114	0.76
		액화프레온 C318	0.74
그 밖의 액화가스		1.05를 해당 액화가스의 48℃에서의 비중으로 나누어 얻은 수치	

2. 저장탱크 및 용기가 다음 각 목에 해당하는 경우에는 제1호에 따라 산정한 각각의 저장능력을 합산한다. 다만, 액화가스와 압축가스가 섞여 있는 경우에는 액화가스 10 kg을 압축가스 1 m³로 본다.

가. 저장탱크 및 용기가 배관으로 연결된 경우

나. 가목의 경우를 제외한 경우로서 저장탱크 및 용기 사이의 중심거리가 30m 이하인 경우 또는 같은 구축물에

> 설치되어 있는 경우. 다만, 소화설비용 저장탱크 및 용
> 기는 제외한다.

7. "저장탱크"란 고압가스를 충전·저장하기 위하여 지상 또는 지하에 고정 설치 된 탱크를 말한다.

8. "초저온저장탱크"란 섭씨 영하 50도 이하의 액화가스를 저장하기 위한 저장탱크로서 단열재를 씌우거나 냉동설비로 냉각시키는 등의 방법으로 저장탱크 내의 가스온도가 상용의 온도를 초과하지 아니하도록 한 것을 말한다.

9. "저온저장탱크"란 액화가스를 저장하기 위한 저장탱크로서 단열재를 씌우거나 냉동설비로 냉각시키는 등의 방법으로 저장탱크 내의 가스온도가 상용의 온도를 초과하지 아니하도록 한 것 중 초저온저장탱크와 가연성가스 저온저장탱크를 제외한 것을 말한다.

10. "가연성가스 저온저장탱크"란 대기압에서의 끓는 점이 섭씨 0도 이하인 가연성가스를 섭씨 0도 이하인 액체 또는 해당 가스의 기상부의 상용압력이 0.1메가파스칼 이하인 액체상태로 저장하기 위한 저장탱크로서 단열재를 씌우거나 냉동설비로 냉각하는 등의 방법으로 저장탱크 내의 가스온도가 상용 온도를 초과하지 아니하도록 한 것을 말한다.

11. "차량에 고정된 탱크"란 고압가스의 수송·운반을 위하여 차량에 고정 설치된 탱크를 말한다.

12. "초저온용기"란 섭씨 영하 50도 이하의 액화가스를 충전하기 위한 용기로서 단열재를 씌우거나 냉동설비로 냉각시키는 등의 방법으로 용기 내의 가스온도가 상용 온도를 초과하지 아니하도록 한 것을 말한다.

13. "저온용기"란 액화가스를 충전하기 위한 용기로서 단열재를 씌우거나 냉동설비로 냉각시키는 등의 방법으로 용기 내의 가스온

도가 상용의 온도를 초과하지 아니하도록 한 것 중 초저온용기 외의 것을 말한다.

14. "충전용기"란 고압가스의 충전질량 또는 충전압력의 2분의 1 이상이 충전되어 있는 상태의 용기를 말한다.

15. "잔가스용기"란 고압가스의 충전질량 또는 충전압력의 2분의 1 미만이 충전되어 있는 상태의 용기를 말한다.

16. "가스설비"란 고압가스의 제조·저장 설비(제조·저장 설비에 부착된 배관을 포함하며, 사업소 밖에 있는 배관은 제외한다) 중 가스(제조·저장된 고압가스, 제조공정 중에 있는 고압가스가 아닌 상태의 가스 및 해당 고압가스제조의 원료가 되는 가스를 말한다)가 통하는 부분을 말한다.

17. "고압가스설비"란 가스설비 중 고압가스가 통하는 부분을 말한다.

18. "처리설비"란 압축·액화나 그 밖의 방법으로 가스를 처리할 수 있는 설비 중 고압가스의 제조(충전을 포함한다)에 필요한 설비와 저장탱크에 딸린 펌프·압축기 및 기화장치를 말한다.

19. "감압설비"란 고압가스의 압력을 낮추는 설비를 말한다.

20. "처리능력"이란 처리설비 또는 감압설비에 의하여 압축·액화나 그 밖의 방법으로 1일에 처리할 수 있는 가스의 양을 말하며 다음 기준에 따른다.
    (1) 처리능력은 공정흐름도(PFD, process flow diagram)의 물질수지(material balance)를 기준으로 액화가스는 무게(kg)로 압축가스는 용적(온도 0℃, 게이지압력 0Pa의 상태를 기준으로 한 ㎥)으로 계산한다.
    (2) 처리능력은 가스종류별로 구분하고 원료가 되는 고압가스와 제조되는 고압가스가 중복되지 않도록 계산한다.

21. "불연재료(不燃材料)"란 「건축법 시행령」 제2조제10호의 불연재료를 말한다.

22. "방호벽(防護壁)"이란 높이 2미터 이상, 두께 12센티미터 이상의 철근콘크리트 또는 이와 같은 수준 이상의 강도를 가지는 구조의 벽을 말한다.

23. "보호시설"이란 제1종보호시설 및 제2종보호시설로서 별표 2에서 정한 것을 말한다.

시행규칙 | [별표2] 보호시설

1. 제 1 종보호시설

   가. 학교·유치원·어린이집·놀이방·어린이놀이터·학원·병원(의원을 포함한다)·도서관·청소년수련시설·경로당·시장·공중목욕탕·호텔·여관·극장·교회 및 공회당(公會堂)
   나. 사람을 수용하는 건축물(가설건축물은 제외한다)로서 사실상 독립된 부분의 연면적이 1천㎡ 이상인 것
   다. 예식장·장례식장 및 전시장, 그 밖에 이와 유사한 시설로서 300명 이상 수용할 수 있는 건축물
   라. 아동복지시설 또는 장애인복지시설로서 20명 이상 수용할 수 있는 건축물
   마. 「문화재보호법」에 따라 지정문화재로 지정된 건축물

2. 제 2 종보호시설
   가. 주택
   나. 사람을 수용하는 건축물(가설건축물은 제외한다)로서 사실상 독립된 부분의 연면적이 100㎡ 이상 1천㎡ 미만인 것

---

24. "용접용기"란 동판 및 경판을 각각 성형하고 용접하여 제조한 용기를 말한다.

25. "이음매 없는 용기"란 동판 및 경판을 일체(一體)로 성형하여 이음매가 없이 제조한 용기를 말한다.

26. "접합 또는 납붙임용기"란 동판 및 경판을 각각 성형하여 심 (Seam)용접이나 그 밖의 방법으로 접합하거나 납붙임하여 만든 내용적(內容積) 1리터 이하인 일회용 용기를 말한다.

27. "충전설비"란 용기 또는 차량에 고정된 탱크에 고압가스를 충전하 기 위한 설비로서 충전기와 저장탱크에 딸린 펌프·압축기를 말한다.

28. "특수고압가스"란 압축모노실란·압축디보레인·액화알진·포스핀·세 렌화수소·게르만·디실란 및 그 밖에 반도체의 세정 등 산업통상자 원부장관이 인정하는 특수한 용도에 사용되는 고압가스를 말한다.

3 고압가스 제조시설 상세기준

1. "설계압력"이란 고압가스용기 등의 각부의 계산두께 또는 기계적 강도를 결정하기 위하여 설계된 압력을 말한다.

2. "상용압력"이란 내압시험압력 및 기밀시험압력의 기준이 되는 압 력으로서 사용상태에서 해당 설비 등의 각부에 작용하는 최고사 용압력을 말한다.

3. "설정압력(set pressure)"이란 안전밸브의 설계상 정한 분출압력 또는 분출개시압력으로서 명판에 표시된 압력을 말한다.

3-1. "분출개시압력"이란 안전밸브 입구 쪽의 압력이 증가하여 출구 쪽에서 유체의 미량의 유출이 검지될 때의 입구 쪽의 압력을 말한다.

3-2. "분출차의 압력"이란 안전밸브에서 분출압력 또는 분출개 시압력과 분출정지압력과의 차를 말한다.

4. "축적압력(accumulated pressure)"이란 내부유체가 배출될 때 안 전밸브에 의해 축적되는 압력으로서 그 설비 안에서 허용될 수 있 는 최대압력을 말한다.

5. "초과압력(over pressure)"이란 안전밸브에서 내부유체가 배출될 때 설정압력 이상으로 올라가는 압력을 말한다.

6. "평형 벨로우즈형 안전밸브(balanced bellows safety valve)"란 밸브의 토출측 배압의 변화에 따라 성능특성에 영향을 받지 아니 하는 안전밸브를 말한다.

7. "일반형 안전밸브(conventional safety valve)"란 밸브의 토출측 배압의 변화에 따라 직접적으로 성능특성에 영향을 받는 안전밸 브를 말한다.

8. "배압(back pressure)"이란 배출물 처리설비 등으로부터 안전밸 브의 토출측에 걸리는 압력을 말한다.

8-1. "최대허용배압 (MABP, Maximum allowable back pressure" 이라 함은 안전밸브 작동 시 배압에 의해 안전밸브의 기능이 저 하되지 않도록 안전밸브 토출측에 작용될 수 있는 최대의 배압을 말하며, 일반적으로 일반형(Conventional type) 안전밸브의 경 우에는 안전밸브 설정압력의 10% 이내이며, 벨로우즈형 안전밸 브의 경우에는 안전밸브 설정압력의 50% 이내로 허용된다.

8-2. "중첩배압(Superimposed back pressure)"이라 함은 안전밸 브가 작동하기 직전에 토출측에 걸리는 정압(Static pressure)을 말한다.

8-3. "누적배압(Built-up back pressure)"이라 함은 안전밸브가 작동한 후에 유체방출로 인하여 발생하는 토출측에서의 압력

증가량을 말한다.

9. "시공감리"란 고압가스배관이 관계법령의 규정에 적합하게 시공되는지를 시장·군수·구청장이 시공감리하기 위한 제도로서 한국가스안전공사가 시장·군수·구청장으로부터 시공감리권한을 위탁받아 한국가스안전공사의 명의와 권한으로 고압가스배관의 공사현장에 상주하여 시공과정의 일체를 확인·감리하는 것을 말한다.

10. "특수반응설비"란 고압가스 제조시설 중 폭발 등의 위해(危害)가 발생할 가능성이 큰 암모니아 2차 개질로, 에틸렌 제조시설의 아세틸렌수첨탑, 산화에틸렌 제조시설의 에틸렌과 산소 또는 공기와의 반응기, 싸이크로헥산 제조시설의 벤젠수첨반응기, 석유정제 시의 중유 직접수첨탈황반응기 및 수소화분해반응기, 저밀도 폴리에틸렌중합기 또는 메탄올합성반응탑을 말한다.

11. "초고압"이란 압력을 받는 금속부의 온도가 -50 ℃ 이상 350 ℃ 이하인 고압가스설비의 상용압력이 98㎫ 이상인 것을 말한다.

4. 고압가스 용기 상세기준

1. "액화석유가스용 강제용기"란 액화석유가스를 충전하기 위한 내용적 20 L 이상 125 L 미만의 강으로 만든 용접용기를 말한다.

2. "재충전금지 용기"란 최초 충전 후 1회 사용으로 내용연한이 끝나 파기하여야 하는 용기(부속품과 일체로 제조된 것을 말한다)를 말한다.

3. "카트리지 용기"란 용기 2개 이상을 상호 연결하여 차량에 고정한 이음매 없는 용기를 말한다.

4. "이동식 부탄연소기용 용접용기"란 카세트식 이동식 부탄연소기에 사용되는 내용적 1리터 미만의 용접용기(골판지가 내장된 용접용기를 포함한다)로서 재충전하여 사용할 수 있는 것을 말한다.

5. "캔밸브"라 함은 액화석유가스의 충전 및 사용을 위하여 용기 네크링부에 접합되는 스템 및 노즐부를 포함한 일체의 것을 말한다.

6. "최고충전압력"이란 표에서 정한 압력을 말한다.

용기의 구분	압 력
압축가스를 충전하는 용기	35 ℃의 온도에서 그 용기에 충전할 수 있는 가스의 압력 중 최고압력
저온용기	상용압력 중 최고압력
저온용기 외의 용기로서 액화가스를 충전하는것	내압시험압력의 5 분의 3 배의 압력

7. "기밀시험압력"이란 저온용기는 최고 충전압력의 1.1배의 압력, 그 밖의 용기는 최고충전압력을 말한다.

8. "내압시험압력"이란 아래 표의 고압가스의 종류에 따라 내력비가 0.5 이하의 알루미늄합금으로 제조한 용기는 같은 표의 압력의 0.9배의 압력, 그 밖의 용기는 표에서 정한 압력을 말한다.

고압가스의 종류	압 력
압축가스 및 저온용기에 충전하는 액화가스	최고충전압력의 3 분의 5 배
액화가스 (저온용기에 충전하는 액화 가스는 제외)	고압가스 종류에 따라 0.5~22.1 MPa

9. "내력비"란 내력과 인장강도의 비를 말한다.

10. "비열처리재료"란 용기제조에 사용되는 재료로서 오스테나이트계 스테인레스강·내식 알루미늄 합금판·내식알루미늄합금단조품·그 밖에 이와 유사한 열처리가 필요 없는 것을 말한다.

11. "열처리재료"란 용기제조에 사용되는 재료로서 비열처리재료 외의 것을 말한다.

12. "상시품질검사"란 제품확인검사를 받고자 하는 제품에 대하여 같은 생산단위로 제조된 동일제품을 1조로 하고 그 조에서 샘플을 채취하여 기본적인 성능을 확인하는 검사를 말한다.

13. "정기품질검사"란 생산공정검사를 받고자 하는 제품이 이 기준에 적합하게 제조되었는지 여부를 확인하기 위하여 제조공정 또는 완성된 제품 중에서 시료를 채취하여 성능을 확인하는 것을 말한다.

14. "공정확인심사"란 생산공정검사를 받고자 하는 제품에 필요한 제조 및 자체검사공정에 대한 품질시스템 운용의 적합성을 확인하는 것을 말한다.

15. "수시품질검사"란 생산공정검사 또는 종합공정검사를 받은 제품이 이 기준에 적합하게 제조되었 는지 여부를 확인하기위하여 양산된 제품에서 예고 없이 시료를 채취하여 확인하는 검사를 말한다.

16. "종합품질관리체계심사"란 제품의 설계·제조 및 자체검사 등 용기 제조 전 공정에 대한 품질시스템 운용의 적합성을 확인하는 것을 말한다.

17. "형식"이란 구조·재료·용량 및 성능 등에서 구별되는 제품의 단위를 말한다.

18. "공정검사"란 생산공정검사와 종합공정검사를 말한다.

19. "점부식"이란 독립된 부식점 지름이 6 ㎜ 이하이고, 인접한 부식점과의 거리가 50 ㎜ 이상인 것을 말한다.

20. "선부식"이란 선상(線狀)으로 형성된 부식 및 쇄상(鎖狀)이 단속적으로 이어진 부식으로 각각의 폭이 10 ㎜ 이하인 것을 말한다.

21. "일반부식"이란 어느 정도 면적이 있는 부식 및 국부적 부식으로 점부식과 선부식에 해당 하지 아니하는 것을 말한다.

22. "우그러짐"이란 두께가 감소하지 아니하고 용기내부로 변형된 것을 말한다.

23. "찍힌 흠 또는 긁힌 흠"이란 두께감소를 동반한 변형으로 금속이 깎이거나 이동된 것을 말한다.

24. "열영향"이란 용기가 과다한 열로 인하여 영향을 받은 것을 말하며 다음과 같은 현상으로 판단한다.
   ⑴ 도장의 그을음
   ⑵ 용기의 일그러짐
   ⑶ 밸브본체 또는 부품의 용융
   ⑷ 전기불꽃으로 인한 흠집, 용접불꽃의 흔적

25. "후프랩(hoop wrapped)용기"란 라이너에 수지(樹脂)를 함침(含浸)한 연속섬유를 후프감기로만 둘러 감은 용기를 말한다.

26. "풀랩(full wrapped)용기"란 원주방향과 길이방향의 응력을 모두 가질 수 있도록 라이너에 수지(樹脂)를 함침(含浸)한 연속섬유를 후프감기 및 헬리컬감기 등으로 완전히 둘러 감은 용기를 말한다.

27. "오토프레티지(Autofrettage)"란 라이너에 압축잔류응력을 가하기 위한 처리를 말한다.

28. "후프감기"란 필라멘트와인딩 성형(수지를 함침한 연속섬유를 라이너에 둘러 감는 것) 중에서 라이너 몸통부 축에 거의 직각으

로 섬유를 둘러 감는 방법을 말한다.

29. "헬리컬감기"란 필라멘트와인딩 성형 중에서 섬유를 나선(螺線) 형태로 둘러 감는 방법으로서 후프감기 이외의 것을 말한다.

30. "로빙"이란 스트랜드(단섬유에 집속제를 도포하여 집속한 것으로서 꼬임이 없는 것) 및 스트랜드를 합사한 것으로서 원통모양으로 둘러 감은 것을 말한다.

31. "탄소섬유"란 다발 모양의 여러 가닥이 나란히 놓여진 연속 탄소 필라멘트로서 용기를 강화하는데 사용되는 섬유를 말한다.

32. "아라미드섬유"란 다발 모양의 여러 가닥이 나란히 놓여진 연속 아라미드 필라멘트로서 용기를 강화하는데 사용되는 섬유를 말한다.

33. "유리섬유"란 다발 모양으로 여러 가닥이 나란히 놓여진 연속 유리 필라멘트로서 용기를 강화하는데 사용되는 섬유를 말한다.

34. "동등의 섬유"란 동일한 공칭의 원 재료를 사용하여 동일한 제조 공정으로 동일한 물리적 구조 및 동일한 공칭의 물리적 특성을 갖도록 제조한 섬유를 말하는 것으로써 평균 인장강도 및 인장율이 승인된 용기 설계에서의 섬유 물성의 ±5% 이내에 있는 것을 말한다.
[비고] 동일한 원재료로 제조된 탄소섬유는 동등재료로 인정되나, 아라미드, 탄소 및 유리 섬유는 서로 동등 재료로 인정되지 않는다.

35. "동등의 수지"란 이전의 설계단계검사를 받은 용기 내에 있는 수지와 동일하게 제조되어 유사한 기계적 특성 등을 가진 것을 말한다. 이 경우 기계적 특성 등의 공차 범위는 다음과 같다.
  (1) 기계적 특성: ± 2.5 %
  (2) 온도: ± 2.5 ℃
  (3) 점성: 기존값과 동일

36. "라이너"란 비금속 용기로 제조되어 가스를 보관하고 가스 압력

을 섬유에 전달하는 복합 재료 용기의 내부부분을 말한다.

37. "하중 무부담 라이너"란 완성 복합재료 용기의 공칭 파열압력의 5 % 미만의 파열압력을 가지는 라이너를 말한다.

38. "동등의 라이너"란 이전의 설계단계검사를 받은 용기 내에 있는 라이너와 동등의 라이너 로서 설계단계검사를 받은 것과 동일하게 설계.제조된 것을 말한다. 다만, 다음의 하나에 해당하는 것은 동등의 라이너로 보지 아니한다.
    (1) 다른 제조소에서 제조된 것
    (2) 설계단계검사 시 인정된 제조공정과 중대하게 다르게 제조된 것
    (3) 설계단계검사 시 인정된 열처리 공정과 다르게 제조된 것

39. "매트릭스"란 섬유를 일정하게 묶어두고 고정시키기 위해 사용되는 재료를 말한다.

40. "동등의 기지(Matrix)"란 기지재료(수지, 경화제, 촉진제)의 화학적 성분이 이전에 설계단계검사를 받은 용기 내에 있는 기지 물성과 동등인 것을 말한다.

41. "외부 코팅"이란 용기의 보호 또는 표면 처리를 위한 재료의 층을 말한다.
    [비고] 코팅은 투명하게 하거나 채색할 수 있다.

42. "복합재료감기"란 매트릭스가 함침된 섬유를 감는 공정을 말한다.

43. "배치"란 동일한 품목, 동일 재료의 집단을 말한다.
    [비고] 배치에 있는 품목의 수는 배치 별 구성 방법에 따라 달라질 수 있다.
    (1) 배치(라이너) : 동일한 배치의 재료에서 동일한 제조 공정을 통해 연속적으로 생산되고 공칭지름, 길이, 두께 및 설계가 동일한 라이너의 수량을 말한다.
    (2) 배치(완성 용기) : 동일한 공칭지름, 길이, 두께 및 설계로 연속적으로 제조된 200개 이하(파괴시험용 완성용기를 포함한

다)의 완성용기 생산수량을 말한다.

(3) 금속라이너의 경우 "배치"는 동일한 설계, 동일한 재료, 동일한 제조공정, 동일한 제조장비, 열처리시 동일한 분위기와 온도에서 연속적으로 제조된 금속라이너

(4) 플라스틱라이너의 경우 "배치"는 동일한 설계, 동일한 재료, 동일한 제조공정, 동일한 제조장비로 연속적으로 제조된 플라스틱라이너

(5) 복합재료 압력용기의 경우 "배치"는 동일한 설계, 동일한 재료, 동일한 제조공정, 동일한 자긴처리를 하여 연속적으로 제조된 복합재료 압력용기

(6) 하나의 "배치"는 200개 이하로 한다.

44. "파열압력"이란 파열시험 시 용기 내에 가해지는 최고 압력을 말한다.

45. "스트랜드(strand)"란 섬유재료인 단섬유에 접속제(sizing)를 도포하여 접속한 것으로서 꼬임이 없는 것을 말한다.

46. "보호케이스"란 용기 외면에 부착되어 제거가 가능한 투명 또는 불투명의 케이스를 말한다.

47. "내압부분"이란 압력용기 중 안쪽 면에 0 Pa을 초과하는 압력을 유지하는 부분(수지함침 탄소 섬유층을 포함한다)과 압력으로 발생하는 하중을 유지하는 부분을 말한다. 다만, 다음 중 어느 하나에 해당하는 경우에는 내압부분으로 보지 아니한다.

(1) 압력유지 목적이 아닌 것

(2) 라이닝, 도금 등 내압 부재 이외의 것(전위차부식을 막기 위한 방식부를 포함한다)

(3) 플라스틱라이너

(4) 보호층

48. "동등재료"란 다음 기준에 적합한 재료를 말한다.

(1) 규격재료와 화학성분 및 기계적 성질이 동일하며 제조방법,

형상 또는 판두께의 범위가 다른 것

(2) 규격재료와 화학성분 및 기계적 성질이 동일하며 해당 KS의 개정년도가 다른 것 (3) 규격재료와 화학성분, 기계적 성질, 시험방법, 시료채취방법 및 재료의 성질이 매우 유사한 것

49. "설계단계검사"란 압력용기를 처음 제조 .수입 또는 중요 설계를 변경하는 경우 해당 압력용기의 안전성을 정밀하게 확인하기 위한 것으로서 설계단계에서 실시하는 검사를 말한다.

50. "생산단계검사"란 설계단계검사에 합격한 같은 형식의 압력용기에 대하여 안전성을 확인하기 위한 것으로서 생산단계에서 실시하는 검사를 말한다.

51. "설계압력 반복횟수"란 압력용기의 사용기간 동안에서의 압력변동 횟수로서 사용자 또는 제조자가 정하는 것을 말한다.

52. "수지함침 탄소섬유층"이란 수지함침 연속탄소섬유에 경화 처리한 적층을 말한다.

53. "수지함침 유리섬유층"이란 수지함침 연속유리섬유에 경화 처리한 적층을 말한다.

54. "보호층"이란 압력용기를 외부충격 등으로부터 보호하기 위해 압력용기 바깥면에 설치하는층 또는 보호패드를 말한다.

55. "방식층"이란 금속라이너와 수지함침 탄소섬유층 사이의 전위차 부식을 막기 위한 도막, 수지함침 유리섬유층 등을 말한다.

56. "금속라이너 압력용기"란 금속라이너를 섬유와 합성수지를 이용하여 풀랩(Full Wrapped)으로 감은 압력용기를 말한다.

57. "플라스틱라이너 압력용기" 플라스틱라이너를 섬유와 합성수지를 이용하여 풀랩(Full Wrappe d)으로 감은 압력용기를 말한다.

58. "전체두께"란 금속라이너 압력용기의 경우에는 금속라이너, 수지함침 탄소섬유층, 보호층및 방식층 각각의 공칭두께를 더한 두

께를 말하며, 플라스틱라이너 압력용기의 경우에는 플라스틱라이너, 수지함침 탄소섬유층 및 보호층 각각의 공칭두께(보스부의 경우에는 보스의 공칭두께를 포함한다)를 더한 두께를 말한다.

59. "최소두께"란 금속라이너 압력용기일 경우에는 금속라이너와 수지함침 탄소섬유층 각각의 설계두께를 말하며, 플라스틱라이너 압력용기의 경우에는 수지함침 탄소섬유층과 보스부 각각의 설계두께를 말한다.

60. "응력비"란 설계온도에 있어서 탄소섬유의 인장강도를 설계온도 및 설계압력에서의 압력용기 수지함침 탄소섬유층의 탄소섬유에 발생하는 응력으로 나눈 값을 말한다.

61. "최소파열압력"이란 설계온도에서 압력용기가 갖추어야 할 최소 파열압력으로서 다음의 것중에서 큰 압력을 말한다.
   (1) 설계압력의 2.25배 이상의 압력
   (2) 압력용기의 최소두께를 이용하여 구한 수지함침 탄소섬유층의 탄소섬유 응력비가 2.25 이상이 되는 압력

62. "자긴처리(Auto-frettage)"란 금속라이너 압력용기를 제조 공정 중에 그 금속라이너의 항복점을 초과하는 압력을 가하여 영구 소성변형을 일으키는 것을 말한다.

63. "에르하르트식"이란 금속라이너 제조방법으로 압출에 의한 방법으로 성형한 것을 말한다.

64. "커핑식"이란 금속라이너 제조방법으로 드로잉 가공에 의한 방법으로 성형한 것을 말한다.

65. "만네스만식"이란 금속라이너 제조방법으로 이음매가 없는 관 양쪽 끝부분을 열가공(금속을 추가하지 않은 것에 한한다)으로 성형한 것을 말한다.

66. "축소형 압력용기(Subscale Pressure Vessel)"란 제조하고자 하는 압력용기와 같은 사양, 같은 지름, 같은 두께를 갖는 것으

로서 압력용기의 길이를 축소한 압력용기를 말한다. 이 경우 축소하는 압력용기의 길이와 지름의 비는 2:1 이상이어야 한다.

67. "설계서"란 압력용기의 설계, 가공, 구조, 검사와 관련한 사양, 검사, 품질관리 등을 나타내는 서류(제조자가 작성한 서류에 한한다)로 다음의 것을 말한다.

  (1) 재료사양서 압력용기의 내압부분 및 비내압부분에 사용하는 재료의 모델명, 모델번호, 형상, 재료특성과 관련된 요구사양, 검사 및 시험과 관련된 요구사항, 품질관리와 관련된 요구사양, 제출서류 등의 요구사양을 제시하는 서류로서 압력용기 제조자가 작성하여 재료 제조업자에게 제시하는 것을 말한다.

  (2) 구조도 압력용기의 내압부분 및 비내압부분의 재료, 형상, 치수, 구조 및 수량 등을 나타내는 도면(제조자가 작성한 도면에 한한다)을 말한다.

68. "안전충전함"이란 용기가 파열되더라도 피해를 최소화할 수 있도록 용기와 배관 등의 설비를 수납하는 함을 말한다.

고압가스 저장·사용시설 상세기준

1. "특수고압가스"란 특정고압가스사용시설 중 압축모노실란·압축디보레인·액화알진·포스핀·세렌화 수소·게르만·디실란·오불화비소·오불화인·삼불화인·삼불화질소·삼불화붕소·사불화유황·사불화규소를 말한다.

2. "사용설비"란 저장설비·배관·조정기·감압설비 등 특수고압가스의

사용을 위한 설비를 말한다.

3. "사용시설"이란 사용설비 및 이에 부수되는 사무실·그 밖의 건축물·소화기·가스누설검지경보장치· 재해설비·동력설비 등 특수고압가스의 사용을 위한 시설을 말한다.

4. "고압가스용 실린더캐비닛"이란 용기를 장착하여 고압가스 등을 사용하기 위한 것으로서 배관과 안전장치 등이 일체로 구성된 설비를 말한다.

고압가스 냉동기 상세기준

1. "냉동기"란 고압가스를 사용하여 냉동하기 위한 기기로서 규칙 별표 3에 따른 냉동능력 산정기준에 따라 계산된 냉동능력 3톤 이상인 것을 말한다.

2. "냉동능력"이란 규칙 별표 3에 따라 계산된 1일의 냉동능력을 말하며 다음 (1)부터 (5)까지의 경우에는 냉동능력을 합산한다.
   (1) 냉매가스가 배관에 의하여 공통으로 되어 있는 냉동설비
   (2) 냉매계통을 달리하는 2개 이상의 설비가 1개의 규격품으로 인정되는 설비내에 조립되어 있는 것(Unit형의 것)
   (3) 2원(元)이상의 냉동방식에 의한 냉동설비
   (4) 모터 등 압축기의 동력설비를 공통으로 하고 있는 냉동설비
   (5) Brine을 공통으로 하고 있는 2이상의 냉동설비(Brine가운데 물과 공기는 포함하지 않는다.)

3. "일체형냉동기"란 (1)부터 (4)까지 또는 (5)에 적합한 것과 응축

기유니트와 증발기유니트가 냉매배관으로 연결된 것으로 1일의 냉동능력이 20톤 미만인 공조용 팩키지에어콘 등을 말한다.

(1) 냉매설비 및 압축기용 원동기가 하나의 프레임위에 일체로 조립된 것

(2) 냉동설비를 사용할 때 스톱밸브 조작이 필요 없는 것

(3) 사용장소에 분할·반입하는 경우에는 냉매설비에 용접 또는 절단을 수반하는 공사를 하지 아니하고 재조립하여 냉동제조용으로 사용할 수 있는 것

(4) 냉동설비의 수리 등을 하는 경우에 냉매설비 부품의 종류·설치개수·부착위치 및 외형치수와 압축기용 원동기의 정격출력 등이 제조 시와 동일하도록 설계·수리될 수 있는 것

(5) (1)부터 (4)이외에 한국가스안전공사가 일체형냉동기로 인정하는 것

4. "발생기"란 흡수식 냉동설비에 사용하는 발생기에 관계되는 설계온도가 200℃ 를 넘는 열교환기및 이들과 유사한 것을 말한다.

5. "고압부"란 압축기 또는 발생기의 작용에 따라 응축압력을 받는 부분으로서 다음 (1)부터 (5)까지의 것을 제외한다.

(1) 원심식압축기

(2) 고압부를 내장한 밀폐형압축기로서 저압부의 압력을 받는 부분

(3) 승압기(Booster)의 토출압력을 받는 부분

(4) 다원냉동장치로서 압축기 또는 발생기의 작용으로 응축압력을 받는 부분으로 응축온도가 보통의 운전상태에서 -15 ℃ 이하의 부분

(5) 자동팽창밸브[팽창밸브의 2차측에 고압부 압력이 걸리는 것 (열펌프용 등)은 고압부로 한다]

6. "저압부"란 고압부 이외의 부분을 말한다.

7 고압가스 특정설비 상세기준

1. "압축천연가스"란 천연가스(바이오가스 및 메탄이 주성분인 가스로서 천연가스와 연료 품질이 동등이상인 것을 포함한다)를 자동차에 충전하기 위하여 일정한 압력에 의하여 압축되어 있는 가스를 말한다.

2. "노즐(Nozzle)"이란 천연가스를 자동차에 충전하기 위하여 리셉터클에 연료 공급용 호스를 안전한 방법으로 신속하게 연결 및 분리할 수 있도록 제작한 부품을 말한다.

3. "리셉터클(Receptacle)"이란 연료주입노즐을 받는 차량에 장착되어 CNG(Compressed Natural Gas)용기로 연결하여 연료를 안전하게 이송할 수 있는 부품을 말한다.

4. "포지티브(Positive) 잠금장치"란 노즐과 리셉터클을 연결 또는 분리하기 위하여 연동기 구의 작동을 요구하는 잠금장치를 말한다.

5. "긴급차단장치"란 고압가스설비의 이상사태가 발생하는 때에 해당 설비를 신속히 차단하도록 하는 장치(밸브와 부속물을 포함한 조립품을 말한다. 이하 같다)를 말한다.

6. "호칭압력"이란 밸브의 압력 구분을 호칭하기 위한 것으로 "Class", "PN", "K", "㎫"로 표시하며, Class는 ASME B 16.34, "PN"은 KS B ISO 7268, "K"는 KS B 2308을 따른다.

7. "호칭지름" 이란 밸브의 크기를 표시하는 숫자로 NPS(nominal pipe size)는 인치계, DN(nominal size)은 미터계 표시를 말한다.

NPS	$\frac{1}{4}$	$\frac{3}{8}$	$\frac{1}{2}$	$\frac{3}{4}$	1	$1\frac{1}{4}$	$1\frac{1}{2}$	2	$2\frac{1}{2}$	3	4
DN	8	10	15	20	25	32	40	50	65	80	100

※ NPS 4 이상의 DN은 NPS에 25를 곱한 수치.

8. "기화장치"란 액화가스를 증기·온수·공기 등 열매체로 가열하여 기화시키는 기화통을 주체로한 장치이고, 이것에 부속된 기기·밸브류·계기류 및 연결관을 포함한 것(기화장치가 캐비닛 등에 격납된 것은 캐비닛 등의 외측에 부착된 밸브 또는 플랜지까지)을 말한다.

9. "기화통"이란 기화장치 중 액화가스를 증기·온수·공기 등 열매체로 가열하여 기화시키는 부분으로서 그 내부의 기구와 접속노즐을 포함한 것을 말한다.

10. "연결 압력실"이란 기화통의 동체 또는 경판과 교차하여 기화통에 종속된 압력실로 섬프(Sump)· 도움(Dome)·맨홀(Manhole) 등을 말한다.

11. "완속충전설비"란 압축기·전동기·냉각팬 및 조절장치 등을 케이스에 수납한 부분과 충전호스및 노즐(충전호스가 충전보조패널에 설치되는 형태의 것은 충전보조패널을 포함한다. 이하 같다)을 말한다.

12. "충전보조패널"이란 충전호스를 설치하기 위한 패널을 말한다.

13. "입구차단밸브"란 과충전방지장치 또는 안전정지장치가 작동하였을 때 도시가스배관에서 공급되는 가스를 자동으로 차단하는 밸브(케이스 안에 설치되는 것을 말한다)를 말한다.

14. "보조안전장치"란 과충전방지장치가 작동되었을 때 압축기의 출구측 압력상승을 방지하기 위하여 가스를 완충탱크(Blow down

tank)로 방출시키는 안전장치를 말한다.

15. "충전호스 압력제거"란 완속충전설비와 압축천연가스자동차와의 접속부 안의 가스를 제거하여 압력을 낮추는 것을 말한다.

16. "완충탱크"란 압축기의 입구측에 접속되어 충전호스 압력제거 시 또는 보조 안전장치 작동시 압축기 출구측 가스를 회수하는 압력용기를 말한다.

17. "완충탱크 안전장치"란 완충탱크 안의 압력이 설정압력에 도달하는 경우 즉시 그 압력을 상용압력 이하로 되돌림으로써 완충탱크의 압력 상승을 방지하는 안전밸브를 말한다.

18. "완충밸브"란 충전호스압력 제거 시 또는 보조 안전장치 작동 시 압축기의 출구측 가스를 완충탱크로 방출하는 밸브를 말한다.

19. "안전정지"란 안전하게 압축기를 정지하고 입구차단밸브를 닫는 것을 말한다.

20. "압력용기"란 35 ℃에서의 압력 또는 설계압력이 그 내용물이 액화가스인 경우는 0.2 MPa 이상, 압축가스인 경우는 1MPa 이상인 용기를 말한다. 다만, 다음 중 어느 하나에 해당하는 용기는 압력용기로 보지 아니한다.
    (1) 규칙 별표 10 용기 제조의 기술·검사 기준의 적용을 받는 용기
    (2) 설계압력(MPa)과 내용적(㎥)을 곱한 수치가 0.004 이하인 용기
    (3) 펌프, 압축장치(냉동용압축기를 제외한다) 및 축압기(accumulator, 축압 용기 안에 액화가스 또는 압축가스와 유체가 격리될 수 있도록 고무격막 또는 피스톤 등이 설치된 구조로서 상시 가스가 공급되지 아니하는 구조의 것을 말한다)의 본체와 그 본체와 분리되지 아니하는 일체형 용기
    (4) 완충기 및 완충장치에 속하는 용기와 자동차에어백용 가스충전용기
    (5) 유량계, 액면계, 그 밖의 계측기기

(6) 소음기 및 스트레이너(필터를 포함한다. 이하 같다)로서 다음의 어느 하나에 해당되는 것
  ① 플랜지 부착을 위한 용접부 이외에는 용접이음매가 없는 것
  ② 용접구조이나 동체의 바깥지름(D)이 320㎜(호칭지름 12B 상당) 이하이고, 배관접속부 호칭지름 (d)과의 비(D/d)가 2.0 이하인 것
(7) 압력에 관계없이 안지름, 폭, 길이 또는 단면의 지름이 150㎜ 이하인 용기

21. 이 기준을 적용하는 압력용기등의 기하학적 범위는 다음과 같다.
  (1) 용접으로 배관과 연결하는 것은 첫 번째 용접이음매까지
  (2) 플랜지로 배관과 연결하는 것은 첫 번째 플랜지이음면까지
  (3) 나사결합으로 배관과 연결하는 것은 첫 번째 나사결합부까지
  (4) 그 밖의 방법으로 압력용기와 배관을 연결하는 것은 그 첫 번째 이음부까지
  (5) 압력용기등에 직접 용접부착된 지지구조물, 러그, 패드 등은 압력용기등의 본체로 본다.
  (6) "압력용기등"이란 저장탱크와 압력용기를 말한다.

22. "냉간연신(Cold-Stretching)"이란 오스테나이트계 스테인리스강 초저온 압력용기등을 제조하기 위한 방법으로서 재료의 항복강도를 증가시키기 위하여 상온에서 냉간연신압력으로 가압하는 것을 말한다.

23. "냉간연신압력"이란 압력용기등의 냉간연신을 하기 위한 압력으로서 설계압력의 1.5배에서 1.6배 사이의 압력을 말한다.

24. "수소취성(hydrogen embrittlement)"이란 금속이 수소원자의 침입으로 연성을 잃고 취성균열로 이어지는 현상을 말한다.

25. "소형저장탱크"란 액화석유가스를 저장하기 위하여 지상 또는 지하에 고정 설치된 탱크로서 그 저장능력이 3톤 미만인 탱크

를 말한다.

26. "지상식 저장탱크(Aboveground Storage Tank)"란 지표면 위에 설치하는 형태의 저장탱크를 말한다.

27. "지중식 저장탱크(Inground Storage Tank)"란 액화천연가스의 최고 액면을 지표면과 동등 또는 그 이하가 되도록 설치하는 형태의 저장탱크를 말한다.

28. "지하식 저장탱크(Underground Storage Tank)"란 지하에 설치하는 구조로서 콘크리트 지붕을 흙으로 완전히 덮어버린 형태의 저장탱크를 말한다.

29. "1차 탱크(Primary container)"란 정상운전 상태에서 액화천연가스를 저장할 수 있는 것으로서 단일방호식, 이중방호식, 완전방호식 또는 멤브레인식 저장탱크의 안쪽 탱크를 말한다.

30. "2차 탱크(Secondary container)"란 액화천연가스를 담을 수 있는 것으로서 이중방호식, 완전방호식 또는 멤브레인식 저장탱크의 바깥쪽 탱크를 말한다.

31. "단일방호식 저장탱크(Single Containment Tank)"란 액화천연가스를 저장할 수 있는 하나의 탱크로 구성된 것으로서 다음의 (1) 및 (2)를 만족하는 저장탱크를 말한다.
    (1) 1차 탱크는 액화천연가스를 저장할 수 있는 자기 지지형 강재 원통형으로 한다.
    (2) 1차 탱크는 증기를 담을 수 있는 강재 돔(dome) 지붕이 있거나 상부 개방형인 경우에는 증기를 담을 수 있도록 설계되고 단열을 유지할 수 있는 기밀한 구조의 바깥 강재 탱크가 있는 것으로 한다.

32. "이중방호식 저장탱크(Double Containment Tank)"란 1차 탱크와 2차 탱크로 구성된 것으로서 다음의 (1)부터 (3)까지를 만족하는 저장탱크를 말한다.

⑴ 1차 탱크는 단일방호식 저장탱크와 동일한 형태로 액화천연가스를 저장할 수 있는 기밀한 구조인 것으로 한다.

⑵ 2차 탱크는 1차 탱크가 파손되는 경우 액화천연가스를 담을 수 있는 것으로 한다.

⑶ 1차 탱크와 2차 탱크 사이의 환상공간(annular space)은 6.0 m 이하인 것으로 한다.

33. "완전방호식 저장탱크(Full Containment Tank)"란 1차 탱크와 2차 탱크가 함께 구성된 것으로서 다음의 ⑴부터 ⑷까지를 만족하는 저장탱크를 말한다.

⑴ 1차 탱크는 액화천연가스를 저장할 수 있는 것으로 자기 자립형(self-standing) 구조의 단일벽 강재인 것으로 한다.

⑵ 1차 탱크는 증기를 담지 않는 상부 개방형 구조 또는 증기를 담을 수 있는 돔 지붕을 갖춘 것으로 한다.

⑶ 2차 탱크는 돔 지붕을 갖춘 콘크리트 구조의 탱크로 하며, 다음의 성능을 갖도록 설계한다.

① 정상운전 시: 1차 탱크가 상부 개방형인 경우 증기를 담을 수 있어야 하고, 1차 탱크의 단열을 유지할 수 있는 것으로 한다.

② 1차 탱크 누출 시: 모든 액화천연가스를 담을 수 있어야 하고, 기밀을 유지할 수 있는 구조인 것으로 한다. 또한, 증기는 압력 방출시스템을 통해 제어될 수 있는 것으로 한다.

⑷ 1차 탱크와 2차 탱크 사이의 환상공간은 2.0 m 이하인 것으로 한다.

34. "멤브레인식 저장탱크(Membrane Containment Tank)"란 멤브레인의 1차 탱크와 단열재와 콘크리트가 조합된 복합구조(이하 "복합구조"라 한다)의 2차 탱크로 구성된 것으로서 다음의 ⑴ 및 ⑵를 만족하는 저장탱크를 말한다.

⑴ 멤브레인에 걸리는 액화천연가스의 하중 및 기타 하중은 단열

재를 거쳐 콘크리트 구조의 2차 탱크로 전달될 수 있는 것으로 한다.

⑵ 복합구조 지붕 또는 기밀한 돔 지붕과 단열된 현수 천장(suspended roof)은 증기를 담을 수 있는 것으로 한다.

35. "고장력강"이란 탄소강으로서 인장강도 규격치의 최소치가 568.4N/㎟ 이상의 것을 말한다.

36. "역화방지장치"란 아세틸렌, 수소 그 밖에 가연성가스의 제조 및 사용설비에 부착하는 건식 또는 수봉식(아세틸렌에만 적용한다)의 역화방지장치로서 상용압력이 0.1 ㎫ 이하인 것을 말한다.

제2장
액화석유가스의
안전관리 및 사업법령

1 액화석유가스의 안전관리 및 사업법

1. "액화석유가스"란 프로판이나 부탄을 주성분으로 한 가스를 액화(液化)한 것[기화(氣化)된 것을 포함한다]을 말한다.

2. "액화석유가스 수출입업"이란 액화석유가스를 수출하거나 수입하는 사업을 말한다.

3. "액화석유가스 수출입업자"란 제17조에 따라 등록(등록이 면제된 경우를 포함한다)을 하고 액화석유가스 수출입업을 하는 자를 말한다.

4. "액화석유가스 충전사업"이란 저장시설에 저장된 액화석유가스를 용기(容器)에 충전(배관을 통하여 다른 저장 탱크에 이송하는 것을 포함한다. 이하 같다)하거나 자동차에 고정된 탱크에 충전하여 공급하는 사업을 말한다.

5. "액화석유가스 충전사업자"란 제5조에 따라 액화석유가스 충전사업의 허가를 받은 자를 말한다.

6. "액화석유가스 집단공급사업"이란 액화석유가스를 일반의 수요에 따라 배관을 통하여 연료로 공급하는 사업을 말한다.

6의2. "액화석유가스 배관망공급사업"이란 액화석유가스 집단공급사업 중 저장탱크로부터 도로 등에 지중(地中) 매설된 배관을 통하여 일반 수요자에게 액화석유가스를 공급하는 사업으로 대통령령으로 정하는 사업을 말한다.

7. "액화석유가스 집단공급사업자"란 제5조에 따라 액화석유가스 집
단공급사업의 허가를 받은 자를 말한다.

7의2. "액화석유가스 배관망공급사업자"란 액화석유가스 집단공급사
업자 중 제5조에 따라 액화석유가스 배관망공급사업으로 허가를
받은 자를 말한다.

8. "액화석유가스 판매사업"이란 용기에 충전된 액화석유가스를 판
매하거나 자동차에 고정된 탱크(탱크의 규모 등이 산업통상자원
부령으로 정하는 기준에 맞는 것만을 말한다)에 충전된 액화석유
가스를 산업통상자원부령으로 정하는 규모 이하의 저장 설비에
공급하는 사업을 말한다.

9. "액화석유가스 판매사업자"란 제5조에 따라 액화석유가스 판매사
업의 허가를 받은 자를 말한다.

10. "액화석유가스 위탁운송사업"이란 산업통상자원부령으로 정하는 액화석유가스 충전사업자나 액화석유가스 판매사업자로부터 액화석유가스의 운송을 위탁받아 산업통상자원부령으로 정하는 자동차에 고정된 탱크를 이용하여 소형저장탱크에 운송하여 공급하는 사업을 말한다.

11. "액화석유가스 위탁운송사업자"란 제9조에 따라 액화석유가스 위탁운송사업의 등록을 한 자를 말한다.

12. "가스용품 제조사업"이란 액화석유가스 또는 「도시가스사업법」에 따른 연료용 가스를 사용하기 위한 기기(機器)를 제조하는 사업을 말한다.

13. "가스용품 제조사업자"란 제5조에 따라 가스용품 제조사업의 허가를 받은 자를 말한다.

14. "액화석유가스 저장소"란 산업통상자원부령으로 정하는 일정량 이상의 액화석유가스를 용기 또는 저장 탱크에 저장하는 일정한 장소를 말한다.

시행규칙 제2조(정의)

⑥ 법 제2조제14호에서 "산업통상자원부령으로 정하는 일정량"이란 다음 각 호의 양을 말한다.

1. 내용적(內容積) 1리터 미만의 용기에 충전하는 액화석유가스의 경우에는 500킬로그램. 다만, 내용적 1리터 미만의 용기 중 안전밸브가 부착된 이동식 부탄연소기용 용기 및 이동식 프로판연소기용 용접용기의 경우에는 1톤으로 한다.
2. 제1호 외의 저장설비(관리주체가 있는 공동주택의 저장설비는 제외한다)의 경우에는 저장능력 5톤

---

15. "액화석유가스 저장자"란 제8조에 따라 액화석유가스 저장소의

설치 허가를 받은 자를 말한다.

16. "액화석유가스 사업자등"이란 액화석유가스 충전사업자, 액화석유가스 집단공급사업자, 액화석유가스 판매사업자, 액화석유가스 위탁운송사업자, 가스용품 제조사업자 및 액화석유가스 저장자를 말한다.

액화석유가스의 안전관리 및 사업법 시행규칙

1. "저장설비"란 액화석유가스를 저장하기 위한 설비로서 저장탱크, 마운드형 저장탱크, 소형저장탱크 및 용기(용기집합설비와 충전용기보관실을 포함한다. 이하 같다)를 말한다.

2. "저장탱크"란 액화석유가스를 저장하기 위하여 지상 또는 지하에 고정 설치된 탱크(선박에 고정 설치된 탱크를 포함한다)로서 그 저장능력이 3톤 이상인 탱크를 말한다.

3. "마운드형 저장탱크"란 액화석유가스를 저장하기 위하여 지상에 설치된 원통형 탱크에 흙과 모래를 사용하여 덮은 탱크로서 「액화석유가스의 안전관리 및 사업법 시행령」 제3조제1항제1호마목에 따른 자동차에 고정된 탱크 충전사업 시설에 설치되는 탱크를 말한다.

4. "소형저장탱크"란 액화석유가스를 저장하기 위하여 지상 또는 지하에 고정 설치된 탱크로서 그 저장능력이 3톤 미만인 탱크를 말한다.

5. "용기집합설비"란 2개 이상의 용기를 집합(集合)하여 액화석유가스를 저장하기 위한 설비로서 용기·용기집합장치·자동절체기(사용 중인 용기의 가스공급압력이 떨어지면 자동적으로 예비용기에서 가스가 공급되도록 하는 장치를 말한다)와 이를 접속하는 관 및 그 부속설비를 말한다.

6. "자동차에 고정된 탱크"란 액화석유가스의 수송·운반을 위하여 자동차에 고정 설치된 탱크를 말한다.

7. "충전용기"란 액화석유가스 충전 질량의 2분의 1 이상이 충전되어 있는 상태의 용기를 말한다.

8. "잔가스용기"란 액화석유가스 충전 질량의 2분의 1 미만이 충전되어 있는 상태의 용기를 말한다.

9. "가스설비"란 저장설비 외의 설비로서 액화석유가스가 통하는 설비(배관은 제외한다)와 그 부속설비를 말한다.

10. "충전설비"란 용기 또는 자동차에 고정된 탱크에 액화석유가스를 충전하기 위한 설비로서 충전기와 저장탱크에 부속된 펌프 및 압축기를 말한다.

11. "용기가스소비자"란 용기에 충전된 액화석유가스를 연료로 사용하는 자를 말한다. 다만, 다음 각 목의 자는 제외한다.
    (1) 액화석유가스를 자동차연료용, 용기내장형 가스난방기용, 이동식 부탄연소기용, 이동식 프로판연소기용, 공업용 또는 선박용으로 사용하는 자
    (2) 액화석유가스를 이동하면서 사용하는 자

12. "공급설비"란 용기가스소비자에게 액화석유가스를 공급하기 위한 설비로서 다음 각 목에서 정하는 설비를 말한다.
    (1) 액화석유가스를 부피단위로 계량하여 판매하는 방법(이하 "체적판매방법"이라 한다)으로 공급하는 경우에는 용기에서 가스계량기 출구까지의 설비

⑵ 액화석유가스를 무게단위로 계량하여 판매하는 방법(이하 "중량판매방법"이라 한다)으로 공급하는 경우에는 용기

13. "소비설비"란 용기가스소비자가 액화석유가스를 사용하기 위한 설비로서 다음 각 목에서 정하는 설비를 말한다.
    ⑴ 체적판매방법으로 액화석유가스를 공급하는 경우에는 가스계량기 출구에서 연소기까지의 설비
    ⑵ 중량판매방법으로 액화석유가스를 공급하는 경우에는 용기 출구에서 연소기까지의 설비

14. 건축물 재료 및 구조에 대한 용어의 뜻은 다음과 같다.
    ⑴ "불연재료"란 「건축법 시행령」 제2조제10호에 따른 불연재료를 말한다.
    ⑵ "난연재료"란 「건축법 시행령」 제2조제9호에 따른 난연재료를 말한다.
    ⑶ "내화구조"란 「건축법 시행령」 제2조제7호에 따른 내화구조를 말한다.
    ⑷ "자기소화성(自己消化性)"이란 자동폐쇄장치의 성능인증 및 제품검사의 기술기준(소방청고시 제2017-19호) 제14조에 따른 자기소화성을 말한다.

15. "방호벽"이란 높이 2미터 이상, 두께 12센티미터 이상의 철근콘크리트 또는 이와 같은 수준 이상의 강도를 가지는 구조의 벽을 말한다.

16. "보호시설"이란 제1종 보호시설과 제2종 보호시설로서 별표 1에서 정한 것을 말한다.

17. "다중이용시설"이란 많은 사람이 출입·이용하는 시설로서 별표 2에서 정한 것을 말한다.

18. "저장능력"이란 저장설비에 저장할 수 있는 액화석유가스의 양으로서 별표 4의 저장능력 산정기준에 따라 산정된 것[용기의 경

우에는 「산업표준화법」에 따른 한국산업표준(KS B 6211)의 허용 최대 충전량을 말한다]을 말한다.

19. 액화석유가스 배관망공급사업에서 사용하는 용어의 뜻은 다음과 같고, 이 호에서 규정하지 않은 용어에 대해서는 이 규칙에서 사용하는 용어의 뜻에 따른다.

(1) "가스공급시설"이란 액화석유가스를 제조하거나 공급하기 위한 시설로서 다음의 시설을 말한다.

① 가스제조시설: 액화석유가스의 저장설비·하역설비·기화설비 및 그 부속설비

② 가스배관시설: 제조소 경계로부터 가스사용자가 소유하거나 점유하고 있는 토지의 경계[공동주택, 오피스텔, 콘도미니엄, 그 밖에 안전관리를 위하여 산업통상자원부장관이 필요하다고 인정하여 정하는 건축물(이하 "공동주택 등"이라 한다)로서 가스사용자가 구분하여 소유하거나 점유하는 건축물의 외벽에 계량기가 설치된 경우에는 그 계량기의 전단밸브를, 계량기가 건축물의 내부에 설치된 경우에는 건축물의 외벽을 말한다]까지 이르는 배관 및 그 부속설비

(2) "제조소"란 「액화석유가스의 안전관리 및 사업법」 제34조의2에 따라 가스공급시설의 공사계획에 대해 승인을 받은 장소를 말한다.

(3) "배관"이란 액화석유가스를 공급하기 위해 배치된 관(管)으로서 본관, 공급관, 내관 또는 그 밖의 관을 말한다.

(4) "본관"이란 제조소 경계에서 정압기까지 이르는 배관을 말한다. 다만, 제조소 안의 배관은 제외한다.

(5) "공급관"이란 다음 어느 하나에 해당하는 것을 말한다.

① 공동주택등에 액화석유가스를 공급하는 경우에는 제조소 경계(정압기가 제조소 밖에 설치되는 경우에는 정압기를 말한다)에서 가스사용자가 구분하여 소유하거나 점유하는

건축물의 외벽에 설치하는 계량기의 전단밸브(계량기가
건축물 내부에 설치된 경우에는 건축물의 외벽을 말한다)
까지 이르는 배관

② 공동주택등 외의 건축물 등에 액화석유가스를 공급하는
경우에는 제조소 경계(정압기가 제조소 밖에 설치되는 경
우에는 정압기를 말한다)에서 가스사용자가 소유하거나
점유하고 있는 토지의 경계까지 이르는 배관

(6) "사용자공급관"이란 마목1)에 따른 공급관 중 가스사용자가
소유하거나 점유하고 있는 토지의 경계에서 가스사용자가 구
분하여 소유하거나 점유하는 건축물의 외벽에 설치된 계량기
의 전단밸브(계량기가 건축물의 내부에 설치된 경우에는 그
건축물의 외벽을 말한다)까지 이르는 배관을 말한다.

(7) "내관"이란 가스사용자가 소유하거나 점유하고 있는 토지의
경계(공동주택등으로서 가스사용자가 구분하여 소유하거나 점
유하는 건축물의 외벽에 계량기가 설치된 경우에는 그 계량
기의 전단밸브를, 계량기가 건축물의 내부에 설치된 경우에는
건축물의 외벽을 말한다)에서 연소기까지 이르는 배관을 말한다.

(8) "가스사용시설"이란 가스공급시설 외의 가스사용자의 시설로
서 다음의 시설을 말한다.

① 내관·연소기 및 그 부속설비
② 공동주택등의 외벽에 설치된 가스계량기

20. "일반집단공급시설"이란 저장설비에서 가스사용자가 소유하거나
점유하고 있는 건축물의 외벽(외벽에 가스계량기가 설치된 경우
에는 그 계량기의 전단밸브를 말한다)까지의 배관과 그 밖의 공
급시설을 말한다.

3 액화석유가스법 충전시설 상세기준

1. "벌크로리"란 소형저장탱크에 액화석유가스를 공급하기 위하여 펌프 또는 압축기가 부착된 자동차에 고정된 탱크를 말한다. 다만, 규칙 별표 4에서 규정하는 방법으로 액화석유가스를 공급 하는 경우에는 저장능력 10톤 이하인 저장탱크에 공급할 수 있다.

2. "이동식 부탄연소기용 용접용기"란 카세트식 이동식 부탄연소기에 사용되는 내용적 1리터 미만의 용기로서 재충전하여 사용할 수 있는 것을 말한다.

3. "이동식 프로판연소기용 용접용기"란 직결 또는 분리형 이동식 프로판연소기에 사용되는 내용적 1리터 미만의 용기로서 재충전하여 사용할 수 있는 것을 말한다.

4. "저장능력"이란 저장설비에 저장할 수 있는 액화석유가스의 양으로서 다음 식에 따라 산정된 것을 말한다.

    $$W = 0.9 d V$$

    다만, 소형저장탱크의 경우에는 0.9대신 0.85를 적용한다.
    여기서,
    W : 저장탱크 및 소형저장탱크의 저장능력(kg)
    d : 상용온도에서 액화석유가스비중(kg/L)
    V : 저장탱크 및 소형저장탱크의 내용적(L)

5. "패널(Panel)"이란 액화석유가스의 냄새측정을 위하여 미리 선정한 정상적인 후각을 가진 사람으로서 냄새를 판정하는 자를 말한다.

6. "시험자"란 액화석유가스의 냄새 농도측정을 할 때 희석조작으로 냄새 농도를 측정하는 자를 말한다.

7. "시험가스"란 냄새를 측정할 수 있도록 액화석유가스를 기화시킨 가스를 말한다.

8. "시료기체"란 액화석유가스의 냄새측정을 위하여 시험가스를 청정한 공기로 희석한 판정용 기체를 말한다.

9. "희석배수"란 액화석유가스의 냄새측정을 위하여 시료기체의 양을 시험가스의 양으로 나눈 값을 말한다.

10. "폭발방지장치"란 액화석유가스 저장탱크 외벽이 화염으로 국부적으로 가열될 경우 그 저장탱크 벽면의 열을 신속히 흡수·분산함으로써 탱크 벽면의 국부적인 온도 상승에 따른 저장탱크의 파열을 방지하기 위하여 저장탱크 내벽에 설치하는 다공성 벌집형 알루미늄합금 박판을 말한다.

11. "태양광발전설비"란 태양빛을 직접 전기에너지로 변환시키는 발전설비로서, 태양빛을 받아 전기를 발생시키는 태양전지로 구성된 집광판(모듈), 전력변환장치(인버터) 등을 말한다.

4 액화석유가스법 집단공급시설 상세기준

1. "제조소"란 규칙 별표 4의2제1호에 따른 제조소로서 법 제34조의2에 따른 특별자치시장·특별자치도지사·시장·군수·구청장(구청장은 자치구의 구청장을 말하며, 이하 "시장·군수·구청장"이라 한다)으로부터 공사계획 승인을 받은 장소를 말한다.

2. "정압기(governor)"란 액화석유가스 압력을 사용처에 맞게 낮추

는 감압기능, 2차 측의 압력을 허용범위내의 압력으로 유지하는 정압기능 및 가스의 흐름이 없을 때는 밸브를 완전히 폐쇄하여 압력상승을 방지하는 폐쇄기능을 가진 기기로서 "일반용 액화석유가스 압력조정기" 또는 "정압기용 압력조정기 (regulator)"와 그 부속설비를 말한다.

3. "정압기 부속설비"란 정압기실 내부의 1차 측(inlet) 최초 밸브(밸브가 없는 경우 플랜지 또는 절연조인트)로부터 2차 측(outlet) 말단 밸브(밸브가 없는 경우 플랜지 또는 절연조인트)사이에 설치된 배관, "가스차단장치(valve)", "정압기용 필터(gas filter)", "긴급차단장치(slam shut valve)", "안전밸브 (safety valve)", "압력기록장치(pressure recorder)", 각종 통보 설비 및 이들과 연결된 배관과 전선을 말한다.

4. "철근콘크리트 구조의 정압기실"이란 정압기실의 벽과 기초가 철근콘크리트인 정압기실을 말한다.

5. "캐비닛(cabinet)형 구조의 정압기실"이란 정압기, 배관 및 안전장치 등이 일체로 구성된 정압기에 한하여 사용할 수 있는 정압기실로 내식성 재료의 캐비닛과 철근콘크리트 기초로 구성된 정압기실을 말한다.

6. "이상압력통보설비"란 정압기출구측의 압력이 설정압력보다 상승하거나 낮아지는 경우에 이상 유무를 상황실에서 알 수 있도록 경보음(70 dB 이상) 등으로 알려주는 설비를 말한다.

7. "긴급차단장치"란 정압기의 이상발생 등으로 출구측의 압력이 설정압력보다 이상 상승하는 경우 입구측으로 유입되는 가스를 자동차단하는 장치를 말한다.

8. "안전밸브"란 정압기의 압력이 이상 상승하는 경우 자동으로 압력을 대기 중으로 방출하기 위한 밸브를 말한다.

9. "수요자수"란 주택의 경우에는 가구 수를 말하고, 주택 이외의

경우에는 업소 수를 말한다.

10. "배관안전점검원"이란 「액화석유가스의 안전관리 및 사업법 시행령」(이하 "영"이라 한다) 제16조제1항에 따른 업무를 수행하기 위하여 액화석유가스 배관망공급사업의 배관길이 15 km를 기준으로 1인씩 선임된 자(이하 "안전점검원"이라 한다)를 말한다.

11. "하천"이란 공공의 이해에 밀접한 관계가 있는 유수(流水)의 계통으로 국가(국토해양부장관) 또는 시·도지사가 지정·고시한 것으로 국가하천, 지방하천으로 나누어지며, 하천구역과 하천시설을 포함한다.

12. "하천구역"이란 「하천법」 제10조제1항에 따른 하천구역 중 제방 이외의 하심측(河心側)의 토지를 말한다.

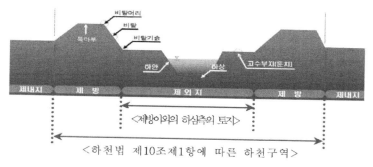

<하천법 제10조제1항에 따른 하천구역>

13. "하천시설"이란 하천의 기능을 보전하고 효용을 증진하며 홍수 피해를 줄이기 위하여 설치하는 다음의 시설을 말한다. 다만, 하천관리청이 아닌 자가 설치한 시설에 관하여는 하천관리청이 해당 시설을 하천시설로 관리하기 위하여 그 시설을 설치한 자의 동의를 얻은 것에 한한다.
  (1) 제방·호안(護岸)·수제(水制) 등 물길의 안정을 위한 시설
  (2) 댐·하구둑(「방조제관리법」에 따라 설치한 방조제를 포함한다)·홍수 조절지 · 저류지 ·지하하천·방수로·배수펌프장(「농어촌정비법」에 따른 농업생산 기반시설인 배수장과 「하수도법」에

따른 하수를 배제(排除)하기 위하여 설치한 펌프장을 제외한다)·수문(水門) 등 하천수위의 조절을 위한 시설

(3) 운하·안벽(岸壁)·물양장(物揚場)·선착장 ·갑문 등 선박의 운항과 관련된 시설

(4) 그 밖에 하천관리에 필요한 보(洑)·수로터널·수문조사 시설·하천실험장, 그 밖에 「하천 법」에 따라 설치된 시설로서 국토해양부장관이 고시하는 시설

14. "소하천"이란 「하천법」의 적용 또는 준용을 받지 않는 하천으로 시장, 군수 또는 자치구의 구청장이 그 명칭과 구간을 지정·고시한 것을 말한다.

15. "수로"란 하천 또는 소하천에 속하지 않는 것으로 개천, 용수로 또는 이와 유사한 것으로 물이 흐르는 자연 또는 인공의 통로를 말한다.

16. "계획하상높이"란 하천관리청에서 하천 관리를 위해 정해 놓은 (계획해 놓은) 하상(하천의 바닥) 높이를 말한다.

17. "파이프덕트(pipe shaft 또는 pipe duct)"란 철근 콘크리트 구조의 건물 각층을 상하로 통하도록 하여 건축 설비용의 파이프군 수직관 등을 수납하기 위한 통모양의 관로로서 전기설비 등점화원이 될 수 있는 시설물이 없는 관로를 말한다.

18. "정밀안전진단"이란 가스배관에 의한 가스사고를 예방하기 위하여 장비와 기술을 이용하여 장기사용 배관의 잠재된 위험요소와 원인을 찾아내고 적절한 조치방안 등을 제시하는 것을 말한다.

19. "자료수집 및 분석"이라 함은 정밀안전진단 대상 배관에 대한 안전관리 상태를 서류 및자료를 통해 확인 및 분석하고, 현장조사가 필요한 배관 구간을 선정하는 것을 말한다.

20. "현장조사"라 함은 장기사용 배관의 노후화 및 결함을 포함하는 위험요소를 직접 장비를 이용하여 찾아내고 진단하는 것을 말한다.

21. "종합평가"라 함은 자료수집 및 분석결과와 현장조사 결과를 종합하여 배관 안전상태를 등급으로 나타내는 것을 말한다.

22. "배관관리주체"라 함은「액화석유가스의 안전관리 및 사업법」제2조제7의2호에 따른 액화석유가스 배관망공급사업자를 말한다.

23. "입상관"이란 수용가에 가스를 공급하기 위해 건축물에 수직으로 부착되어 있는 배관을 말하며, 가스의 흐름방향과 관계없이 수직배관은 입상관으로 본다.

액화석유가스법 가스용품 상세기준

1. "정기품질검사"란 생산단계검사를 받고자 하는 제품이 설계단계검사를 받은 제품과 동일하게 제조된 제품인지 확인하기 위하여 양산된 제품에서 시료를 채취하여 성능을 확인하는 것을 말한다.

2. "상시샘플검사"란 제품확인검사를 받고자 하는 제품에 대하여 같은 생산단위로 제조된 동일제품을 1조로 하고 그 조에서 샘플을 채취하여 기본적인 성능을 확인하는 검사를 말한다.

3. "수시품질검사"란 생산공정검사 또는 종합공정검사를 받은 제품이 설계단계검사를 받은 제품과 동일하게 제조되고 있는지 양산된 제품에서 예고 없이 시료를 채취하여 확인하는 검사를 말한다.

4. "공정확인심사"란 설계단계검사를 받은 제품을 제조하기 위하여 필요한 제조 및 자체검사공정에 대한 품질시스템 운용의 적합성을 확인하는 것을 말한다.

5. "종합품질관리체계심사"란 제품의 설계·제조 및 자체검사 등 절 연관 제조 전 공정에 대한 품질시스템 운용의 적합성을 확인하는 것을 말한다.

6. "업무용대형연소기용노즐콕"이란 업무용대형연소기 부품으로 사 용하는 것으로서 가스 흐름을 볼로 개폐하는 구조를 말한다.

7. "핸들"이란 가스유로를 수동으로 개폐하기 위해 콕의 몸통에 장 착한 것을 말한다.

8. "과류차단안전기구"란 표시유량 이상의 가스량이 통과되었을 경 우 가스유로를 차단하는 장치를 말한다.

9. "상자콕"이란 상자에 넣어 바닥, 벽 등에 설치하는 것으로써 3.3 kPa 이하의 압력과 1.2 m 3 /h 이하의 표시유량에 사용하는 콕을 말한다.

10. "신속이음쇠"란 상자콕의 출구측에 접속되는 것으로 신속하게 탈착할 수 있고, 접속부에서 가스누출이 없는 이음구조를 말한다.

11. "온-오프(ON-OFF)장치"란 과류차단안전기구를 가지며, 핸들 등이 반개방 상태에서도 가스유로가 열리지 않는 것을 말한다.

12. "차단기직결형볼밸브"란 가스누출경보차단장치의 부품으로 사용 되는 밸브로서 경보차단 장치의 차단부와 밸브의 스템이 직접 연 결되어 작동되는 밸브를 말한다.

13. "가스누출 확인 퓨즈콕"이란 퓨즈콕 몸통에 점검통을 장착하여 사용자가 가스누출 여부를 확인할 수 있도록 저압(30 kPa 이하)전 용으로 제조된 것으로 몸통과 덮개, 점검통, 핸들, 점검버튼, 점 검홀로 이루어진다.

14. "몸통"이란 부품들이 내장·설치되어 덮개가 조립될 수 있도록 제조된 것을 말한다.

15. "덮개"란 몸통에 조립되면서 연소기호스 등을 접속할 수 있도록 제조된 것을 말한다.

16. "점검통"이란 콕과 연소기 사이에서 가스누출이 발생할 때 이를 확인하기 위해 몸통에 장착하도록 제조한 투명한 통을 말한다.

17. "점검버튼"이란 가스누출 여부를 확인하기 위해 몸통에 장착되도록 제조한 버튼을 말한다.

18. "점검홀"이란 점검버튼을 조작하였을 때 가스가 통하게 되는 내부 유로를 말하며, 핸들을 기준으로 하여 전단부와 통하는 홀과 역류방지장치가 설치된 핸들 후단부와 통하는 홀이 있다.

19. "전자식 가스누출확인 퓨즈콕"이란 퓨즈콕 몸통에 가스누출 점검을 하는 센서부와 전자식 차단밸브를 장착하여 사용자가 가스누출 여부를 점검버튼 조작에 의해 확인하거나 센서부에 의해 자동적으로 가스누출 여부를 확인하고 누출 시 가스유로를 차단할 수 있도록 3.3 kPa 이하로 제조된 것으로 몸통과 덮개, 외부케이스, 센서부, 전자식 차단밸브, 점검버튼과 시간조작버튼, 표시부, 핸들, 긴급개폐버튼으로 이루어진 것을 말한다.

20. "몸통과 덮개"란 몸통은 부품들이 내장·설치되어 덮개가 조립될 수 있도록 제조된 것을 말하며, 덮개는 몸통에 조립되면서 연소기호스 등을 접속할 수 있도록 제조된 것을 말한다.

21. "센서부"란 콕과 연소기 사이에서 가스누출이 발생할 때 이를 확인하기 위해 몸통에 장착하도록 제조한 센서를 말한다.

22. "검지부"란 누출된 가스를 검지하여 제어부로 신호를 보내는 기능을 가진 것을 말한다.

23. "차단부"란 제어부로부터 보내진 신호에 따라 가스의 유로를 개폐하는 기능을 가진 것을 말한다.

24. "제어부"란 차단부에 자동차단신호를 보내는 기능, 차단부를 원

격 개폐할 수 있는 기능 및경보 기능을 가진 것을 말한다.

25. "전자식 차단밸브"란 센서부와 연동되어 가스누출 감지 시 자동으로 유로를 차단할 수있도록 제조된 것을 말한다.

26. "점검버튼과 시간조작버튼"이란 점검버튼은 가스누출 여부를 확인하거나 콕의 유로를 재개방하기 위해 외부케이스에 장착되도록 제조한 버튼을 말하며, 시간조작버튼은 사용자가 가스의 사용시간을 설정하기 위해 조작하도록 외부케이스에 장착하는 버튼을 말한다.

27. "표시부"란 가스누출 여부, 제품의 고장여부, 가스 사용시간의 정보를 육안으로 확인할수 있도록 제조한 화면을 말한다.

28. "긴급개폐버튼"이란 정전 시나 전자식 차단밸브 고장 시 가스유로를 수동으로 개폐하 도록 제조한 버튼을 말한다.

29. "디지털 가스누출확인 퓨즈콕" 이란 퓨즈콕 몸통에 가스누출점검을 하는 센서부와 모터를 장착하여 사용자가 점검버튼 조작에 의해 가스누출여부를 확인하거나 센서부에 의해 자동적으로 가스누출 여부를 확인하고 누출 시 가스유로를 차단할 수 있도록 저압(3.3 kPa 이하) 전용으로 제조된 것으로 몸통과 덮개, 외부케이스, 센서부, 모터, 전원버튼, 점검버튼과 시간조작버튼, 표시부, 핸들로 이루어진 것을 말한다.

30. "도시가스용 압력조정기"란 도시가스 정압기 이외에 설치되는 압력조정기로서 입구쪽 호칭지름이 50A 이하이고, 최대표시유량이 300 Nm³/h 이하인 것을 말한다.

31. "정압기용 압력조정기"란 도시가스 정압기에 설치되는 압력조정기를 말한다.

32. "매몰형정압기"란 압력조정기·필터·밸브·안전장치 및 그 밖에 부품이 하나의 몸체 안에 부착되어 각각의 독립적인 기능을 가지는 것으로 지하에 매몰하는 일체형 정압기를 말한다.

33. "입구압력"이란 압력조정기의 입구쪽에 공급되는 압력을 말한다.

34. "최대입구압력"이란 입구압력의 최고값을 말한다.

35. "조정압력"이란 압력조정기의 성능시험을 하기 위해 정한 출구압력을 말한다.

36. "정격입구압력"이란 이 고시에서 규정하는 압력조정기의 방출용량을 얻을 수 있는 입구 압력을 말한다.

37. "폐쇄시상승압력"이란 폐쇄시 압력상승률 시험에서 출구를 폐쇄함에 따라 상승한 출구 압력을 말한다.

38. "폐쇄시압력상승률"이란 폐쇄시 상승압력에서 시험초기에 설정한 조정압력을 뺀 값을 조정압력으로 나눈 값을 말한다.

39. "표준유량"이란 방출용량시험에서 정격입구압력을 가하여 조정압력 상태로 조정기가 방출할 수 있을 때의 최대유량을 말한다.

40. "호스부"란 호스 중 이음쇠를 제외한 부분을 말한다.

41. "비금속호스"란 호스부와 이음쇠의 결합체를 말한다.

42. "플렉시블튜브"란 금속플렉시블호스 중 이음쇠를 제외한 부분을 말한다.

43. "금속플렉시블호스"란 플렉시블튜브와 이음쇠의 결합체를 말한다.

44. "플렉시블이음쇠"란 플렉시블튜브와 배관 및 배관연결구를 연결하는 부품을 말한다.(이하 "이음쇠"라 한다)

45. "연소기용호스"란 배관 및 배관연결부에서 연소기까지 연결하여 사용하는 금속플렉시블호스를 말한다.

46. "배관용호스"란 양 끝단을 배관 및 배관연결부와 연결하여 사용하는 금속플렉시블호스를 말한다.

47. "금속플렉시블호스용 가스켓"(이하 "가스켓"이라 한다)이란 기밀

성능 향상 등을 위해 플렉시블튜브와 이음쇠 접촉면 사이에 넣거나 부착하는 부속품을 말한다.

48. "과류차단성능"이란 규정된 유량보다 많은 양의 가스가 통과할 때 가스를 자동차단하는 성능을 말한다.

49. "누출점검성능"이란 가스의 누출 여부를 점검할 수 있는 성능을 말한다.

50. "재생기"란 냉난방기의 연료로 사용하는 가스의 연소열로 직접 흡수액을 가열하여, 냉매 증기를 발생하는 동시에 흡수액의 농도를 높이는 기기를 말한다.

51. "연소설비"란 냉난방기의 조작밸브에서 버너까지에 이르는 배관·콕 및 연소안전장치 등을 말한다.

52. "안전장치"란 냉난방기의 안전을 위하여 필요한 장치 및 기기류 등을 말한다.

53. "강제혼합식가스버너(이하 "버너"라 한다)"란 송풍기로 연소용 공기를 강제적으로 공급하는 버너를 말한다.

54. "재시동"이란 운전 중 화염이 꺼진 경우 안전차단시간 이내에 가스의 공급이 차단된 후 연속프로그램에 자동으로 시도되는 시동을 말하고, 재시동 동작은 운전의 재개 또는 시동시의 안전차단시간 이내에 화염이 생성되지 아니한 경우 작동폐쇄로 종료한다.

55. "재점화"란 운전 중 화염이 꺼진 경우 가스의 공급이 차단되지 아니한 상태에서 자동으로 시도되는 점화를 말하고, 재점화 동작은 운전의 재개 또는 재점화 시 안전차단 시간 이내에 화염이 생성되지 아니한 경우 작동폐쇄로 종료한다.

56. "안전차단시간"이란 화염이 있다는 신호가 오지 아니하는 상태에서 연소안전제어기가 가스의 공급을 허용하는 최대의 시간을 말하고, 안전차단시간은 시동시 안전차단시간과 운전 중 안전차단

시간으로 구분한다.

57. "시동 시 안전차단시간"이란 시동 시 가스공급시작 시점으로부터 착화에 실패하여 가스공 급차단신호가 나오는 때까지의 시간을 말한다.

58. "운전 중 안전차단시간"이란 운전 중 화염이 꺼졌다는 신호가 나온 시점으로부터 가스공 급차단신호가 나오는 때까지의 시간을 말한다.

59. "작동폐쇄"란 시동 또는 재점화 시 착화에 실패하거나 운전 중 화염이 블로우오프 (blow-off)된 경우 화염감시장치의 제어로 가스공급차단신호가 나옴과 동시에 연소안전제어기가 폐쇄되어 수동으로 연소안전제어기를 복귀시키지 아니하는 한 다시 시동이 되지 아니하도록 하는 것을 말한다.

60. "점화장치"란 파일럿버너·전기스파크점화장치 또는 특수전기점화장치를 말한다.

61. "특수전기점화장치"란 전기스파크점화장치보다 훨씬 큰 열을 발생시킬 수 있는 전기점화 장치를 말한다. 〔보기〕전기아크점화장치

62. "화염감시장치"란 연소안전제어기와 화염감시기(화염의 유무를 검지하여 연소안전제어기에 알리는 것)로 구성된 장치를 말한다.

63. "연소안전제어장치"란 조절장치·감시장치 등으로부터 수신된 신호에 따라 예정된 프로그 램대로 버너를 켜고 끄는 장치를 말한다.

64. "조절장치"란 압력·온도 등 설정변수를 예정된 요구 치로 유지시키기 위한 장치를 말한다.

65. "파일럿점화방식"란 주 버너의 주 화염을 점화하기 위해서 파일럿버너로 착화하는 방식을 말한다.

66. "직접점화방식"란 파일럿버너를 사용하지 아니하고 점화스파크로 직접 주 버너에 착화하는 방식을 말한다.

67. "공급가스압력"란 버너에 대한 가스의 공급압력으로서「도시가스사업법 시행규칙」제2조 제1항제3호에 따른 공급관의 가스압력을 말한다.

68. "사용가스압력"란 가스압력조정기의 출구압력을 말한다. 다만, 가스압력조 정기를 설치하지 아니하는 경우에는 공급가스압력을 말한다.

69. "실외저장소"란 내용적 30 L이하의 용기를 집적하여 저장하는 용기보관실외의 일정한 장소를 말한다.

70. "용기집합설비"란 2개 이상의 용기를 집합(集合)하여 액화석유가스를 저장하기 위한 설비로서 용기·용기집합장치·자동절체기(사용 중인 용기의 가스공급압력이 떨어지면 자동적으로 예비 용기에서 가스가 공급되도록 하는 장치를 말한다)와 이를 접속하는 관 및 그 부속설비를 말한다.

6 액화석유가스법 사용시설 상세기준

1. "용기가스소비자"란 용기에 충전된 액화석유가스를 연료로 사용하는 자를 말한다. 다만, 다음 (1) 또는 (2)에 해당하는 자는 제외한다.
   (1) 액화석유가스를 자동차연료용, 용기내장형 가스난방기용, 이동식 부탄연소기용, 공업용 또는 선박용으로 사용하는 자
   (2) 액화석유가스를 이동하면서 사용하는 자

2. "공급설비"란 용기가스소비자에게 액화석유가스를 공급하기 위한

설비로서 다음 (1) 또는 (2)에 해당하는 설비를 말한다.

(1) 액화석유가스를 부피단위로 계량하여 판매하는 방법(이하 "체적판매방법"이라 한다)으로 공급하는 경우에는 용기에서 가스계량기 출구까지의 설비

(2) 액화석유가스를 무게단위로 계량하여 판매하는 방법(이하 "중량판매방법"이라 한다)으로 공급하는 경우에는 용기

3. "소비설비"란 용기가스소비자가 액화석유가스를 사용하기 위한 설비로서 다음 (1) 또는 (2)에 해당하는 설비를 말한다.

(1) 체적판매방법으로 액화석유가스를 공급하는 경우에는 가스계량기 출구에서 연소기까지의 설비

(2) 중량판매방법으로 액화석유가스를 공급하는 경우에는 용기 출구에서 연소기까지의 설비

4. "다중이용시설"이란 많은 사람이 출입·이용하는 시설로서 다음의 것을 말한다.

(1) 「유통산업발전법」에 따른 대형마트·전문점·백화점·쇼핑센터·복합쇼핑몰 및 그 밖의 대규모점포

(2) 「항공법」에 따른 공항의 여객청사

(3) 「여객자동차 운수사업법」에 따른 여객자동차터미널

(4) 「철도건설법」에 따른 철도 역사

(5) 「도로교통법」에 따른 고속도로의 휴게소

(6) 「관광진흥법」에 따른 관광호텔업, 관광객이용시설업 중 전문휴양업·종합휴양업 및 유원시설업 중 종합유원 시설업으로 등록한 시설

(7) 「한국마사회법」에 따른 경마장

(8) 「청소년활동 진흥법」에 따른 청소년수련시설

(9) 「의료법」에 따른 종합병원

(10) 「항만법 시행규칙」에 따른 종합여객시설

(11) 그 밖에 시·도지사가 안전관리를 위하여 필요하다고 지정하는 시설 중 그 저장능력이 100 kg을 초과하는 시설

5. "연통(flue pipe)"이란 배기가스를 이송하기 위한 관을 말한다.

6. "캐스케이드연통(cascade flue pipe)"이란 동일공간에 설치된 2개 이상의 캐스케이드용 연료전지에서 나오는 배기가스를 금속 이중관형 연돌까지 이송하거나 바깥 공기 중으로 직접 배출하기 위하여 공동으로 사용하는 연통으로, 연료전지 제조자 시공지침에 따라 하나의 생산자가 스테인리스강판으로 제조한 것을 말한다.

7. "터미널(terminal)"이란 배기가스를 건축물 바깥 공기 중으로 배출하기 위하여 배기시스템 말단에 설치하는 부속품(배기통과 터미널이 일체형인 경우에는 배기가스가 배출되는 말단부 분)을 말한다.

8. "주요공정시공감리"란 규칙 제51조의2제6항의 규정에 의한 액화석유가스 배관망공급사업자의 가스공급시설중 배관을 시공할 때 다음에 해당하는 시공 과정 또는 공정에 대하여 공사현장에서 확인감리하는 것을 말한다.
   (1) 해당 공사를 시공하는 공사관계자의 자격, 인적사항 등의 적정 여부
   (2) 시공자가 유지보존하는 각 공정별 시공기록의 적정 여부
   (3) 배관의 재료를 확인하는 공정
   (4) 배관의 매설깊이를 확인하는 공정
   (5) 배관가스차단장치 등의 설치상태를 확인하는 공정
   (6) 배관의 접합부를 확인하는 공정
   (7) 내압시험 또는 기밀시험을 하는 공정
   (8) 그 밖에 시공 후 매몰되거나 사후 확인이 곤란한 공정

9. "일부공정시공감리"란 주요공정시공감리 대상을 제외한 액화석유가스 배관망공급시설의 설치 시공시 해당되는 공정에 대해 확인감리하는 업무를 말한다.

제3장
도시가스 사업법령

고압가스 안전관리법

1. "도시가스"란 천연가스(액화한 것을 포함한다. 이하 같다), 배관(配管)을 통하여 공급되는 석유가스, 나프타부생(副生)가스, 바이오가스 또는 합성천연가스로서 대통령령으로 정하는 것을 말한다.

1의2. "도시가스사업"이란 수요자에게 도시가스를 공급하거나 도시가스를 제조하는 사업(「석유 및 석유대체연료 사업법」에 따른 석유정제업은 제외한다)으로서 가스도매사업, 일반도시가스사업, 도시가스충전사업, 나프타부생가스·바이오가스제조사업 및 합성천연가스제조사업을 말한다.

2. "도시가스사업자"란 제3조에 따라 도시가스사업의 허가를 받은 가스도매사업자, 일반도시가스사업자, 도시가스충전사업자, 나프타부생가스·바이오가스제조사업자 및 합성천연가스제조사업자를 말한다.

3. "가스도매사업"이란 일반도시가스사업자 및 나프타부생가스·바이오가스제조사업자 외의 자가 일반도시가스사업자, 도시가스충전사업자, 선박용천연가스사업자 또는 산업통상자원부령으로 정하는 대량수요자에게 도시가스를 공급하는 사업을 말한다.

시행령 제2조(정의)

② 법 제2조제3호에서 "산업통상자원부령으로 정하는 대량수요자"란 다음 각 호의 어느 하나에 해당하는 자를 말한다.

1. 월 10만 세제곱미터 이상의 천연가스를 배관을 통하여 공급받아 사용하는 자 중 다음 각 목의 어느 하나에 해당하는 자

가. 일반도시가스사업자의 공급권역 외의 지역에서 천연가스
　　　　를 사용하는 자
　　　나. 일반도시가스사업자의 공급권역에서 천연가스를 사용하
　　　　는 자 중 정당한 사유로 일반도시가스사업자로부터 천연
　　　　가스를 공급받지 못하는 천연가스 사용자
　　2. 다음 각 목의 어느 하나에 해당하는 용도로 천연가스를 사용
　　　하는 자
　　　가. 발전용: 전기(電氣)를 생산하는 용도(시설용량 100메가와
　　　　트 이상만 해당한다. 이하 나목에서 같다)
　　　나. 열병합용: 전기와 열을 함께 생산하는 용도
　　　다. 수소제조용: 「수소경제 육성 및 수소 안전관리에 관한
　　　　법률 시행규칙」 제2조제2항 각 호의 자동차, 설비 등에
　　　　설치된 연료전지에 공급하기 위하여 수소를 제조하는 용
　　　　도(「고압가스 안전관리법 시행령」 제3조제1항제2호에 따
　　　　른 고압가스 일반제조 허가를 받은 자가 천연가스를 1메
　　　　가파스칼 이상의 고압으로 공급받아 수소를 제조하는 경
　　　　우만 해당한다)
　　3. 액화천연가스 저장탱크(시험·연구용으로 사용하기 위한 용기
　　　를 포함한다)를 설치하고 천연가스를 사용하는 자

4. "일반도시가스사업"이란 가스도매사업자 등으로부터 공급받은 도
　시가스 또는 스스로 제조한 석유가스, 나프타부생가스, 바이오가
　스를 일반의 수요에 따라 배관을 통하여 수요자에게 공급하는 사
　업을 말한다.

4의2. "도시가스충전사업"이란 가스도매사업자 등으로부터 공급받은
　도시가스 또는 스스로 제조한 나프타부생가스, 바이오가스를 용
　기, 저장탱크 또는 자동차에 고정된 탱크에 충전하여 공급하는
　사업으로서 산업통상자원부령으로 정하는 사업을 말한다.

③ 법 제2조제4호의2에서 "산업통상자원부령으로 정하는 사업"이란 다음 각 호의 사업을 말한다.

1. 고정식 압축도시가스 자동차 충전사업: 배관 또는 저장탱크를 통하여 공급받은 도시가스를 압축하여 자동차에 충전하는 사업
2. 이동식 압축도시가스 자동차 충전사업: 이동충전차량을 통하여 공급받은 압축도시가스를 자동차에 충전하는 사업
3. 고정식 압축도시가스 이동충전차량 충전사업: 배관 또는 저장탱크를 통하여 공급받은 도시가스를 압축하여 이동충전차량에 충전하는 사업
4. 액화도시가스 자동차 충전사업: 배관 또는 저장탱크를 통하여 공급받은 액화도시가스를 자동차[「항만법 시행령」 별표 5 제8호에 따른 야드 트랙터(이하 "야드 트랙터"라 한다)를 포함한다]에 충전하는 사업
5. 이동식 액화도시가스 야드 트랙터 충전사업: 자동차에 고정된 탱크를 이용하여 액화도시가스를 야드 트랙터에 충전하는 사업

4의3. "나프타부생가스·바이오가스제조사업"이란 나프타부생가스·바이오가스를 스스로 제조하여 자기가 소비하거나 제8조의3제1항 각 호의 어느 하나에 해당하는 자에게 공급하는 사업(「고압가스 안전관리법」 제4조에 따른 제조허가를 받아 나프타부생가스를 제조하여 전용배관을 통해 산업통상자원부령으로 정하는 시설에 직접 공급하는 경우를 제외한다)을 말한다.

4의4. "합성천연가스제조사업"이란 합성천연가스를 스스로 제조하여 자기가 소비하거나, 가스도매사업자에게 공급하거나, 해당 합성천연가스제조사업자의 주식 또는 지분의 과반수를 소유한 자로서 해당 합성천연가스를 공급받아 자기가 소비하려는 자에게 공급하는 사업을 말한다.

5. "가스공급시설"이란 도시가스를 제조하거나 공급하기 위한 시설로서 산업통상자원부령으로 정하는 가스제조시설, 가스배관시설, 가스충전시설, 나프타부생가스·바이오가스제조시설 및 합성천연가스제조시설을 말한다.

> **시행령 제2조(정의)**
>
> ⑤ 법 제2조제5호에서 "산업통상자원부령으로 정하는 가스제조시설, 가스배관시설, 가스충전시설, 나프타부생가스·바이오가스제조시설 및 합성천연가스제조시설"이란 다음 각 호의 시설을 말한다.
>
> 1. 가스제조시설 : 도시가스의 하역·저장·기화·송출 시설 및 그 부속설비
> 2. 가스배관시설 : 도시가스제조사업소로부터 가스사용자가 소유하거나 점유하고 있는 토지의 경계(공동주택등으로서 가스사용자가 구분하여 소유하거나 점유하는 건축물의 외벽에 계량기가 설치된 경우에는 그 계량기의 전단밸브, 계량기가 건축물의 내부에 설치된 경우에는 건축물의 외벽)까지 이르는 배관·공급설비 및 그 부속설비
> 3. 가스충전시설: 도시가스충전사업소 안에서 도시가스를 충전하기 위하여 설치하는 저장설비, 처리설비, 압축가스설비, 충전설비 및 그 부속설비
> 4. 나프타부생가스 제조시설: 나프타부생가스제조사업소 안에서 나프타부생가스를 제조하기 위하여 설치하는 가스품질향상설비, 저장설비, 기화설비, 송출설비 및 그 부속설비
> 5. 바이오가스제조시설: 바이오가스제조사업소 안에서 바이오가스를 제조하기 위하여 설치하는 전처리설비, 가스품질향상설비, 저장설비, 기화설비, 송출설비 및 그 부속설비
> 6. 합성천연가스제조시설: 합성천연가스제조사업소 안에서 합성천연가스를 제조하기 위하여 설치하는 제조설비, 가스품질향상설비, 저장설비, 기화설비, 송출설비 및 그 부속설비

6. "가스사용시설"이란 가스공급시설 외의 가스사용자의 시설로서 산업통상자원부령으로 정하는 것을 말한다.

> **시행령 제2조(정의)**
>
> ⑥ 법 제2조제6호에서 "가스공급시설 외의 가스사용자의 시설로서 산업통상자원부령으로 정하는 것"이란 다음 각 호와 같다.
>
> 1. 내관·연소기 및 그 부속설비. 다만, 선박(「선박안전법」 제2조제1호에 따른 선박을 말한다. 이하 같다)에 설치된 것은 제외한다.
> 2. 공동주택등의 외벽에 설치된 가스계량기
> 3. 도시가스를 연료로 사용하는 자동차
> 4. 자동차용 압축천연가스 완속충전설비

7. "천연가스수출입업"이란 천연가스를 수출하거나 수입하는 사업을 말한다.

8. "천연가스수출입업자"란 제10조의2제1항에 따라 등록을 하고 천연가스수출입업을 하는 자를 말한다.

9. "자가소비용직수입자"란 자기가 발전용·산업용 등 대통령령으로 정하는 용도로 소비할 목적으로 천연가스를 직접 수입하는 자를 말한다.

> **시행령 제1조의4(자가소비용직수입 천연가스의 용도)**
>
> 법 제2조제9호에서 "발전용·산업용 등 대통령령으로 정하는 용도"란 다음 각 호의 용도를 말한다.
>
> 1. 발전용: 전기(電氣)를 생산하는 용도
> 2. 산업용: 산업통상자원부령으로 정하는 제조업의 제조공정용 원료 또는 연료(제조부대시설의 운영에 필요한 연료를 포함한다)로 사용하는 용도
> 3. 열병합용: 전기와 열을 함께 생산하는 용도

> 4. 열 전용(專用) 설비용: 열만을 생산하는 용도

9의2. "천연가스반출입업"이란 「관세법」 제154조에 따른 보세구역 내에 설치된 저장시설을 이용하여 천연가스를 반출하거나 반입하는 사업을 말한다.

9의3. "천연가스반출입업자"란 제10조의2제3항에 따라 신고를 하고 천연가스반출입업을 하는 자를 말한다.

9의4. "액화천연가스냉열이용자"란 제3호에 따른 대량수요자 중 액화천연가스를 기화시키는 과정에서 발생하는 에너지(이하 "냉열"이라 한다)를 이용하는 자를 말한다.

9의5. "선박용천연가스사업"이란 천연가스를 「선박안전법」 제2조제1호에 따른 선박(건조 또는 수리 중인 선박을 포함한다)에 선박연료(건조검사 또는 선박검사를 받을 때 공급하는 천연가스를 포함한다)로 공급하는 사업을 말한다.

9의6. "선박용천연가스사업자"란 제10조의11제1항에 따라 등록을 하고 선박용천연가스사업을 하는 자를 말한다.

2 도시가스 사업법 시행규칙

1. "배관"이란 도시가스를 공급하기 위하여 배치된 관(管)으로써 본관, 공급관, 내관 또는 그 밖의 관을 말한다.

2. "본관"이란 다음 각 목의 것을 말한다.
   (1) 가스도매사업의 경우에는 도시가스제조사업소(액화천연가스의 인수기지를 포함한다. 이하 같다)의 부지 경계에서 정압기지(整壓基地)의 경계까지 이르는 배관. 다만, 밸브기지 안의 배관은 제외한다.
   (2) 일반도시가스사업의 경우에는 도시가스제조사업소의 부지 경계 또는 가스도매사업자의 가스시설 경계에서 정압기(整壓器)까지 이르는 배관
   (3) 나프타부생가스·바이오가스제조사업의 경우에는 해당 제조사업소의 부지 경계에서 가스도매사업자 또는 일반도시가스사업자의 가스시설 경계 또는 사업소 경계까지 이르는 배관
   (4) 합성천연가스제조사업의 경우에는 해당 제조사업소의 부지 경계에서 가스도매사업자의 가스시설 경계 또는 사업소 경계까지 이르는 배관

3. "공급관"이란 다음 각 목의 것을 말한다.
   (1) 공동주택, 오피스텔, 콘도미니엄, 그 밖에 안전관리를 위하여 산업통상자원부장관이 필요하다고 인정하여 정하는 건축물(이하 "공동주택등"이라 한다)에 도시가스를 공급하는 경우에는 정압기에서 가스사용자가 구분하여 소유하거나 점유하는 건축물의 외벽에 설치하는 계량기의 전단밸브(계량기가 건축물의 내부에 설치된 경우에는 건축물의 외벽)까지 이르는 배관
   (2) 공동주택등 외의 건축물 등에 도시가스를 공급하는 경우에는 정압기에서 가스사용자가 소유하거나 점유하고 있는 토지의 경계까지 이르는 배관
   (3) 가스도매사업의 경우에는 정압기지에서 일반도시가스사업자의 가스공급시설이나 대량수요자의 가스사용시설까지 이르는 배관
   (4) 나프타부생가스·바이오가스제조사업 및 합성천연가스제조사업의 경우에는 해당 사업소의 본관 또는 부지 경계에서 가스사용자가 소유하거나 점유하고 있는 토지의 경계까지 이르는

배관

4. "사용자공급관"이란 제3호가목에 따른 공급관 중 가스사용자가 소유하거나 점유하고 있는 토지의 경계에서 가스사용자가 구분하여 소유하거나 점유하는 건축물의 외벽에 설치된 계량기의 전단밸브(계량기가 건축물의 내부에 설치된 경우에는 그 건축물의 외벽)까지 이르는 배관을 말한다.

5. "내관"이란 가스사용자가 소유하거나 점유하고 있는 토지의 경계(공동주택등으로서 가스사용자가 구분하여 소유하거나 점유하는 건축물의 외벽에 계량기가 설치된 경우에는 그 계량기의 전단밸브, 계량기가 건축물의 내부에 설치된 경우에는 건축물의 외벽)에서 연소기까지 이르는 배관을 말한다.

6. "고압"이란 1메가파스칼 이상의 압력(게이지압력을 말한다. 이하 같다)을 말한다. 다만, 액체상태의 액화가스는 고압으로 본다.

7. "중압"이란 0.1메가파스칼 이상 1메가파스칼 미만의 압력을 말한다. 다만, 액화가스가 기화되고 다른 물질과 혼합되지 아니한 경우에는 0.01메가파스칼 이상 0.2메가파스칼 미만의 압력을 말한다.

8. "저압"이란 0.1메가파스칼 미만의 압력을 말한다. 다만, 액화가스가 기화(氣化)되고 다른 물질과 혼합되지 아니한 경우에는 0.01메가파스칼 미만의 압력을 말한다.

9. "액화가스"란 상용의 온도 또는 섭씨 35도의 온도에서 압력이 0.2메가파스칼 이상이 되는 것을 말한다.

10. "보호시설"이란 제1종보호시설 및 제2종보호시설로서 별표 1에서 정하는 것을 말한다.

11. "저장설비"란 도시가스를 저장하기 위한 설비로서 저장탱크 및 충전용기 보관실을 말한다.

12. "처리설비"란 압축·액화나 그 밖의 방법으로 도시가스를 처리할

수 있는 설비로서 도시가스의 충전에 필요한 압축기, 기화기 및 펌프를 말한다.

13. "압축가스설비"란 압축기를 통해 압축된 가스를 저장하기 위한 설비로서 압력용기를 말한다.

14. "충전설비"란 용기, 고압가스용기가 적재된 바퀴가 달린 자동차 (이하 "이동충전차량"이라 한다) 또는 차량에 고정된 탱크에 도시 가스를 충전하기 위한 설비로서 충전기 및 그 부속설비를 말한다.

15. "처리능력"이란 처리설비 또는 감압설비에 따라 압축·액화나 그 밖의 방법으로 1일 처리할 수 있는 도시가스의 양(온도 섭씨 0 도, 게이지압력 0파스칼의 상태를 기준으로 한다)을 말한다.

16. "정압기지"란 도시가스의 압력을 조정하기 위한 시설로서 정압 설비, 계량설비, 가열설비, 불순물제거장치, 방산탑(放散塔), 배관 또는 그 부대설비가 설치된 기지를 말한다.

17. "밸브기지"란 도시가스의 흐름을 차단하기 위한 시설로서 가스 차단 장치, 방산탑, 배관 또는 그 부대설비가 설치된 기지를 말 한다.

18. "전처리설비"란 바이오가스제조설비 중 가스품질향상설비 전단 (前段)의 설비로서 포집(捕執)된 가스의 1차적인 탈황(脫黃)·탈수 등을 위한 처리설비(포집 설비는 제외한다)를 말한다.

19. "가스품질향상설비"란 나프타부생가스·바이오가스제조설비 및 합성천연가스제조설비 중 도시가스로의 품질 향상을 위한 설비로 서 정제설비, 압력조정설비, 열량조정설비, 품질모니터링설비, 압 축설비, 계량설비 및 부취제(腐臭劑) 주입설비를 말한다.

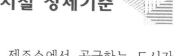

도시가스법
가스도매사업 공급시설 상세기준

1. "냄새가 나는 물질"이란 도시가스 제조소에서 공급하는 도시가스에 냄새가 나도록 첨가 하는 물질을 말한다.

2. "패널(Panel)"이란 정상적인 후각을 가진 사람으로서 냄새 판정에 직접적으로 참여하는 사람을 말한다.

3. "시험자"란 냄새가 나는 물질의 농도를 측정하는 자를 말한다.

4. "시험가스"란 냄새가 나는 물질의 농도측정을 위하여 도시가스가 공급되는 배관에서 채취한 가스를 말한다.

5. "시료기체"란 시험가스를 깨끗한 공기로 희석한 냄새 판정용 기체를 말한다.

6. "희석배수"란 시료기체의 량과 시험가스 량과의 비를 말한다.

7. "안전구역"이란 가스공급시설의 재해예방 및 유지·보수를 위하여 일정면적(2만㎡)으로 구획한 단위구역을 말한다.

8. "정밀안전진단"이란 가스사고를 예방하기 위하여 장비와 기술을 이용하여 잠재된 위험 요소와 원인을 찾아내고 적절한 조치방안 등을 제시하는 것을 말한다.

9. "자료수집 및 분석"이란 안전관리 상태를 서류, 기록 및 자료를 통해 확인 및 분석하고, 안전관리에 위해요소가 없는지 확인하는 것을 말한다.

10. "현장조사"란 위험요소를 전문기술 및 직접 장비를 이용하여 찾아내고 진단하는 것을 말한다.

11. "정밀안전진단기관"이란「고압가스 안전관리법」제28조에 따른 한국가스안전공사를 말한다.

12. "액화천연가스의 인수기지관리주체 또는 액화천연가스저장탱크 관리주체(이하 '시설관리 주체'라 한다)"란 법 제2조제3호에 따른 가스도매사업자와 법 제39조의2제1항에 따른 도시가스사업자 외의 가스공급시설설치자를 말한다.

13. "레이저메탄가스디텍터 등 가스누출 정밀 감시장비"란 최대 150 m의 거리에서 300ppm·m의 메탄가스를 0.2초 이내에 검출해 낼 수 있으며, 진단 기간 동안 가스 누출여부를 자동으로 상시 감시할 수 있는 장비를 말한다.

14. "상태평가"란 액화천연가스 저장탱크에 대한 외관검사 및 시험 결과를 바탕으로 저장탱크에 대한 상태를 평가하는 것을 말한다.

15. "구조물 안전성평가"란 액화천연가스저장탱크 설계자료 분석과 현장조사 결과를 바탕으로 내진성능 검토와 구조해석을 실시하여 저장탱크의 구조적, 기능적 안전성을 평가하는 것을 말한다.

16. "도시가스시설 현대화"란 가스시설의 안전성향상을 위하여 노후시설이나 위험시설을 개선하고 선진화된 기술과 장비의 도입으로 가스시설의 안전을 강화하는 것으로서 다음의 것을 말한다.
    (1) 배관망 전산화(수치화된 도면 및 관련 자료를 전산망에 입력을 완료하고 그 자료의 입·출력이 가능한 정도)
    (2) 관리대상시설의 개선(심도미달배관과 하수도 관통배관의 이설, 학교 부지 안 정압기와 고가 도로 밑 정압기의 이전 등)
    (3) 노후배관(자체점검이나 외부기관의 안전진단결과 보수·수리 또는 교체가 필요하다고 인정된 배관) 교체실적
    (4) 가스사고 발생빈도

17. "안전성제고를 위한 과학화"란 가스공급시설의 설치위치·시공방법 등에 따라 체계적으로 안전관리를 수행하고 과학적으로 운

영하는 것으로서 다음의 것을 말한다.

(1) 시공감리 실시 배관

(2) 배관순찰차량 보유대수(안전점검원 2인에 1대를 기준으로 한다)

(3) 노출배관길이(굴착공사로 인해 노출된 배관을 말한다)

(4) 주민모니터링제 실시 및 선정인원

18. "배관안전점검원"이란 영 제16조제2항에 따른 업무를 수행하기 위하여 도시가스사업의 배관길이 15 km를 기준으로 1명씩 선임된 자를 말한다.

19. "지진감지장치"란 내진설계의 기초자료가 되는 지면가속도(진도)를 측정하거나 긴급할 때에 가스흐름을 차단하고 정압기지·배관 등 가스시설의 실제 동적 거동에 대한 정보를 얻기 위하여 설치하는 가속도계, 속도계 및 SI(Spectrum Intensity)센서 등을 말한다.

20. "설계압력"이란 고압가스용기 등의 각부의 계산두께 또는 기계적 강도를 결정하기 위해 설계된 압력을 말한다.

21. "상용압력"이란 내압시험압력 및 기밀시험압력의 기준이 되는 압력으로서 사용상태에서 해당설비 등의 각부에 작용하는 최고사용압력을 말한다.

22. "설정압력(Set Pressure)"이란 운전조건에서 과압안전장치가 열리는 압력으로서 명판에 표시된 압력을 말한다.

23. "축적압력(Accumulated Pressure)"이란 내부유체가 배출될 때 과압안전장치에 의하여 축적되는 압력으로서 그 설비 내에서 허용될 수 있는 최대 압력을 말한다.

24. "초과압력(Over Pressure)"이란 과압안전장치에서 내부 유체가 배출될 때 설정압력 이상으로 올라가는 압력을 말한다.

25. "평형 벨로우즈형 과압안전장치(Balanced Bellows Safety Valve)"란 밸브의 토출측 배압의 변화에 의하여 성능 특성에 영

향을 받지 않는 과압안전장치를 말한다.

26. "일반형 과압안전장치(Conventional Safety Valve)"란 밸브의 토출측 배압의 변화에 의하여 직접적으로 성능 특성에 영향을 받는 과압안전장치를 말한다.

27. "파일럿 작동식 과압안전장치((Pilot-Operated Safety Valve)"란 그 주요 방출장치가 자력구 동식 보조압력방출밸브(파일럿)와 결합되어 자력구동식 보조 압력방출밸브에 의해 제어되는 과압안전장치를 말한다.

28. "배압(Back Pressure)"이란 배출물 처리설비 등으로부터 과압안전장치의 토출측에 걸리는 압력을 말한다.

29. "정압기 설계 기준유량"이란 가스의 사용량을 고려하여 해당 정압기의 설계 시 적용하는 가스의 유량을 말한다.

30. "정압기지"란 도시가스의 압력을 조정(調整)하여 도시가스를 안전하게 공급하기 위한 정압설비, 계량설비, 가열설비, 불순물제거장치, 방산탑, 배관 또는 그 부대설비가 설치되어 있는 근거지를 말한다.

31. "밸브기지"란 도시가스의 흐름을 차단하거나 배관안의 가스를 안전한 곳으로 방출하기 위한 방산탑, 배관, 차단장치 또는 그 부대설비가 설치되어 있는 근거지를 말한다.

32. "감압이용발전설비"란 가스의 감압공급을 목적으로 하는 터보팽창형 정압기와 가열설비(연료전지, 가스히터 등)로 구성된 에너지를 회수하기 위한 정압기(지) 부속설비로서, 검사품 또는 한국가스안전공사의 성능인증을 받은 설비를 말한다.

33. "시공감리"란 도시가스공급시설이 관계법령의 규정에 적합하게 시공되는지의 여부를 산업통상자원부장관 또는 시·도지사가 시공감리하기 위한 제도로서 한국가스안전공사가 산업통상자원부장관 또는 시·도지사로부터 시공감리권한을 위탁받아 한국가스안전공사

의 명의와 권한으로 수행하는 것을 말한다.

34. "주요공정시공감리"란 규칙 제23조제3항의 규정에 의한 일반도시가스사업자 및 도시가스사업자 외의 가스공급시설설치자의 가스공급시설중 배관의 시공시 다음에 해당하는 시공과정 또는 공정에 대하여 공사현장에서 확인.감리하는 것을 말한다.
   (1) 해당 공사를 시공하는 공사관계자의 자격, 인적사항 등의 적정 여부
   (2) 시공자가 유지.보존하는 각 공정별 시공기록의 적정 여부
   (3) 배관의 재료를 확인하는 공정
   (4) 배관의 매설깊이를 확인하는 공정
   (5) 배관.가스차단장치 등의 설치상태를 확인하는 공정
   (6) 배관의 접합부를 확인하는 공정
   (7) 내압시험 또는 기밀시험을 하는 공정
   (8) 그 밖에 시공 후 매몰되거나 사후 확인이 곤란한 공정

35. "일부공정시공감리"란 주요공정시공감리 대상을 제외한 도시가스공급시설의 설치·시공시 해당되는 공정에 대해 확인·감리하는 업무를 말한다.

36. "가스안전영향평가서"라 함은 법 제30조의4의 규정에 의하여 가스배관이 통과하는 지역에서 철도(도시철도를 포함한다)·지하보도·지하차도 또는 지하상가의 건설공사를 하고자 하는 자가 당해 굴착공사로 인하여 영향을 받는 가스배관의 제반 안전조치에 대한 사항을 작성하고 한국가스안전공사의 의견을 들어 시·도지사에게 제출하는 것을 말한다.

37. "가스안전영향평가서심사"란 법 제30조의4제1항에 따라 한국가스안전공사에서 의견서를 작성·통보하기 위하여 검토하는 것을 말한다.

38. "대규모 굴착공사"란 다음의 굴착공사 중 어느 하나에 해당하는 굴착공사를 말한다.

(1) 매설배관이 통과하는 지점에서 도시철도(지하에 설치하는 것만을 말한다)·지하보도·지하차 도·지하상가를 건설하기 위한 굴착공사

(2) 굴착공사 예정지역에서 매설된 배관의 길이가 100m 이상인 굴착공사

39. "매달림 지지대"란 굴착으로 노출된 배관의 방호를 위하여 전용 보로부터 배관을 지지하기 위한 봉강, 와이어로프, 기타의 기구 또는 구조물을 말한다.

40. "받침지지대"란 굴착으로 노출된 배관의 방호를 위하여 배관을 받치는 구조물을 말한다.

41. "지지대"란 굴착으로 노출된 배관의 방호를 위하여 배관을 지지하기 위한 보로써 2이상의 매달림 지지대나 받침 지지대에 의해 지지되어지는 것을 말한다.

42. "받침대"란 굴착으로 노출된 배관의 방호를 위해 배관이 앉는 자리로써 지지대 위에 설치된 것을 말한다.

43. "받침횡목"이란 굴착으로 노출된 배관의 방호를 위해 배관을 지지하기 위한 횡목으로써 1.3.12의 매달림 지지대에 의해 지지되어진 것을 말한다.

44. "안전관리수준평가"란 정기검사, 안전관리규정의 확인·평가, 안전관리종합평가 제도를 QMA 1종으로 통합하여 가스시설의 운영 및 관리수준을 한국가스안전공사에서 계량적으로 평가 하는 것을 말한다.

45. "도시가스사업법 시행규칙 별표 7의2 제4호다목에서 명시한 도시가스사고"란 1급, 2급 사고, 굴착공사로 인한 사고 및 안전관리규정 미준수에 따른 3급 사고를 말한다.

46. "건전성(integrity)"이란 운영 중 예상되는 모든 부하에 견딜 수 있는 배관설비의 성능을 말한다.

47. "검지신호(indication)"란 비파괴적인 기술 또는 기법에 의하여 찾아낸 신호를 말한다.

48. "이상신호(anomaly)"란 검지신호 데이터를 분석한 결과로 배관의 재료, 코팅 또는 용접이 표준에서 벗어난 신호가 굴착검사로 확인되지 않은 것을 말한다.

49. "결함(defect)"이란 굴착검사를 통하여 확인된 손상부위로서 허용수준을 초과한 크기 또는 특성을 지녔다고 평가된 이상신호를 말한다.

50. "공학적 임계 평가(ECA, engineering critical assessment)"란 허용 가능한 이상신호의 최대크기를 결정할 수 있는 파괴역학에 기반을 둔 분석 방법을 말한다.

51. "규범기반-건전성관리(prescriptive integrity management program)"란 예방, 검사 및 완화조치의 방법과 시기를 미리 설정된 조건에 따라 일정한 주기로 수행하는 건전성관리 방법을 말한다.

52. "실적기반-건전성관리(performance-based integrity management program)"란 예방, 검출 및 완화조치의 방법과 시기를 위험성 관리 원칙과 위험성평가 기법에 의하여 수행하는 건전성관리 방법을 말한다.

53. "근접간격전위조사(close interval potential survey)"란 배관을 따라 수 미터에서 수십 미터 사이의 미리 선정된 일정한 간격으로 지상에서 배관과 토양 사이의 전위를 측정하는 검사 기술을 말한다.

54. "배관구간(pipeline section)"이란 규칙 제27조의5제2항에 따른 본관 및 공급관으로서 정압기지와 정압기지 사이, 정압기지와 밸브기지(긴급차단장치만 설치된 것을 포함한다. 이하 같다) 사이 또는 밸브기지와 밸브기지 사이를 연결하는 배관을 말한다.

55. "완화(mitigation)"란 특정 사건의 발생확률과 예상피해를 제한하거나 감소시키는 것을 말한다.

56. "특정배관구간(segment)"이란 배관구간 내에서 동일한 특성을 가진 일정한 길이의 배관을 말한다.

57. "인라인검사(ILI : In-line inspection)"란 배관 내부를 통과하면서 금속의 부식에 따른 두께감소, 변형 및 그 밖의 결함에 관한 이상신호를 찾아내는 장비(인텔리전트 피그 또는 스마트 피그 등)를 사용하여 수행하는 강제(鋼製) 배관에 대한 검사기법을 말한다.

4. 도시가스법 일반도시가스사업 상세기준

1. "충전설비"란 용기, 고압가스용기가 적재된 바퀴가 달린 자동차(이하"이동충전차량"이라 한다) 또는 차량에 고정된 탱크에 도시가스를 충전하기 위한 설비로서 충전기 및 부속설비를 말한다.

2. "압축가스설비"란 압축기를 통해 압축된 가스를 저장하기 위한 설비로서 압력용기를 말한다.

3. "이동충전차량"이란 압축도시가스를 운송하기 위하여 용기가 적재된 바퀴가 있는 트레일러를 말한다.

4. "가스배관구"란 이동충전차량의 압축도시가스를 충전설비로 이입하기 위하여 충전시설에 설치한 배관을 말한다.

5. "이입(移入)작업"이란 저장시설로부터 차량에 고정된 탱크나 용기에 가스를 주입(注入)하는 작업을 말한다.

6. "이송(移送)작업"이란 차량에 고정된 탱크나 용기로부터 저장설비 등에 가스를 주입(注入)하는 작업을 말한다.

7. "비상전력등"이란 정전 등의 경우에 제조설비 등을 안전하게 유지하고 안전하게 정지시키기 위하여 필요한 최소용량을 갖춘 전력 및 공기 등 또는 이와 동등 이상인 것을 말한다.

8. "파이프덕트(Pipe Shaft 또는 Pipe Duct)"란 철근 콘크리트 구조의 건물 각층을 상하로 통하도록 하여 건축 설비용의 파이프군 수직관 등을 수납하기 위한 통모양의 관로로서 전기설비 등 점화원이 될 수 있는 시설물이 없는 관로를 말한다.

9. "철근콘크리트 구조의 정압기실"이란 정압기실의 벽과 기초가 철근콘크리트인 정압기실을 말한다.

10. "캐비닛(Cabinet)형 구조의 정압기실"이란 정압기, 배관 및 안전장치 등이 일체로 구성된 정압기에 한하여 사용할 수 있는 정압기실로 내식성 재료의 캐비닛과 철근콘크리트 기초로 구성된 정압기실을 말한다.

11. "이상압력통보설비"란 정압기 출구측의 압력이 설정압력보다 상승하거나 낮아지는 경우에 이상유무를 상황실에서 알 수 있도록 경보음(70 dB 이상) 등으로 알려주는 설비를 말한다.

12. "긴급차단장치"란 정압기의 이상발생 등으로 출구측의 압력이 설정압력보다 이상상승하는 경우 입구측으로 유입되는 가스를 자동차단하는 장치를 말한다.

13. "안전밸브"란 정압기의 압력이 이상 상승하는 경우 자동으로 압력을 대기 중으로 방출하기 위한 밸브를 말한다.

14. "상용압력"이란 통상의 사용상태에서 사용하는 최고압력으로서

정압기 출구측압력이 2.5 ㎪ 이하인 경우에는 2.5 ㎪을 말하며 그 외의 것은 일반도시가스사업자가 설정한 정압기의 최대 출구 압력을 말한다.

15. "검지부"란 누출된 가스를 미리 설정된 가스농도(폭발하한계의 4분의 1 이하)에서 검지 하여 제어부로 신호를 보내는 기능을 가 진 것을 말한다.

16. "차단부"란 제어부로부터 보내진 신호에 따라 가스의 유로를 개 폐하는 기능을 가진 것을 말한다.

17. "제어부"란 차단부에 자동차단신호를 보내는 기능, 차단부를 원 격 개폐할 수 있는 기능및 경보기능을 가진 것을 말한다.

도시가스법 사용시설 상세기준

1. "입상관"이란 수용가에 가스를 공급하기 위해 건축물에 수직으로 부착되어 있는 배관을 말하며, 가스의 흐름방향과 관계없이 수직 배관은 입상관으로 본다.

2. "빌트인(Built-in)"란 주방기구에 내장 설치하는 연소기를 말한다.

3. "매립(埋立) 배관"란 건축물의 천정, 벽, 바닥 속에 설치되는 배 관으로서, 배관 주위에 콘크리트, 흙 등이 채워져 배관의 점검·교 체가 불가능한 배관을 말함. 다만, 천정, 벽체 등을 관통하기 위 해 이음부 없이 설치되는 배관은 매립배관으로 보지 않는다.

4. "은폐(隱蔽) 배관"란 건축물 내 천정, 벽체, 바닥 등의 공간에

외부에서 배관이 보이지 않게 설치된 배관으로서, 배관의 점검·교체 등이 가능한 배관을 말함. 다만, 상자콕 설치를 위해 은폐배관 중 일부가 매립되는 경우 배관 전체를 매립배관으로 본다.

제4장
가스3법 공통 상세기준

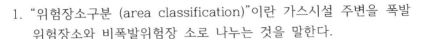

1 가스시설 폭발위험장소 상세기준

1. "위험장소구분 (area classification)"이란 가스시설 주변을 폭발 위험장소와 비폭발위험장 소로 나누는 것을 말한다.

2. "배경농도 (background concentration)"란 플룸(plume) 또는 제트(jet) 형상으로 누출되는 가스 주변 관리대상볼륨의 가연성가 스 평균농도를 말한다.

3. "희석 (dilution)"이란 시간의 경과에 따라 가연성가스가 공기와 혼합되어 가연성가스의 농도가 줄어드는 것을 말한다.

4. "희석볼륨(dilution volume)"이란 안전한 수준으로 희석되지 않 은 누출원 부근의 가연성 가스의 볼륨(volume)을 말한다.

5. "폭발성가스분위기 (explosive gas atmosphere)"란 대기조건에 서 점화 후에, 자력화염전 파를 가능하게 하는 가연성가스와 공 기의 혼합물을 말한다.
   [비고] 폭발상한(UFL)을 초과하는 혼합물은 폭발성가스분위기가 아니지만, 쉽게 폭발성가스분위기로 변할수 있으므로 이를 위험 장소구분 목적상 폭발성가스분위기로 가능한 한 간주한다.

6. "위험장소범위 (extent of zone)"란 누출원에서 가연성가스 및 공 기 혼합물의 농도가 공기에 의하여 폭발하한 이하로 희석되는 지 점까지의 거리를 말한다.

7. "인화점 (flash point)"이란 표준상태에서, 가연성가스와 공기 혼 합물을 형성할 수 있을 정도의 증기를 발생시키는 액화가스의 최 저온도를 말한다.

8. "누출등급 (grades of release)"이란 가연성가스가 대기 중으로 누출되는 사건의 빈도와 지속시간의 정도를 말한다.

9. "폭발위험장소 (hazardous area)"란 전기설비를 제작설치사용함에 있어서 특별한 주의를 요할 정도로 폭발성가스분위기가 조성되거나 조성될 우려가 있는 장소를 말한다.
[비고] 정상적인 상태에서는 가연성가스분위기가 형성되지 아니하지만 공기가 유입될 가능성이 존재하는 점을 감안하여 대부분의 설비 내부는 폭발위험장소로 간주한다. 다만 공정설비 내부를 불활성화와 같은 방식에 의하여 특별히 제어하는 경우에는 그 공정설비 내부를 폭발위험장소로 구분하지 아니할 수 있다.

10. "폭발성가스분위기 점화온도 (ignition temperature of an explosive gas atmos-phere)"란 공기와 가스의 가연성 혼합물에 점화를 유발할 수 있는 가열된 표면의 최저온도를 말한다.

11. "폭발상한 (UFL : Upper Flammable Limit)"이란 공기 중에서 가연성가스의 농도가 폭발성가스분위기를 형성하는 상한을 말한다.

12. "폭발하한 (LFL : Lower Flammable Limit)"이란 공기 중에서 가연성가스의 농도가 폭발성가스분위기를 형성하지 아니하는 하한을 말한다.

13. "비폭발위험장소 (non-hazardous area)"란 전기설비를 제작설치사용함에 있어서 특별한 주의를 요할 정도로 폭발성가스분위기가 조성될 우려가 없는 지역을 말한다.

14. "정상작동 (normal operation)"이란 설비가 설계 범위 내에서 작동되는 상태를 말한다.
[비고]
(1) 긴급 수리 또는 가동 정지를 수반하는 사고에 의한 고장(펌프 밀봉부, 플랜지 개스킷 파손 또는 사고로 인한 유출 등)은 정

상작동으로 보지 아니한다.

(2) 기동, 정지상태 및 일상적인 유지보수는 정상작동에 해당하나 시운전의 일환으로 수행하는 초기 기동은 정상작동으로 간주하지 아니한다.

15. "상대 밀도 (relative density)"란 동일한 압력과 온도에서 공기 밀도에 대한 가스의 밀도를 말한다.

16. "누출 유량 (release rate)"이란 누출원에서 단위 시간당 누출되는 가연성가스의 양을 말한다.

17. "누출원 (source of release)"이란 폭발성가스분위기를 조성할 수 있는 가연성가스가 대기 중으로 누출될 우려가 있는 지점 또는 위치를 말한다.

18. "환기 (ventilation)"란 바람, 공기의 온도차 또는 인위적인 수단(예: 팬, 배출기 등)에 의하여 공기가 움직여 신선한 공기로 치환되는 것을 말한다.

19. "관리대상볼륨 (volume under consideration)"이란 환기가 일어나는 누출 지점 인근 공간의 볼륨을 말한다.
[비고] 밀폐된 공간의 경우에는 환기를 통해 누출된 가스가 희석되는 실내 전체 또는 일부 공간이 관리대상 볼륨으로 될 수 있다. 실외의 경우에는 폭발성가스분위기가 형성될 수 있는 누출원 주변 공간이 관리 대상볼륨이 된다. 시설물이 밀집한 실외의 경우에는 시설물에 의하여 형성되는 부분적 밀폐 공간이 관리대상 볼륨이 될 수 있다.

20. "위험장소 (zones)"란 폭발성분위기의 발생 빈도 및 지속 시간에 따라 구분하는 폭발위험장소을 말한다.

[비고] 위험장소 분류

가연성가스가 폭발할 위험이 있는 농도에 도달할 우려가 있는 장소(이하 "위험장소"라 한다)의 등급은 다음과 같이 분류한다.

1. 0종 장소

   상용의 상태에서 가연성가스의 농도가 연속해서 폭발하한계 이상으로 되는 장소(폭발상한계를 넘는 경우에는 폭발한계 이내로 들어갈 우려가 있는 경우를 포함한다)

2. 1종 장소

   상용상태에서 가연성가스가 체류해 위험하게 될 우려가 있는 장소, 정비보수 또는 누출 등으로 인하여 종종 가연성가스가 체류하여 위험하게 될 우려가 있는 장소

3. 2종 장소

   ① 밀폐된 용기 또는 설비 안에 밀봉된 가연성가스가 그 용기 또는 설비의 사고로 인하여 파손 되거나 오조작의 경우에만 누출할 위험이 있는 장소
   ② 확실한 기계적 환기조치에 따라 가연성가스가 체류하지 아니하도록 되어 있으나 환기장치에 이상이나 사고가 발생한 경우에는 가연성가스가 체류해 위험하게 될 우려가 있는 장소
   ③ 1종장소의 주변 또는 인접한 실내에서 위험한 농도의 가연성가스가 종종 침입할 우려가 있는 장소

2 가스시설 방폭기기 상세기준

1. "사용가능한 상태"란 교체 또는 재생한 구성 부품을 그 구성부품
   이 사용되는 전기기기의 제품기능 또는 방폭성능에 대한 악영향
   없이 인증문서의 요구조건에 적합하게 사용할 수 있는 상태를 말
   한다.

2. "수리"란 결함이 있는 전기기기를 최초 설계 시 적용한 기준에
   따라 완전하게 사용가능한 상태로 복구하는 조치를 말한다.

3. "보수(overhaul)"란 결함이 없는 상태에서 현재 사용 중에 있는
   전기기기 또는 현재 보관 중에 있는 미사용 전기기기를 완전하게
   사용가능한 상태로 복구하는 조치를 말한다.

4. "유지관리(maintenance)"란 설치된 전기기기가 완전하게 사용가
   능한 상태를 유지하도록 하기 위한 일상적인 조치를 말한다.

5. "구성부품(component part)"이란 더 이상 분해 할 수 없는 부
   품을 말한다.

6. "재생(reclamation)"이란 관련 기준에 따라 손상된 구성부품에
   자재를 추가하거나 제거하는 등의 방법에 의하여 그 구성부품이
   사용가능한 상태로 복구되도록 하는 수리조치를 말한다.
   [비고] 여기에서 관련 기준이란 개별 부품 제조시 적용한 기준을
   의미한다.

7. "개조(modification)"란 재료, 접합부, 형태 또는 기능에 영향을
   미치는 설계상의 변경 조치를 말한다.
   [비고] 인증문서는 전기기기의 구조에 관한 규정이므로 전기기기

를 개조한다는 것은 더이상 인증문서에 기술된 구조에 관한 규정을 준수하지 아니한다는 것을 의미한다.

8. "제조자(manufacturer)"란 전기기기를 만드는 자(공급자, 수입자 또는 대리인을 포함 할수 있다)를 말한다.

9. "변경(alteration)"이란 제품을 인증문서에 규정되어 있는 대체 구조로 바꾸는 것을 말한다.

10. "내압방폭구조 "d" (flameproof enclosure"d")"란 전기기기의 외함 내부에서 가연 성가스의 폭발이 발생할 경우 그 외함이 폭발압력에 견디고, 접합면, 개구부 등을 통하여 외부의 가연성가스에 인화되지 아니하도록 한 방폭구조를 말한다.

11. "본질안전방폭구조 "i" (intrinsic safety"i")"란 폭발성분위기에 노출되는 전기기기및 연결 배선 내의 에너지를 스파크 또는 가열 효과에 의하여 점화를 유발할 수 있는 수준이하로 제한하는 방폭구조를 말한다.

11-1. "본질안전방폭구조"란 정상 시 및 사고(단선, 단락, 지락 등) 시에 발생하는 전기불꽃.아아크 또는 고온부로 인하여 가연성가스가 점화되지 않는 것이 점화시험, 그 밖의 방법에 의해 확인된 구조를 말한다.

12. "압력방폭구조 "p" (pressurization"p")"란 외함 내부의 보호가스 압력을 외부 대기 압력보다 높게 유지함으로써 가연성가스가 용기 내부로 유입되지 아니하도록 한 방폭구조를 말한 다.

13. "안전증방폭구조 "e" (increased safety"e")"란 정상작동상태 또는 특정한 비정상 상태에서 가연성가스의 점화원이 될 수 있는 전기불꽃·아아크 또는 고온부분의 발생을 방지하기 위하여 기계적.전기적 구조상 또는 온도상승에 대해 특히 안전도를 증가시킨 방폭구조를 말한다.

14. "비점화방폭구조 "n" (type of protection "n")"란 정상작동 및 특정 이상상태 하에서 주위의 폭발성분위기에 점화를 유발하지 아니하는 전기기기에 적용하는 방폭구조를 말한다.

15. "유입(油入)방폭구조"란 용기 내부에 절연유를 주입하여 불꽃.아 아크 또는 고온발생부분이 기름 속에 잠기게 함으로써 기름면 위에 존재하는 가연성가스에 인화되지 않도록 한 구조를 말한다.

16. "특수방폭구조"란 위에서 설명된 방폭구조 이외의 방폭구조로서 가연성가스에 점화를 방지할 수 있다는 것이 시험, 그 밖의 방법으로 확인된 구조를 말한다.

３ 가스시설 전기방식 상세기준

1. "전기방식(電氣防蝕)"이란 지중 및 수중에 설치하는 강재배관 및 저장탱크 외면에 전류를 유입시켜 양극반응을 저지함으로써 배관의 전기적 부식을 방지하는 것을 말한다.

2. "희생양극법(犧牲陽極法)"이란 지중 또는 수중에 설치된 양극금속과 매설배관을 전선으로 연결해 양극금속과 매설배관 사이의 전지작용으로 부식을 방지하는 방법을 말한다.

3. "외부전원법(外部電源法)"이란 외부직류전원장치의 양극(+)은 매설배관이 설치되어 있는 토양 이나 수중에 설치한 외부전원용전극에 접속하고, 음극(-)은 매설배관에 접속시켜 부식을 방지하는 방법을 말한다.

4. "배류법(排流法)"이란 매설배관의 전위가 주위의 타 금속 구조물의 전위보다 높은 장소에서 매설배관과 주위의 타 금속 구조물을 전기적으로 접속시켜 매설배관에 유입된 누출전류를 전기회로 적으로 복귀시키는 방법을 말한다.

가스시설 내진설계 상세기준

1. "내진설계설비"란 내진 설계 적용대상인 저장탱크·가스홀더·응축기·수액기(이하 "저장탱 크"라 한다), 탑류 및 그 지지구조물과 압축기·펌프·기화기·열교환기·냉동설비·가열설비·계 량설비·정압설비(이하 "처리설비"라 한다)의 지지구조물을 말한다.

2. "내진설계구조물"이란 내진설계설비, 내진설계설비의 기초 또는 내진설계설비와 배관 등의 연결부를 말한다.

3. "설계지반운동"이란 내진설계를 위해 정의된 지반운동으로서 구조물이 건설되기 전에 부지 정지작업이 완료된 지면에서의 지반운동을 말한다.

4. "위험도 계수"란 평균재현주기 500년 지진지반운동수준에 대한 평균재현주기별 지반운동 수준의 비를 말한다.

5. "기능수행수준"이란 설계지진 하중 작용 시 내진설계구조물이 본래의 기능을 정상적으로 수행할 수 있는 수준을 말한다.

6. "붕괴방지수준"이란 설계지진 하중 작용 시 내진설계구조물의 구조부재에 취성파괴, 좌굴및 구조적 손상이 발생하여 저장된 가스

가 통제 불가능할 정도로 대량 유출되거나 가스유출로 인하여 대형폭발이나 화재와 같은 재해가 초래되지 않는 수준을 말한다.

7. "활성단층"이란 현재 활동 중이거나 과거 5만년 이내에 지표면 전단파괴를 일으킨 흔적이 있다고 입증된 단층을 말한다.

8. "내진 특등급"이란 그 설비의 손상이나 기능상실이 사업소 경계밖에 있는 공공의 생명과 재산에 막대한 피해를 초래할 수 있을 뿐만 아니라 사회의 정상적인 기능 유지에 심각한 지장을 가져올 수 있는 것을 말한다.

9. "내진 Ⅰ등급"이란 그 설비의 손상이나 기능상실이 사업소 경계 밖에 있는 공공의 생명과 재산에 상당한 피해를 초래할 수 있는 것을 말한다.

10. "내진 Ⅱ등급"이란 그 설비의 손상이나 기능상실이 사업소 경계 밖에 있는 공공의 생명과 재산에 경미한 피해를 초래할 수 있는 것을 말한다.

11. "응답수정계수"란 탄성해석으로 구한 각 구조요소의 내력으로부터 설계지진력을 산정하기 위한 수정계수를 말한다.

12. "핵심시설"이란 지진 피해시 수급차질이 심각하게 우려되는 시설, 대형사고 위험시설, 주거지에 인접한 대형시설 등으로서 재현주기 4,800년 지진에 대해 붕괴방지수준의 내진성능을 확보하도록 관리하는 시설을 말한다.

13. "중요시설"이란 지진 피해시 국지적으로 수급차질이 우려되는 시설, 주거지에 인접한 소형시설, 배관 차단 가능시설 등으로서 재현주기 2,400년 지진에 대해 붕괴방지수준의 내진성능을 확보하도록 관리하는 시설을 말한다.

14. "일반시설"이란 핵심시설 및 중요시설 이외의 소규모시설, 안전 관련도가 비교적 낮은 시설, 기타 지진피해 우려가 상대적으로 적은 시설 등으로서 재현주기, 1,000년 지진에 대해 붕괴방지수

준의 내진성능을 확보하도록 관리하는 시설을 말한다.

15. "내진성능확인"이란 지진으로부터 가스 시설물의 안전성을 확보하고 기능을 유지하기 위하여 시설물이 지진의 영향으로부터 안전한 구조인지를 확인하는 것을 말한다.

5 가스보일러 상세기준

1. "연통(flue pipe)"이란 가스보일러 배기가스를 이송하기 위한 관으로서, 배기통, 이음연통, 연돌 등을 말한다.

2. "배기통(vent)"이란 가스보일러를 단독배기방식으로 사용하는 경우로서, 가스보일러에서 나오는 배기가스를 이음연통이나 연돌을 거치지 않고 건축물 바깥으로 직접 배출하는 연통을 말한다.

3. "이음연통(connecting flue pipe)"이란 가스보일러와 연돌을 연결하는 연통으로서 가스보일러 출구에서 연돌 입구로 연결하는 관을 말한다.

4. "연돌(chimney)"이란 가스보일러에서 나오는 배기가스를 건축물 바깥으로 배출하기 위한 연통으로서 하나 이상의 수직 또는 수직에 가까운 통로를 가진 구조물을 말한다.

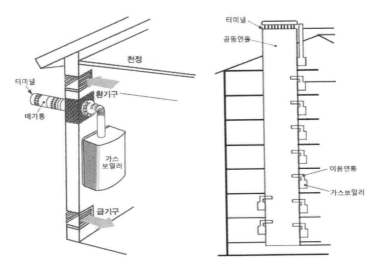

[주거용 가스보일러의 시공 예]

5. "배기시스템(venting system)"이란 배기가스와 직접 접촉하는
   가스보일러 부속품과 이 기준에서 사용하는 모든 연통을 말한다.

6. "터미널(terminal)"이란 배기가스를 건축물 바깥 공기 중으로 배
   출하기 위하여 배기시스템 말단에 설치하는 부속품(배기통과 터
   미널이 일체형인 경우에는 배기가스가 배출되는 말단부분을 말한
   다)을 말한다.

7. "공동이음연통(common connecting flue pipe)"이란 각각의 이음
   연통(캐스케이드연통은 제외한다) 2개를 공동으로 연결하는, 각각
   의 이음연통 출구에서 연돌 및 금속 이중관형 연돌 입구 또는 터
   미널까지 연결하는 관을 말한다.

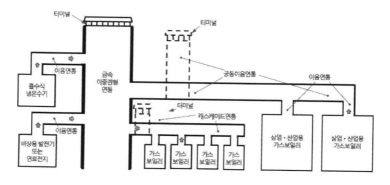

[상업·산업용 가스보일러의 시공 예]

8. "캐스케이드연통(cascade flue pipe)"이란 동일공간에 설치된 2개 이상의 캐스케이드용 가스보일러에서 나오는 배기가스를 연돌 또는 금속 이중관형 연돌까지 이송하거나 건축물 바깥으로 직접 배출하기 위하여 공동으로 사용하는 연통(2개 이상의 캐스케이드연통을 Y자형 등으로 통합한 것을 포함한다.)으로서, 가스보일러 제조자 시공지침에 따라 하나의 생산자가 스테인리스강판으로 제조하거나 배기가스 및 응축수에 내열·내식성을 가진 재료(플라스틱을 포함한다)로 제조한 것을 말한다.

9. "금속 이중관형 연돌(metallic duplex tube type chimney)"이란 연소기에서 나오는 배기가스를 건축물 바깥으로 배출하기 위한, 금속재 내부관과 외부관으로 구성된, 수직 또는 수직에 가까운 통로를 가진 구조물을 말한다.

10. "라이너(liner)"란 표면이 배기가스와 접촉하는 연돌 또는 금속 이중관형 연돌의 벽을 말한다.

11. "역류방지장치"란 캐스케이드용 가스보일러의 경우에는 가동 및 정지 중에 배기가스가 역류되지 않도록 하는 장치를 말한다.

12. "단독·밀폐식·강제급배기식"이란 하나의 가스보일러를 사용하는

배기시스템으로서 연소용 공기는 실외에서 급기하고, 배기가스는 실외로 배기하며, 송풍기를 사용하여 강제적으로 급기 및 배기하는 시스템을 말한다.

13. "단독·반밀폐식·강제배기식"이란 하나의 가스보일러를 사용하는 배기시스템으로서 연소용 공기는 가스보일러가 설치된 실내에서 급기하고, 배기가스는 실외로 배기하며(연돌을 통하여 배기하는 것을 포함한다), 송풍기를 사용하여 강제적으로 배기하는 시스템을 말한다.

14. "공동·반밀폐식·강제배기식"이란 다수의 가스보일러를 사용하는 배기시스템으로서 연소용 공기는 가스보일러가 설치된 실내에서 급기하고, 배기가스는 연돌을 통하여 실외로 배기하며, 송풍기를 사용하여 강제적으로 배기하는 시스템을 말한다.

 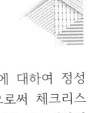

6 안전성평가 상세기준

1. "위험성평가기법"이란 사업장 안에 존재하는 위험에 대하여 정성적 또는 정량적으로 위험성 등을 평가하는 방법으로써 체크리스트 기법·상대위험순위결정 기법·작업자실수분석 기법·사고예상질문분석 기법·위험과운전분석 기법·이상위험도분석 기법·결함수분석 기법·사건수분석 기법·원인결과분석 기법·예비위험분석 기법 및 공정위험분석 기법 등을 말한다.

2. "체크리스트(checklist) 기법"이란 공정 및 설비의 오류, 결함상태, 위험 상황 등을 목록화한 형태로 작성하여 경험적으로 비교

함으로써 위험성을 정성적으로 파악하는 안전성평가기법을 말한다.

3. "상대위험순위결정(dow and mond indices) 기법"이란 설비에 존재하는 위험에 대하여 수치적으로 상대위험 순위를 지표화하여 그 피해정도를 나타내는 상대적 위험 순위를 정하는 안전성평가 기법을 말한다.

4. "작업자실수분석(human error ananlysis, HEA) 기법"이란 설비의 운전원, 정비보수원, 기술자 등의 작업에 영향을 미칠만한 요소를 평가하여 그 실수의 원인을 파악하고 추적하여 정량적으로 실수의 상대적 순위를 결정하는 안전성평가기법을 말한다.

5. "사고예상질문분석(WHAT-IF) 기법"이란 공정에 잠재하고 있으면서 원하지 않은 나쁜 결과를 초래할 수 있는 사고에 대하여 예상질문을 통해 사전에 확인함으로써 그 위험과 결과 및 위험을 줄이는 방법을 제시하는 정성적 안전성평가기법을 말한다.

6. "위험과 운전분석(hazard and operability studies, HAZOP) 기법"이란 공정에 존재하는 위험 요소들과 공정의 효율을 떨어뜨릴 수 있는 운전상의 문제점을 찾아내어 그 원인을 제거하는 정성적인 안전성평가기법을 말한다.

7. "이상위험도 분석(failure modes, effects, and criticality analysis, FMECA) 기법"이란 공정및 설비의 고장의 형태 및 영향, 고장형태별 위험도 순위 등을 결정하는 기법을 말한다.

8. "결함수분석(fault tree analysis, FTA) 기법"이란 사고를 일으키는 장치의 이상이나 운전사 실수의 조합을 연역적으로 분석하는 정량적 안전성평가기법을 말한다.

9. "사건수분석(event tree analysis, ETA) 기법"이란 초기사건으로 알려진 특정한 장치의 이상이나 운전자의 실수로부터 발생되는 잠재적인 사고결과를 평가하는 정량적 안전성평가기법을 말한다.

10. "원인결과분석(cause-consequence analysis, CCA) 기법"이란

잠재된 사고의 결과와 이러한 사고의 근본적인 원인을 찾아내고 사고 결과와 원인의 상호관계를 예측·평가하는 정량적 안전성평가기법을 말한다.

11. "예비 위험 분석(preliminary hazard analysis, PHA) 기법"이란 공정 또는 설비 등에 관한 상세한 정보를 얻을 수 없는 상황에서 위험물질과 공정 요소에 초점을 맞추어 초기위험을 확인하는 방법을 말한다.

12. "공정 위험 분석(process hazard review, PHR) 기법"이란 기존설비 또는 안전성향상계획서를 제출·심사 받은 설비에 대하여 설비의 설계·건설·운전 및 정비의 경험을 바탕으로 위험성을 평가·분석하는 방법을 말한다.

13. "단위공정"이란 사업장 안에서 제품·중간제품 또는 다른 제품의 원료를 생산하는데 필요한 원료처리공정에서 제품의 생산·저장(부산물을 포함)에 이르기까지의 일관공정을 말한다.

제5장
기타 관련 법령

1 산업안전보건법

1. "산업재해"란 노무를 제공하는 사람이 업무에 관계되는 건설물·설비·원재료·가스·증기·분진 등에 의하거나 작업 또는 그 밖의 업무로 인하여 사망 또는 부상하거나 질병에 걸리는 것을 말한다.

2. "중대재해"란 산업재해 중 사망 등 재해 정도가 심하거나 다수의 재해자가 발생한 경우로서 고용노동부령으로 정하는 재해를 말한다.

> **시행규칙 제3조(중대재해의 범위)**
>
> 법 제 2 조제 2 호에서 "고용노동부령으로 정하는 재해"란 다음 각 호의 어느 하나에 해당하는 재해를 말한다.
>
> 1. 사망자가 1명 이상 발생한 재해
> 2. 3개월 이상의 요양이 필요한 부상자가 동시에 2명 이상 발생한 재해
> 3. 부상자 또는 직업성 질병자가 동시에 10명 이상 발생한 재해

3. "근로자"란 직업의 종류와 관계없이 임금을 목적으로 사업이나 사업장에 근로를 제공하는 사람을 말한다.

4. "사업주"란 근로자를 사용하여 사업을 하는 자를 말한다.

5. "근로자대표"란 근로자의 과반수로 조직된 노동조합이 있는 경우에는 그 노동조합을, 근로자의 과반수로 조직된 노동조합이 없는 경우에는 근로자의 과반수를 대표하는 자를 말한다.

6. "도급"이란 명칭에 관계없이 물건의 제조·건설·수리 또는 서비스의 제공, 그 밖의 업무를 타인에게 맡기는 계약을 말한다.

7. "도급인"이란 물건의 제조·건설·수리 또는 서비스의 제공, 그 밖의 업무를 도급하는 사업주를 말한다. 다만, 건설공사발주자는 제외한다.

8. "수급인"이란 도급인으로부터 물건의 제조·건설·수리 또는 서비스의 제공, 그 밖의 업무를 도급받은 사업주를 말한다.

9. "관계수급인"이란 도급이 여러 단계에 걸쳐 체결된 경우에 각 단계별로 도급받은 사업주 전부를 말한다.

10. "건설공사발주자"란 건설공사를 도급하는 자로서 건설공사의 시공을 주도하여 총괄·관리하지 아니하는 자를 말한다. 다만, 도급받은 건설공사를 다시 도급하는 자는 제외한다.

11. "건설공사"란 다음 각 목의 어느 하나에 해당하는 공사를 말한다.
    (1) 「건설산업기본법」 제2조제4호에 따른 건설공사
        "건설공사"란 토목공사, 건축공사, 산업설비공사, 조경공사, 환경시설공사, 그 밖에 명칭과 관계없이 시설물을 설치·유지·보수하는공사(시설물을 설치하기 위한 부지조성공사를 포함한다) 및 기계설비나 그 밖의 구조물의 설치 및 해체공사 등을 말한다.
    (2) 「전기공사업법」 제2조제1호에 따른 전기공사
        "전기공사"란 다음 각 목의 어느 하나에 해당하는 설비 등을 설치·유지·보수하는 공사 및 이에 따른 부대공사로서 대통령령으로 정하는 것을 말한다.
        ① 「전기사업법」 제2조제16호에 따른 전기설비
        ② 전력 사용 장소에서 전력을 이용하기 위한 전기계장설비(電氣計裝設備)
        ③ 전기에 의한 신호표지

④ 「신에너지 및 재생에너지 개발·이용·보급 촉진법」 제2조제3호에 따른 신·재생에너지 설비 중 전기를 생산하는 설비

⑤ 「지능형전력망의 구축 및 이용촉진에 관한 법률」 제2조제2호에 따른 지능형전력망 중 전기설비

⑥ ①~⑤에 따른 부대공사로서 대통령령으로 정하는 것(시행령 제2조) : 「전기공사업법」 제2조제1호에 따른 전기공사는 다음 각 호의 공사(저수지, 수로 및 이에 수반되는 구조물의 공사는 제외한다)로 한다.

    ㉠ 발전·송전·변전 및 배전 설비공사

    ㉡ 산업시설물, 건축물 및 구조물의 전기설비공사

    ㉢ 도로, 공항 및 항만 전기설비공사

    ㉣ 전기철도 및 철도신호 전기설비공사

    ㉤ 제1호부터 제4호까지의 규정에 따른 전기설비공사 외의 전기설비공사

    ㉥ 제1호부터 제5호까지의 규정에 따른 전기설비 등을 유지·보수하는 공사 및 그 부대공사

(3) 「정보통신공사업법」 제2조제2호에 따른 정보통신공사

"정보통신공사"란 정보통신설비의 설치 및 유지·보수에 관한 공사와 이에 따르는 부대공사(附帶工事)로서 대통령령으로 정하는 공사를 말한다. : 부대공사(附帶工事)로서 대통령령으로 정하는 공사(시행령 제2조)란, 「정보통신공사업법」 제2조제2호에 따른 정보통신설비의 설치 및 유지·보수에 관한 공사와 이에 따른 부대공사는 다음 각 호와 같다.

① 전기통신관계법령 및 전파관계법령에 따른 통신설비공사

② 「방송법」 등 방송관계법령에 따른 방송설비공사

③ 정보통신관계법령에 따라 정보통신설비를 이용하여 정보를 제어·저장 및 처리하는 정보설비공사

④ 수전설비를 제외한 정보통신전용 전기시설설비공사 등 그 밖의 설비공사

⑤ 제1호부터 제4호까지의 규정에 따른 공사의 부대공사

⑥ 제1호부터 제5호까지의 규정에 따른 공사의 유지·보수공사

⑷ 「소방시설공사업법」에 따른 소방시설공사

⑸ 「문화재수리 등에 관한 법률」에 따른 문화재수리공사

12. "안전보건진단"이란 산업재해를 예방하기 위하여 잠재적 위험성을 발견하고 그 개선대책을 수립할 목적으로 조사·평가하는 것을 말한다.

13. "작업환경측정"이란 작업환경 실태를 파악하기 위하여 해당 근로자 또는 작업장에 대하여 사업주가 유해인자에 대한 측정계획을 수립한 후 시료(試料)를 채취하고 분석·평가하는 것을 말한다.

2 산업안전보건기준에 관한 규칙

1. "차량계 건설기계"란 동력원을 사용하여 특정되지 아니한 장소로 스스로 이동할 수 있는 건설기계로서 별표 6에서 정한 기계를 말한다

> **차량계 건설기계 | 산업안전보건기준에 관한 규칙 [별표6]**
> 1. 도저형 건설기계(불도저, 스트레이트도저, 틸트도저, 앵글도저, 버킷도저 등)
> 2. 모터그레이더(motor grader, 땅 고르는 기계)
> 3. 로더(포크 등 부착물 종류에 따른 용도 변경 형식을 포함한다)

4. 스크레이퍼(scraper, 흙을 절삭·운반하거나 펴 고르는 등의 작업을 하는 토공기계)
5. 크레인형 굴착기계(크램쉘, 드래그라인 등)
6. 굴착기(브레이커, 크러셔, 드릴 등 부착물 종류에 따른 용도 변경 형식을 포함한다)
7. 항타기 및 항발기
8. 천공용 건설기계(어스드릴, 어스오거, 크롤러드릴, 점보드릴 등)
9. 지반 압밀침하용 건설기계(샌드드레인머신, 페이퍼드레인머신, 팩드레인머신 등)
10. 지반 다짐용 건설기계(타이어롤러, 매커덤롤러, 탠덤롤러 등)
11. 준설용 건설기계(버킷준설선, 그래브준설선, 펌프준설선 등)
12. 콘크리트 펌프카
13. 덤프트럭
14. 콘크리트 믹서 트럭
15. 도로포장용 건설기계(아스팔트 살포기, 콘크리트 살포기, 아스팔트 피니셔, 콘크리트 피니셔 등)
16. 골재 채취 및 살포용 건설기계(쇄석기, 자갈채취기, 골재살포기 등)
17. 제1호부터 제16호까지와 유사한 구조 또는 기능을 갖는 건설기계로서 건설작업에 사용하는 것

2. "관리대상 유해물질"이란 근로자에게 상당한 건강장해를 일으킬 우려가 있어 법 제39조에 따라 건강장해를 예방하기 위한 보건상의 조치가 필요한 원재료·가스·증기·분진·흄, 미스트로서 별표 12에서 정한 유기화합물, 금속류, 산·알칼리류, 가스상태 물질류를 말한다.

관리대상 유해물질의 종류 | 산업안전보건기준에 관한 규칙 [별표12]

1. 유기화합물(123 종)

1) 글루타르알데히드(Glutaraldehyde; 111-30-8)
2) 니트로글리세린(Nitroglycerin; 55-63-0)
3) 니트로메탄(Nitromethane; 75-52-5)
4) 니트로벤젠(Nitrobenzene; 98-95-3)
5) p-니트로아닐린(p-Nitroaniline; 100-01-6)
6) p-니트로클로로벤젠(p-Nitrochlorobenzene; 100-00-5)
7) 2-니트로톨루엔(2-Nitrotoluene; 88-72-2)(특별관리물질)
8) 디(2-에틸헥실)프탈레이트(Di(2-ethylhexyl)phthalate; 117-81-7)
9) 디니트로톨루엔(Dinitrotoluene; 25321-14-6 등)(특별관리물질)
10) N,N-디메틸아닐린(N,N-Dimethylaniline; 121-69-7)
11) 디메틸아민(Dimethylamine; 124-40-3)
12) N,N-디메틸아세트아미드(N,N-Dimethylacetamide; 127-19-5)
    (특별관리물질)
13) 디메틸포름아미드(Dimethylformamide; 68-12-2)(특별관리물질)
14) 디부틸 프탈레이트(Dibutyl phthalate; 84-74-2)(특별관리물질)
15) 디에탄올아민(Diethanolamine; 111-42-2)
16) 디에틸 에테르(Diethyl ether; 60-29-7)
17) 디에틸렌트리아민(Diethylenetriamine; 111-40-0)
18) 2-디에틸아미노에탄올(2-Diethylaminoethanol; 100-37-8)
19) 디에틸아민(Diethylamine; 109-89-7)
20) 1,4-디옥산(1,4-Dioxane; 123-91-1)
21) 디이소부틸케톤(Diisobutylketone; 108-83-8)
22) 1,1-디클로로-1-플루오로에탄(1,1-Dichloro-1-fluoroethane; 1717-00-6)
23) 디클로로메탄(Dichloromethane; 75-09-2)
24) o-디클로로벤젠(o-Dichlorobenzene; 95-50-1)
25) 1,2-디클로로에탄(1,2-Dichloroethane; 107-06-2)(특별관리물질)
26) 1,2-디클로로에틸렌(1,2-Dichloroethylene; 540-59-0 등)
27) 1,2-디클로로프로판(1,2-Dichloropropane; 78-87-5)(특별관리물질)
28) 디클로로플루오로메탄(Dichlorofluoromethane; 75-43-4)
29) p-디히드록시벤젠(p-dihydroxybenzene; 123-31-9)
30) 메탄올(Methanol; 67-56-1)
31) 2-메톡시에탄올(2-Methoxyethanol; 109-86-4)(특별관리물질)
32) 2-메톡시에틸 아세테이트(2-Methoxyethyl acetate; 110-49-6)
    (특별관리물질)
33) 메틸 n-부틸 케톤(Methyl n-butyl ketone; 591-78-6)

34) 메틸 n-아밀 케톤(Methyl n-amyl ketone; 110-43-0)

35) 메틸 아민(Methyl amine; 74-89-5)

36) 메틸 아세테이트(Methyl acetate; 79-20-9)

37) 메틸 에틸 케톤(Methyl ethyl ketone; 78-93-3)

38) 메틸 이소부틸 케톤(Methyl isobutyl ketone; 108-10-1)

39) 메틸 클로라이드(Methyl chloride; 74-87-3)

40) 메틸 클로로포름(Methyl chloroform; 71-55-6)

41) 메틸렌 비스(페닐 이소시아네이트)(Methylene bis(phenyl iso cyanate); 101-68-8 등)

42) o-메틸시클로헥사논(o-Methylcyclohexanone; 583-60-8)

43) 메틸시클로헥사놀(Methylcyclohexanol; 25639-42-3 등)

44) 무수 말레산(Maleic anhydride; 108-31-6)

45) 무수 프탈산(Phthalic anhydride; 85-44-9)

46) 벤젠(Benzene; 71-43-2)(특별관리물질)

47) 벤조(a)피렌[Benzo(a)pyrene; 50-32-8](특별관리물질)

48) 1,3-부타디엔(1,3-Butadiene; 106-99-0)(특별관리물질)

49) n-부탄올(n-Butanol; 71-36-3)

50) 2-부탄올(2-Butanol; 78-92-2)

51) 2-부톡시에탄올(2-Butoxyethanol; 111-76-2)

52) 2-부톡시에틸 아세테이트(2-Butoxyethyl acetate; 112-07-2)

53) n-부틸 아세테이트(n-Butyl acetate; 123-86-4)

54) 1-브로모프로판(1-Bromopropane; 106-94-5)(특별관리물질)

55) 2-브로모프로판(2-Bromopropane; 75-26-3)(특별관리물질)

56) 브롬화 메틸(Methyl bromide; 74-83-9)

57) 브이엠 및 피 나프타(VM&P Naphtha; 8032-32-4)

58) 비닐 아세테이트(Vinyl acetate; 108-05-4)

59) 사염화탄소(Carbon tetrachloride; 56-23-5)(특별관리물질)

60) 스토다드 솔벤트(Stoddard solvent; 8052-41-3)(벤젠을 0.1% 이상 함유한 경우만 특별관리물질)

61) 스티렌(Styrene; 100-42-5)

62) 시클로헥사논(Cyclohexanone; 108-94-1)

63) 시클로헥사놀(Cyclohexanol; 108-93-0)

64) 시클로헥산(Cyclohexane; 110-82-7)

65) 시클로헥센(Cyclohexene; 110-83-8)

66) 시클로헥실아민(Cyclohexylamine; 108-91-8)

67) 아닐린[62-53-3] 및 그 동족체(Aniline and its homologues)

68) 아세토니트릴(Acetonitrile; 75-05-8)

69) 아세톤(Acetone; 67-64-1)

70) 아세트알데히드(Acetaldehyde; 75-07-0)

71) 아크릴로니트릴(Acrylonitrile; 107-13-1)(특별관리물질)

72) 아크릴아미드(Acrylamide; 79-06-1)(특별관리물질)

73) 알릴 글리시딜 에테르(Allyl glycidyl ether; 106-92-3)

74) 에탄올아민(Ethanolamine; 141-43-5)

75) 2-에톡시에탄올(2-Ethoxyethanol; 110-80-5)(특별관리물질)

76) 2-에톡시에틸 아세테이트(2-Ethoxyethyl acetate; 111-15-9)
(특별관리물질)

77) 에틸 벤젠(Ethyl benzene; 100-41-4)

78) 에틸 아세테이트(Ethyl acetate; 141-78-6)

79) 에틸 아크릴레이트(Ethyl acrylate; 140-88-5)

80) 에틸렌 글리콜(Ethylene glycol; 107-21-1)

81) 에틸렌 글리콜 디니트레이트(Ethylene glycol dinitrate; 628-9
6-6)

82) 에틸렌 클로로히드린(Ethylene chlorohydrin; 107-07-3)

83) 에틸렌이민(Ethyleneimine; 151-56-4)(특별관리물질)

84) 에틸아민(Ethylamine; 75-04-7)

85) 2,3-에폭시-1-프로판올(2,3-Epoxy-1-propanol; 556-52-5 등)
(특별관리물질)

86) 1,2-에폭시프로판(1,2-Epoxypropane; 75-56-9 등)(특별관리
물질)

87) 에피클로로히드린(Epichlorohydrin; 106-89-8 등)(특별관리물질)

88) 와파린(Warfarin; 81-81-2)(특별관리물질)

89) 요오드화 메틸(Methyl iodide; 74-88-4)

90) 이소부틸 아세테이트(Isobutyl acetate; 110-19-0)

91) 이소부틸 알코올(Isobutyl alcohol; 78-83-1)

92) 이소아밀 아세테이트(Isoamyl acetate; 123-92-2)

93) 이소아밀 알코올(Isoamyl alcohol; 123-51-3)

94) 이소프로필 아세테이트(Isopropyl acetate; 108-21-4)

95) 이소프로필 알코올(Isopropyl alcohol; 67-63-0)

96) 이황화탄소(Carbon disulfide; 75-15-0)

97) 크레졸(Cresol; 1319-77-3 등)

98) 크실렌(Xylene; 1330-20-7 등)
99) 2-클로로-1,3-부타디엔(2-Chloro-1,3-butadiene; 126-99-8)
100) 클로로벤젠(Chlorobenzene; 108-90-7)
101) 1,1,2,2-테트라클로로에탄(1,1,2,2-Tetrachloroethane; 79-34-5)
102) 테트라히드로푸란(Tetrahydrofuran; 109-99-9)
103) 톨루엔(Toluene; 108-88-3)
104) 톨루엔-2,4-디이소시아네이트(Toluene-2,4-diisocyanate; 5
84-84-9 등)
105) 톨루엔-2,6-디이소시아네이트(Toluene-2,6-diisocyanate); 9
1-08-7 등)
106) 트리에틸아민(Triethylamine; 121-44-8)
107) 트리클로로메탄(Trichloromethane; 67-66-3)
108) 1,1,2-트리클로로에탄(1,1,2-Trichloroethane; 79-00-5)
109) 트리클로로에틸렌(Trichloroethylene; 79-01-6)(특별관리물질)
110) 1,2,3-트리클로로프로판(1,2,3-Trichloropropane; 96-18-4)
(특별관리물질)
111) 퍼클로로에틸렌(Perchloroethylene; 127-18-4)(특별관리물질)
112) 페놀(Phenol; 108-95-2)(특별관리물질)
113) 페닐 글리시딜 에테르(Phenyl glycidyl ether; 122-60-1 등)
114) 포름아미드(Formamide; 75-12-7)(특별관리물질)
115) 포름알데히드(Formaldehyde; 50-00-0)(특별관리물질)
116) 프로필렌이민(Propyleneimine; 75-55-8)(특별관리물질)
117) n-프로필 아세테이트(n-Propyl acetate; 109-60-4)
118) 피리딘(Pyridine; 110-86-1)
119) 헥사메틸렌 디이소시아네이트(Hexamethylene diisocyanate; 822-06-0)
120) n-헥산(n-Hexane; 110-54-3)
121) n-헵탄(n-Heptane; 142-82-5)
122) 황산 디메틸(Dimethyl sulfate; 77-78-1)(특별관리물질)
123) 히드라진[302-01-2] 및 그 수화물(Hydrazine and its hydra
tes)(특별관리물질)
124) 1)부터 123)까지의 물질을 중량비율 1%[N,N-디메틸아세트아
미드(특별관리물질), 디메틸포름아미드(특별관리물질), 디부틸
프탈레이트(특별관리물질), 2-메톡시에탄올(특별관리물질), 2-
메톡시에틸 아세테이트(특별관리물질), 1-브로모프로판(특별관

리물질), 2-브로모프로판(특별관리물질), 2-에톡시에탄올(특별관리물질), 2-에톡시에틸 아세테이트(특별관리물질), 와파린(특별관리물질), 페놀(특별관리물질) 및 포름아미드(특별관리물질)는 0.3%, 그 밖의 특별관리물질은 0.1%] 이상 함유한 혼합물

2. 금속류(25 종)
   1) 구리[7440-50-8] 및 그 화합물(Copper and its compounds)
   2) 납[7439-92-1] 및 그 무기화합물(Lead and its inorganic compounds)(특별관리물질)
   3) 니켈[7440-02-0] 및 그 무기화합물, 니켈 카르보닐(Nickel and its inorganic compounds, Nickel carbonyl)(불용성화합물만 특별관리물질)
   4) 망간[7439-96-5] 및 그 무기화합물(Manganese and its inorganic compounds)
   5) 바륨[7440-39-3] 및 그 가용성 화합물(Barium and its soluble compounds)
   6) 백금[7440-06-4] 및 그 화합물(Platinum and its compounds)
   7) 산화마그네슘(Magnesium oxide; 1309-48-4)
   8) 산화붕소(Boron oxide; 1303-86-2)(특별관리물질)
   9) 셀레늄[7782-49-2] 및 그 화합물(Selenium and its compounds)
   10) 수은[7439-97-6] 및 그 화합물(Mercury and its compounds)(특별관리물질. 다만, 아릴화합물 및 알킬화합물은 특별관리물질에서 제외한다)
   11) 아연[7440-66-6] 및 그 화합물(Zinc and its compounds)
   12) 안티몬[7440-36-0] 및 그 화합물(Antimony and its compounds)(삼산화안티몬만 특별관리물질)
   13) 알루미늄[7429-90-5] 및 그 화합물(Aluminum and its compounds)
   14) 오산화바나듐(Vanadium pentoxide; 1314-62-1)
   15) 요오드[7553-56-2] 및 요오드화물(Iodine and iodides)
   16) 은[7440-22-4] 및 그 화합물(Silver and its compounds)
   17) 이산화티타늄(Titanium dioxide; 13463-67-7)
   18) 인듐[7440-74-6] 및 그 화합물(Indium and its compounds)
   19) 주석[7440-31-5] 및 그 화합물(Tin and its compounds)
   20) 지르코늄[7440-67-7] 및 그 화합물(Zirconium and its compounds)
   21) 철[7439-89-6] 및 그 화합물(Iron and its compounds)

22) 카드뮴[7440-43-9] 및 그 화합물(Cadmium and its compoun ds)(특별관리물질)
23) 코발트[7440-48-4] 및 그 무기화합물(Cobalt and its inorga nic compounds)
24) 크롬[7440-47-3] 및 그 화합물(Chromium and its compou nds)(6가크롬 화합물만 특별관리물질)
25) 텅스텐[7440-33-7] 및 그 화합물(Tungsten and its compou nds)
26) 1)부터 25)까지의 물질을 중량비율 1%[납 및 그 무기화합물(특 별관리물질), 산화붕소(특별관리물질), 수은 및 그 화합물(특별 관리물질. 다만, 아릴화합물 및 알킬화합물은 특별관리물질에 서 제외한다)은 0.3%, 그 밖의 특별관리물질은 0.1%] 이상 함 유한 혼합물

3. 산·알칼리류(18 종)
1) 개미산(Formic acid; 64-18-6)
2) 과산화수소(Hydrogen peroxide; 7722-84-1)
3) 무수 초산(Acetic anhydride; 108-24-7)
4) 불화수소(Hydrogen fluoride; 7664-39-3)
5) 브롬화수소(Hydrogen bromide; 10035-10-6)
6) 사붕소산 나트륨(무수물, 오수화물)(Sodium tetraborate; 1330 -43-4, 12179-04-3)(특별관리물질)
7) 수산화 나트륨(Sodium hydroxide; 1310-73-2)
8) 수산화 칼륨(Potassium hydroxide; 1310-58-3)
9) 시안화 나트륨(Sodium cyanide; 143-33-9)
10) 시안화 칼륨(Potassium cyanide; 151-50-8)
11) 시안화 칼슘(Calcium cyanide; 592-01-8)
12) 아크릴산(Acrylic acid; 79-10-7)
13) 염화수소(Hydrogen chloride; 7647-01-0)
14) 인산(Phosphoric acid; 7664-38-2)
15) 질산(Nitric acid; 7697-37-2)
16) 초산(Acetic acid; 64-19-7)
17) 트리클로로아세트산(Trichloroacetic acid; 76-03-9)
18) 황산(Sulfuric acid; 7664-93-9)(pH 2.0 이하인 강산은 특별관리 물질)

19) 1)부터 18)까지의 물질을 중량비율 1%[사붕소산나트륨(무수물, 오수화물)(특별관리물질)은 0.3%, pH 2.0 이하인 황산(특별관리물질)은 0.1%] 이상 함유한 혼합물

4. 가스 상태 물질류(15 종)
   1) 불소(Fluorine; 7782-41-4)
   2) 브롬(Bromine; 7726-95-6)
   3) 산화에틸렌(Ethylene oxide; 75-21-8)(특별관리물질)
   4) 삼수소화 비소(Arsine; 7784-42-1)
   5) 시안화 수소(Hydrogen cyanide; 74-90-8)
   6) 암모니아(Ammonia; 7664-41-7 등)
   7) 염소(Chlorine; 7782-50-5)
   8) 오존(Ozone; 10028-15-6)
   9) 이산화질소(nitrogen dioxide; 10102-44-0)
   10) 이산화황(Sulfur dioxide; 7446-09-5)
   11) 일산화질소(Nitric oxide; 10102-43-9)
   12) 일산화탄소(Carbon monoxide; 630-08-0)
   13) 포스겐(Phosgene; 75-44-5)
   14) 포스핀(Phosphine; 7803-51-2)
   15) 황화수소(Hydrogen sulfide; 7783-06-4)
   16) 1)부터 15)까지의 물질을 중량비율 1%(특별관리물질은 0.1%) 이상 함유한 혼합물

3. "유기화합물"이란 상온·상압(常壓)에서 휘발성이 있는 액체로서 다른 물질을 녹이는 성질이 있는 유기용제(有機溶劑)를 포함한 탄화수소계화합물 중 별표 12 제1호에 따른 물질을 말한다.

4. "금속류"란 고체가 되었을 때 금속광택이 나고 전기·열을 잘 전달하며, 전성(展性)과 연성(延性)을 가진 물질 중 별표 12 제2호에 따른 물질을 말한다.

5. "산·알칼리류"란 수용액(水溶液) 중에서 해리(解離)하여 수소이온을 생성하고 염기와 중화하여 염을 만드는 물질과 산을 중화하는 수산화합물로서 물에 녹는 물질 중 별표 12 제3호에 따른 물질을 말한다.

6. "가스상태 물질류"란 상온·상압에서 사용하거나 발생하는 가스 상태의 물질로서 별표 12 제4호에 따른 물질을 말한다.

7. "특별관리물질"이란 「산업안전보건법 시행규칙」 별표 18 제1호나 목에 따른 발암성 물질, 생식세포 변이원성 물질, 생식독성(生殖 毒性) 물질 등 근로자에게 중대한 건강장해를 일으킬 우려가 있 는 물질로서 별표 12에서 특별관리물질로 표기된 물질을 말한다.

8. "유기화합물 취급 특별장소"란 유기화합물을 취급하는 다음 각 목의 어느 하나에 해당하는 장소를 말한다.
   (1) 선박의 내부
   (2) 차량의 내부
   (3) 탱크의 내부(반응기 등 화학설비 포함)
   (4) 터널이나 갱의 내부
   (5) 맨홀의 내부
   (6) 피트의 내부
   (7) 통풍이 충분하지 않은 수로의 내부
   (8) 덕트의 내부
   (9) 수관(水管)의 내부
   (10) 그 밖에 통풍이 충분하지 않은 장소

9. "임시작업"이란 일시적으로 하는 작업 중 월 24시간 미만인 작업을 말한다. 다만, 월 10시간 이상 24시간 미만인 작업이 매월 행하여 지는 작업은 제외한다.

10. "단시간작업"이란 관리대상 유해물질을 취급하는 시간이 1일 1시 간 미만인 작업을 말한다. 다만, 1일 1시간 미만인 작업이 매일 수 행되는 경우는 제외한다.

11. "허가대상 유해물질"이란 고용노동부장관의 허가를 받지 않고는 제조·사용이 금지되는 물질로서 영 제88조에 따른 물질을 말한다.

허가 대상 유해물질 | 산업안전보건법 시행령 제88조

1. α-나프틸아민[134-32-7] 및 그 염(α-Naphthylamine and its salts)
2. 디아니시딘[119-90-4] 및 그 염(Dianisidine and its salts)
3. 디클로로벤지딘[91-94-1] 및 그 염(Dichlorobenzidine and its salts)
4. 베릴륨(Beryllium; 7440-41-7)
5. 벤조트리클로라이드(Benzotrichloride; 98-07-7)
6. 비소[7440-38-2] 및 그 무기화합물(Arsenic and its inorganic compounds)
7. 염화비닐(Vinyl chloride; 75-01-4)
8. 콜타르피치[65996-93-2] 휘발물(Coal tar pitch volatiles)
9. 크롬광 가공(열을 가하여 소성 처리하는 경우만 해당한다)(Chromite ore processing)
10. 크롬산 아연(Zinc chromates; 13530-65-9 등)
11. o-톨리딘[119-93-7] 및 그 염(o-Tolidine and its salts)
12. 황화니켈류(Nickel sulfides; 12035-72-2, 16812-54-7)
13. 제1호부터 제4호까지 또는 제6호부터 제12호까지의 어느 하나에 해당하는 물질을 포함한 혼합물(포함된 중량의 비율이 1퍼센트 이하인 것은 제외한다)
14. 제5호의 물질을 포함한 혼합물(포함된 중량의 비율이 0.5퍼센트 이하인 것은 제외한다)
15. 그 밖에 보건상 해로운 물질로서 산업재해보상보험 및 예방심의위원회의 심의를 거쳐 고용노동부장관이 정하는 유해물질

12. "제조"란 화학물질 또는 그 구성요소에 물리적·화학적 작용을 가하여 허가대상 유해물질로 전환하는 과정을 말한다.

13. "사용"이란 새로운 제품 또는 물질을 만들기 위하여 허가대상 유해물질을 원재료로 이용하는 것을 말한다.

14. "석면해체·제거작업"이란 석면함유 설비 또는 건축물의 파쇄(破

碎), 개·보수 등으로 인하여 석면분진이 흩날릴 우려가 있고 작은 입자의 석면폐기물이 발생하는 작업을 말한다.

15. "가열응착(加熱凝着)"이란 허가대상 유해물질에 압력을 가하여 성형한 것을 가열하였을 때 가루가 서로 밀착·굳어지는 현상을 말한다.

16. "가열탈착(加熱脫着)"이란 허가대상 유해물질을 고온으로 가열하여 휘발성 성분의 일부 또는 전부를 제거하는 조작을 말한다.

17. "금지유해물질"이란 영 제87조에 따른 유해물질을 말한다.

제조 등이 금지되는 유해물질 | 산업안전보건법 시행령 제87조

1. β-나프틸아민[91-59-8]과 그 염(β-Naphthylamine and its salts)
2. 4-니트로디페닐[92-93-3]과 그 염(4-Nitrodiphenyl and its salts)
3. 백연[1319-46-6]을 포함한 페인트(포함된 중량의 비율이 2 퍼센트 이하인 것은 제외한다)
4. 벤젠[71-43-2]을 포함하는 고무풀(포함된 중량의 비율이 5 퍼센트 이하인 것은 제외한다)
5. 석면(Asbestos: 1332-21-4 등)
6. 폴리클로리네이티드 터페닐(Polychlorinated terphenyls: 617 88-33-8 등)
7. 황린(黃燐)[12185-10-3] 성냥(Yellow phosphorus match)
8. 제1호, 제2호, 제5호 또는 제6호에 해당하는 물질을 포함한 혼합물(포함된 중량의 비율이 1퍼센트 이하인 것은 제외한다)
9. 「화학물질관리법」 제2조제5호에 따른 금지물질(같은 법 제3조제1항제1호부터 제12호까지의 규정에 해당하는 화학물질은 제외한다)

> 10. 그 밖에 보건상 해로운 물질로서 산업재해보상보험 및 예
>   방심의위원회의 심의를 거쳐 고용노동부장관이 정하는 유
>   해물질

18. "시험·연구 또는 검사 목적"이란 실험실·연구실 또는 검사실에
    서 물질분석 등을 위하여 금지유해물질을 시약으로 사용하거나
    그 밖의 용도로 조제하는 경우를 말한다.

19. "실험실등"이란 금지유해물질을 시험·연구 또는 검사용으로 제
    조·사용하는 장소를 말한다.

20. "소음작업"이란 1일 8시간 작업을 기준으로 85데시벨 이상의
    소음이 발생하는 작업을 말한다.

21. "강렬한 소음작업"이란 다음 각목의 어느 하나에 해당하는 작업
    을 말한다.
    ⑴ 90데시벨 이상의 소음이 1일 8시간 이상 발생하는 작업
    ⑵ 95데시벨 이상의 소음이 1일 4시간 이상 발생하는 작업
    ⑶ 100데시벨 이상의 소음이 1일 2시간 이상 발생하는 작업
    ⑷ 105데시벨 이상의 소음이 1일 1시간 이상 발생하는 작업
    ⑸ 110데시벨 이상의 소음이 1일 30분 이상 발생하는 작업
    ⑹ 115데시벨 이상의 소음이 1일 15분 이상 발생하는 작업

22. "충격소음작업"이란 소음이 1초 이상의 간격으로 발생하는 작업
    으로서 다음 각 목의 어느 하나에 해당하는 작업을 말한다.
    ⑴ 120데시벨을 초과하는 소음이 1일 1만회 이상 발생하는 작업
    ⑵ 130데시벨을 초과하는 소음이 1일 1천회 이상 발생하는 작업
    ⑶ 140데시벨을 초과하는 소음이 1일 1백회 이상 발생하는 작업

23. "진동작업"이란 다음 각 목의 어느 하나에 해당하는 기계·기구
    를 사용하는 작업을 말한다.
    ⑴ 착암기(鑿巖機)
    ⑵ 동력을 이용한 해머

(3) 체인톱

(4) 엔진 커터(engine cutter)

(5) 동력을 이용한 연삭기

(6) 임팩트 렌치(impact wrench)

(7) 그 밖에 진동으로 인하여 건강장해를 유발할 수 있는 기계·기구

24. "청력보존 프로그램"이란 소음노출 평가, 소음노출 기준 초과에 따른 공학적 대책, 청력보호구의 지급과 착용, 소음의 유해성과 예방에 관한 교육, 정기적 청력검사, 기록·관리 사항 등이 포함된 소음성 난청을 예방·관리하기 위한 종합적인 계획을 말한다.

25. "고압작업"이란 고기압(압력이 제곱센티미터당 1킬로그램 이상인 기압)에서 잠함공법(潛函工法)이나 그 외의 압기공법(壓氣工法)으로 하는 작업을 말한다.

26. "잠수작업"이란 물속에서 하는 다음 각 목의 작업을 말한다.
    (1) 표면공급식 잠수작업: 수면 위의 공기압축기 또는 호흡용 기체통에서 압축된 호흡용 기체를 공급받으면서 하는 작업
    (2) 스쿠버 잠수작업: 호흡용 기체통을 휴대하고 하는 작업

27. "기압조절실"이란 고압작업을 하는 근로자("고압작업자") 또는 잠수작업을 하는 근로자("잠수작업자")가 가압 또는 감압을 받는 장소를 말한다.

28. "압력"이란 게이지 압력을 말한다.

29. "비상기체통"이란 주된 기체공급 장치가 고장난 경우 잠수작업자가 안전한 지역으로 대피하기 위하여 필요한 충분한 양의 호흡용 기체를 저장하고 있는 압력용기와 부속장치를 말한다.

30. "고열"이란 열에 의하여 근로자에게 열경련·열탈진 또는 열사병 등의 건강장해를 유발할 수 있는 더운 온도를 말한다.

31. "한랭"이란 냉각원(冷却源)에 의하여 근로자에게 동상 등의 건강장해를 유발할 수 있는 차가운 온도를 말한다.

32. "다습"이란 습기로 인하여 근로자에게 피부질환 등의 건강장해를 유발할 수 있는 습한 상태를 말한다.

33. "방사선"이란 전자파나 입자선 중 직접 또는 간접적으로 공기를 전리(電離)하는 능력을 가진 것으로서 알파선, 중양자선, 양자선, 베타선, 그 밖의 중하전입자선, 중성자선, 감마선, 엑스선 및 5만 전자볼트 이상(엑스선 발생장치의 경우에는 5천 전자볼트 이상)의 에너지를 가진 전자선을 말한다.

34. "방사성물질"이란 핵연료물질, 사용 후의 핵연료, 방사성동위원소 및 원자핵분열 생성물을 말한다.

35. "방사선관리구역"이란 방사선에 노출될 우려가 있는 업무를 하는 장소를 말한다.

36. "혈액매개 감염병"이란 인간면역결핍증, B형간염 및 C형간염, 매독 등 혈액 및 체액을 매개로 타인에게 전염되어 질병을 유발하는 감염병을 말한다.

37. "공기매개 감염병"이란 결핵·수두·홍역 등 공기 또는 비말핵 등을 매개로 호흡기를 통하여 전염되는 감염병을 말한다.

38. "곤충 및 동물매개 감염병"이란 쯔쯔가무시증, 렙토스피라증, 신증후군출혈열 등 동물의 배설물 등에 의하여 전염되는 감염병과 탄저병, 브루셀라증 등 가축이나 야생동물로부터 사람에게 감염되는 인수공통(人獸共通) 감염병을 말한다.

39. "곤충 및 동물매개 감염병 고위험작업"이란 다음 각 목의 작업을 말한다.
    (1) 습지 등에서의 실외 작업
    (2) 야생 설치류와의 직접 접촉 및 배설물을 통한 간접 접촉이 많은 작업
    (3) 가축 사육이나 도살 등의 작업

40. "혈액노출"이란 눈, 구강, 점막, 손상된 피부 또는 주사침 등에 의한 침습적 손상을 통하여 혈액 또는 병원체가 들어 있는 것으로 의심이 되는 혈액 등에 노출되는 것을 말한다.

41. "분진"이란 근로자가 작업하는 장소에서 발생하거나 흩날리는 미세한 분말 상태의 물질[황사, 미세먼지(PM-10, PM-2.5)를 포함]을 말한다.

42. "분진작업"이란 별표 16에서 정하는 작업을 말한다.

분진작업의 종류 | 산업안전보건기준에 관한 규칙 [별표16]

1. 토석·광물·암석("암석등"이라 하고, 습기가 있는 상태의 것은 제외한다)을 파내는 장소에서의 작업. 다만, 다음 각 목의 어느 하나에서 정하는 작업은 제외한다.
   (1) 갱 밖의 암석등을 습식에 의하여 시추하는 장소에서의 작업
   (2) 실외의 암석등을 동력 또는 발파에 의하지 않고 파내는 장소에서의 작업
2. 암석등을 싣거나 내리는 장소에서의 작업
3. 갱내에서 암석등을 운반, 파쇄·분쇄하거나 체로 거르는 장소 (수중작업은 제외) 또는 이들을 쌓거나 내리는 장소에서의 작업
4. 갱내의 제1호부터 제3호까지의 규정에 따른 장소와 근접하는 장소에서 분진이 붙어 있거나 쌓여 있는 기계설비 또는 전기설비를 이설(移設)·철거·점검 또는 보수하는 작업
5. 암석등을 재단·조각 또는 마무리하는 장소에서의 작업(화염을 이용한 작업은 제외한다)
6. 연마재의 분사에 의하여 연마하는 장소나 연마재 또는 동력을 사용하여 암석·광물 또는 금속을 연마·주물 또는 재단하는 장소에서의 작업(화염을 이용한 작업은 제외한다)

7. 갱내가 아닌 장소에서 암석등·탄소원료 또는 알루미늄박을 파쇄·분쇄하거나 체로 거르는 장소에서의 작업

8. 시멘트·비산재·분말광석·탄소원료 또는 탄소제품을 건조하는 장소, 쌓거나 내리는 장소, 혼합·살포·포장하는 장소에서의 작업

9. 분말 상태의 알루미늄 또는 산화티타늄을 혼합·살포·포장하는 장소에서의 작업

10. 분말 상태의 광석 또는 탄소원료를 원료 또는 재료로 사용하는 물질을 제조·가공하는 공정에서 분말 상태의 광석, 탄소원료 또는 그 물질을 함유하는 물질을 혼합·혼입 또는 살포하는 장소에서의 작업

11. 유리 또는 법랑을 제조하는 공정에서 원료를 혼합하는 작업이나 원료 또는 혼합물을 용해로에 투입하는 작업(수중에서 원료를 혼합하는 장소에서의 작업은 제외한다)

12. 도자기, 내화물(耐火物), 형사토 제품 또는 연마재를 제조하는 공정에서 원료를 혼합 또는 성형하거나, 원료 또는 반제품을 건조하거나, 반제품을 차에 싣거나 쌓은 장소에서의 작업이나 가마 내부에서의 작업. 다만, 다음의 어느 하나에 정하는 작업은 제외한다.
    (1) 도자기를 제조하는 공정에서 원료를 투입하거나 성형하여 반제품을 완성하거나 제품을 내리고 쌓은 장소에서의 작업
    (2) 수중에서 원료를 혼합하는 장소에서의 작업

13. 탄소제품을 제조하는 공정에서 탄소원료를 혼합하거나 성형하여 반제품을 노(爐)에 넣거나 반제품 또는 제품을 노에서 꺼내거나 제작하는 장소에서의 작업

14. 주형을 사용하여 주물을 제조하는 공정에서 주형(鑄型)을 해체 또는 탈사(脫砂)하거나 주물모래를 재생하거나 혼련(混鍊)하거나 주조품 등을 절삭하는 장소에서의 작업

15. 암석등을 운반하는 암석전용선의 선창(船艙) 내에서 암석등을 빠뜨리거나 한군데로 모으는 작업

16. 금속 또는 그 밖의 무기물을 제련하거나 녹이는 공정에서 토석 또는 광물을 개방로에 투입·소결(燒結)·탕출(湯出) 또는 주입하는 장소에서의 작업(전기로에서 탕출하는 장소나 금형을 주입하는 장소에서의 작업은 제외한다)

17. 분말 상태의 광물을 연소하는 공정이나 금속 또는 그 밖의 무기물을 제련하거나 녹이는 공정에서 노(爐)·연도(煙道) 또는 굴뚝 등에 붙어 있거나 쌓여 있는 광물찌꺼기 또는 재를 긁어내거나 한곳에 모으거나 용기에 넣는 장소에서의 작업

18. 내화물을 이용한 가마 또는 노 등을 축조 또는 수리하거나 내화물을 이용한 가마 또는 노 등을 해체하거나 파쇄하는 작업

19. 실내·갱내·탱크·선박·관 또는 차량 등의 내부에서 금속을 용접하거나 용단하는 작업

20. 금속을 녹여 뿌리는 장소에서의 작업

21. 동력을 이용하여 목재를 절단·연마 및 분쇄하는 장소에서의 작업

22. 면(綿)을 섞거나 두드리는 장소에서의 작업

23. 염료 및 안료를 분쇄하거나 분말 상태의 염료 및 안료를 계량·투입·포장하는 장소에서의 작업

24. 곡물을 분쇄하거나 분말 상태의 곡물을 계량·투입·포장하는 장소에서의 작업

25. 유리섬유 또는 암면(巖綿)을 재단·분쇄·연마하는 장소에서의 작업

26. 「기상법 시행령」제8조제2항제8호에 따른 황사 경보 발령지역 또는 「대기환경보전법 시행령」제2조제3항제1호 및 제2호에 따른 미세먼지(PM-10, PM-2.5) 경보 발령 지역에서의 옥외 작업

43. "호흡기보호 프로그램"이란 분진노출에 대한 평가, 분진노출기준 초과에 따른 공학적 대책, 호흡용 보호구의 지급 및 착용, 분진의 유해성과 예방에 관한 교육, 정기적 건강진단, 기록·관리 사항 등이 포함된 호흡기질환 예방·관리를 위한 종합적인 계획을

말한다.

44. "밀폐공간"이란 산소결핍, 유해가스로 인한 질식·화재·폭발 등의 위험이 있는 장소로서 별표 18에서 정한 장소를 말한다.

밀폐공간 | 산업안전보건기준에 관한 규칙 [별표 18]

1. 다음의 지층에 접하거나 통하는 우물·수직갱·터널·잠함·피트 또는 그 밖에 이와 유사한 것의 내부
   ① 상층에 물이 통과하지 않는 지층이 있는 역암층 중 함수 또는 용수가 없거나 적은 부분
   ② 제1철 염류 또는 제1망간 염류를 함유하는 지층
   ③ 메탄·에탄 또는 부탄을 함유하는 지층
   ④ 탄산수를 용출하고 있거나 용출할 우려가 있는 지층
2. 장기간 사용하지 않은 우물 등의 내부
3. 케이블·가스관 또는 지하에 부설되어 있는 매설물을 수용하기 위하여 지하에 부설한 암거·맨홀 또는 피트의 내부
4. 빗물·하천의 유수 또는 용수가 있거나 있었던 통·암거·맨홀 또는 피트의 내부
5. 바닷물이 있거나 있었던 열교환기·관·암거·맨홀·둑 또는 피트의 내부
6. 장기간 밀폐된 강재(鋼材)의 보일러·탱크·반응탑이나 그 밖에 그 내벽이 산화하기 쉬운 시설(그 내벽이 스테인리스강으로 된 것 또는 그 내벽의 산화를 방지하기 위하여 필요한 조치가 되어 있는 것은 제외)의 내부
7. 석탄·아탄·황화광·강재·원목·건성유(乾性油)·어유(魚油) 또는 그 밖의 공기 중의 산소를 흡수하는 물질이 들어있는 탱크 또는 호퍼(hopper) 등의 저장시설이나 선창의 내부
8. 천장·바닥 또는 벽이 건성유를 함유하는 페인트로 도장되어 그 페인트가 건조되기 전에 밀폐된 지하실·창고 또는 탱크 등 통풍이 불충분한 시설의 내부
9. 곡물 또는 사료의 저장용 창고 또는 피트의 내부, 과일의 숙성용 창고 또는 피트의 내부, 종자의 발아용 창고 또는

피트의 내부, 버섯류의 재배를 위하여 사용하고 있는 사일로 (silo), 그 밖에 곡물 또는 사료종자를 적재한 선창의 내부

10. 간장·주류·효모 그 밖에 발효하는 물품이 들어있거나 들어 있었던 탱크·창고 또는 양조주의 내부

11. 분뇨, 오염된 흙, 썩은 물, 폐수, 오수, 그 밖에 부패하거나 분해되기 쉬운 물질이 들어있는 정화조·침전조·집수조·탱크·암거·맨홀·관 또는 피트의 내부

12. 드라이아이스를 사용하는 냉장고·냉동고·냉동화물자동차 또는 냉동컨테이너의 내부

13. 헬륨·아르곤·질소·프레온·탄산가스 또는 그 밖의 불활성기체가 들어있거나 있었던 보일러·탱크 또는 반응탑 등 시설의 내부

14. 산소농도가 18 퍼센트 미만 또는 23.5 퍼센트 이상, 탄산가스농도가 1.5 퍼센트 이상, 일산화탄소농도가 30 피피엠 이상 또는 황화수소농도가 10 피피엠 이상인 장소의 내부

15. 갈탄·목탄·연탄난로를 사용하는 콘크리트 양생장소(養生場所) 및 가설숙소 내부

16. 화학물질이 들어있던 반응기 및 탱크의 내부

17. 유해가스가 들어있던 배관이나 집진기의 내부

18. 근로자가 상주(常住)하지 않는 공간으로서 출입이 제한되어 있는 장소의 내부

45. "유해가스"란 탄산가스·일산화탄소·황화수소 등의 기체로서 인체에 유해한 영향을 미치는 물질을 말한다.

46. "적정공기"란 산소농도의 범위가 18퍼센트 이상 23.5퍼센트 미만, 탄산가스의 농도가 1.5퍼센트 미만, 일산화탄소의 농도가 30 피피엠 미만, 황화수소의 농도가 10피피엠 미만인 수준의 공기를 말한다.

47. "산소결핍"이란 공기 중의 산소농도가 18퍼센트 미만인 상태를 말한다.

48. "산소결핍증"이란 산소가 결핍된 공기를 들이마심으로써 생기는 증상을 말한다.

49. "사무실"이란 근로자가 사무를 처리하는 실내 공간(휴게실·강당·회의실 등의 공간을 포함한다)을 말한다.

50. "사무실오염물질"이란 법 제39조제1항제1호에 따른 가스·증기·분진 등과 곰팡이·세균·바이러스 등 사무실의 공기 중에 떠다니면서 근로자에게 건강장해를 유발할 수 있는 물질을 말한다.

51. "공기정화설비등"이란 사무실오염물질을 바깥으로 내보내거나 바깥의 신선한 공기를 실내로 끌어들이는 급기·배기 장치, 오염물질을 제거하거나 줄이는 여과제나 온도·습도·기류 등을 조절하여 공급할 수 있는 냉난방장치, 그 밖에 이에 상응하는 장치 등을 말한다.

52. "근골격계부담작업"이란 법 제39조제1항제5호에 따른 작업으로서 작업량·작업속도·작업강도 및 작업장 구조 등에 따라 고용노동부장관이 정하여 고시하는 작업을 말한다.

> **근골격계 부담작업 | 근골격계 부담작업의 범위 및 유해요인조사 방법에 관한 고시 제3조**
>
> 근골격계부담작업이란 다음 각 호의 어느 하나에 해당하는 작업을 말한다. 다만, 단기간작업 또는 간헐적인 작업은 제외한다.
>
> 1. 하루에 4시간 이상 집중적으로 자료입력 등을 위해 키보드 또는 마우스를 조작하는 작업
> 2. 하루에 총 2시간 이상 목, 어깨, 팔꿈치, 손목 또는 손을 사용하여 같은 동작을 반복하는 작업
> 3. 하루에 총 2시간 이상 머리 위에 손이 있거나, 팔꿈치가 어깨위에 있거나, 팔꿈치를 몸통으로부터 들거나, 팔꿈치를 몸통뒤쪽에 위치하도록 하는 상태에서 이루어지는 작업

4. 지지되지 않은 상태이거나 임의로 자세를 바꿀 수 없는 조건에서, 하루에 총 2시간 이상 목이나 허리를 구부리거나 트는 상태에서 이루어지는 작업
5. 하루에 총 2시간 이상 쪼그리고 앉거나 무릎을 굽힌 자세에서 이루어지는 작업
6. 하루에 총 2시간 이상 지지되지 않은 상태에서 1kg 이상의 물건을 한손의 손가락으로 집어 옮기거나, 2kg 이상에 상응하는 힘을 가하여 한손의 손가락으로 물건을 쥐는 작업
7. 하루에 총 2시간 이상 지지되지 않은 상태에서 4.5kg 이상의 물건을 한 손으로 들거나 동일한 힘으로 쥐는 작업
8. 하루에 10회 이상 25kg 이상의 물체를 드는 작업
9. 하루에 25회 이상 10kg 이상의 물체를 무릎 아래에서 들거나, 어깨 위에서 들거나, 팔을 뻗은 상태에서 드는 작업
10. 하루에 총 2시간 이상, 분당 2회 이상 4.5kg 이상의 물체를 드는 작업
11. 하루에 총 2시간 이상 시간당 10회 이상 손 또는 무릎을 사용하여 반복적으로 충격을 가하는 작업

53. "근골격계질환"이란 반복적인 동작, 부적절한 작업자세, 무리한 힘의 사용, 날카로운 면과의 신체접촉, 진동 및 온도 등의 요인에 의하여 발생하는 건강장해로서 목, 어깨, 허리, 팔·다리의 신경·근육 및 그 주변 신체조직 등에 나타나는 질환을 말한다.

54. "근골격계질환 예방관리 프로그램"이란 유해요인 조사, 작업환경 개선, 의학적 관리, 교육·훈련, 평가에 관한 사항 등이 포함된 근골격계질환을 예방관리하기 위한 종합적인 계획을 말한다.

3. 화학물질의 등록 및 평가 등에 관한 법률, 화학물질관리법

1. "화학물질"이란 원소·화합물 및 그에 인위적인 반응을 일으켜 얻어진 물질과 자연 상태에서 존재하는 물질을 화학적으로 변형시키거나 추출 또는 정제한 것을 말한다.

2. "혼합물"이란 두 가지 이상의 물질로 구성된 물질 또는 용액을 말한다.

3. "기존화학물질"이란 다음 각 목의 화학물질을 말한다.
   (1) 1991년 2월 2일 전에 국내에서 상업용으로 유통된 화학물질로서 환경부장관이 고용노동부장관과 협의하여 고시한 화학물질
   (2) 1991년 2월 2일 이후 종전의 「유해화학물질 관리법」에 따라 유해성심사를 받은 화학물질로서 환경부장관이 고시한 화학물질

4. "신규화학물질"이란 기존화학물질을 제외한 모든 화학물질을 말한다.

5. "유독물질"이란 유해성이 있는 화학물질로서 대통령령으로 정하는 기준에 따라 환경부장관이 지정하여 고시한 것을 말한다.

> **유독물질의 지정기준 | [별표1]**
>
> 가. 설치류에 대한 급성경구독성
>   시험동물 수의 반을 죽일 수 있는 양(LD50)이 킬로그램당 300밀리그램(300mg/kg) 이하인 화학물질
> 나. 설치류에 대한 급성경피독성

시험동물 수의 반을 죽일 수 있는 양(LD50)이 킬로그램당 1,000밀리그램(1,000mg/kg) 이하인 화학물질

다. 설치류에 대한 급성흡입독성
  (1) 기체나 증기로 노출시킨 경우 시험동물 수의 반을 죽일 수 있는 농도(LC50, 4hr)가 2,500피피엠(2,500ppm) 이하이거나 리터당 10밀리그램(10mg/L) 이하인 화학물질
  (2) 분진이나 미립자로 노출시킨 경우 시험동물 수의 반을 죽일 수 있는 농도(LC50, 4hr)가 리터당 1.0밀리그램(1.0mg/L) 이하인 화학물질

라. 피부 부식성/자극성
  피부에 3분 동안 노출시킨 경우 1시간 이내에 표피에서 진피까지 괴사(壞死)를 일으키는 화학물질

마. 어류, 물벼룩 또는 조류에 대한 급성독성
  (1) 어류에 대한 급성독성 시험에서 시험어류 수의 반을 죽일 수 있는 농도(LC50, 96hr)가 리터당 1.0밀리그램(1.0mg/L) 이하인 화학물질
  (2) 물벼룩에 대한 급성독성 시험에서 시험물벼룩 수의 반에게 유영저해를 일으킬 수 있는 농도(EC50, 48hr)가 리터당 1.0밀리그램(1.0mg/L) 이하인 화학물질
  (3) 조류(藻類)에 대한 급성독성 시험에서 시험조류의 생장률을 반으로 감소시킬 수 있는 농도(IC50, 72hr 또는 96hr)가 리터당 1.0밀리그램(1.0mg/L) 이하인 화학물질

바. 어류, 물벼룩 또는 조류에 대한 만성독성
  어류, 물벼룩 또는 조류에 대한 만성독성 시험에서 무영향 농도 또는 이에 상응하는 영향을 주는 농도(ECx)가 리터당 0.01밀리그램(0.01mg/L) 이하인 화학물질

사. 반복노출독성
  (1) 사람에 대한 사례연구 또는 역학조사로부터 반복 노출에 의해 사람에게 중대한 독성을 일으킨다는 신뢰성 있고 양질의 증거가 있는 화학물질
  (2) 시험동물을 이용한 적절한 시험으로부터 일반적으로 낮은 수준의 노출농도에서 사람의 건강과 관련된 중대하

거나 또는 강한 독성영향을 일으켰다는 소견에 기초하여 반복 노출에 의해 사람에게 중대한 독성을 일으킬 가능성이 있다고 추정되는 화학물질

아. 변이원성

  ⑴ 사람에 대한 역학조사연구에서 양성인 증거가 있는 물질로서 사람의 생식세포에 유전성 돌연변이를 일으키는 것으로 알려진 화학물질

  ⑵ 포유동물을 이용한 유전성 생식세포 변이원성시험에서 양성인 화학물질

  ⑶ 포유동물을 이용한 체세포 변이원성시험에서 양성이고, 생식세포에 돌연변이를 일으킬 수 있는 증거가 있는 화학물질

  ⑷ 사람의 생식세포에 변이원성 영향을 보여주는 시험에서 양성인 화학물질

자. 발암성

  ⑴ 사람에게 발암성이 있다고 알려져 있는 물질로서 주로 사람에게 충분한 발암성 증거가 있는 화학물질

  ⑵ 사람에게 발암성이 있다고 추정되는 물질로서 주로 시험동물에게 발암성 증거가 충분한 물질이거나 시험동물과 사람 모두에게서 제한된 발암성 증거가 있는 화학물질

차. 생식독성

  ⑴ 사람에게 성적기능, 생식능력이나 발육에 악영향을 주는 것으로 판단할 만한 증거가 있는 화학물질

  ⑵ 사람에게 성적기능, 생식능력이나 발육에 악영향을 주는 것으로 추정할 만한 동물시험 증거가 있는 화학물질

카. 기타

  ⑴ 위의 가목부터 사목까지의 규정에 해당하는 유독물질을 1퍼센트 이상 함유한 화합물 또는 혼합물

  ⑵ 위의 아목부터 차목까지의 규정에 해당하는 유독물질을 0.1퍼센트 이상 함유한 화합물 및 혼합물

6. "허가물질"이란 위해성이 있다고 우려되는 화학물질로서 환경부

장관의 허가를 받아 제조·수입·사용하도록 제25조에 따라 환경부장관이 관계 중앙행정기관의 장과의 협의와 제7조에 따른 화학물질평가위원회의 심의를 거쳐 고시한 것을 말한다.

7. "제한물질"이란 특정 용도로 사용되는 경우 위해성이 크다고 인정되는 화학물질로서 그 용도로의 제조, 수입, 판매, 보관·저장, 운반 또는 사용을 금지하기 위하여 제27조에 따라 환경부장관이 관계 중앙행정기관의 장과의 협의와 제7조에 따른 화학물질평가위원회의 심의를 거쳐 고시한 것을 말한다.

8. "금지물질"이란 위해성이 크다고 인정되는 화학물질로서 모든 용도로의 제조, 수입, 판매, 보관·저장, 운반 또는 사용을 금지하기 위하여 제27조에 따라 환경부장관이 관계 중앙행정기관의 장과의 협의와 제7조에 따른 화학물질평가위원회의 심의를 거쳐 고시한 것을 말한다.

9. "사고대비물질"이란 화학물질 중에서 급성독성(急性毒性)·폭발성 등이 강하여 화학사고의 발생 가능성이 높거나 화학사고가 발생한 경우에 그 피해 규모가 클 것으로 우려되는 화학물질로서 화학사고 대비가 필요하다고 인정하여 제39조에 따라 환경부장관이 지정·고시한 화학물질을 말한다.

10. "유해화학물질"이란 유독물질, 허가물질, 제한물질 또는 금지물질, 사고대비물질, 그 밖에 유해성 또는 위해성이 있거나 그러할 우려가 있는 화학물질을 말한다.

11. "중점관리물질"이란 다음 각 목의 어느 하나에 해당하는 화학물질 중에서 위해성이 있다고 우려되어 제7조에 따른 화학물질평가위원회의 심의를 거쳐 환경부장관이 정하여 고시하는 것을 말한다.
　가. 사람 또는 동물에게 암, 돌연변이, 생식능력 이상 또는 내분비계 장애를 일으키거나 일으킬 우려가 있는 물질

나. 사람 또는 동식물의 체내에 축적성이 높고, 환경 중에 장기
간 잔류하는 물질

다. 사람에게 노출되는 경우 폐, 간, 신장 등의 장기에 손상을
일으킬 수 있는 물질

라. 사람 또는 동식물에게 가목부터 다목까지의 물질과 동등한
수준 또는 그 이상의 심각한 위해를 줄 수 있는 물질

12. "유해성"이란 화학물질의 독성 등 사람의 건강이나 환경에 좋지
아니한 영향을 미치는 화학물질 고유의 성질을 말한다.

13. "위해성"이란 유해성이 있는 화학물질이 노출되는 경우 사람의
건강이나 환경에 피해를 줄 수 있는 정도를 말한다.

14. "총칭명"(總稱名)이란 자료보호를 목적으로 화학물질의 본래의
이름을 대체하여 명명한 이름을 말한다.

15. "사업자"란 영업의 목적으로 화학물질을 제조·수입·사용·판매하
는 자를 말한다.

16. "제품"이란 「소비자기본법」 제2조제1호에 따른 소비자가 사용하
는 물품 또는 그 부분품이나 부속품으로서 소비자에게 화학물질
의 노출을 유발할 가능성이 있는 다음 각 목의 것을 말한다.
가. 혼합물로 이루어진 제품
나. 화학물질이 사용 과정에서 유출되지 아니하고 특정한 고체
형태로 일정한 기능을 발휘하는 제품

17. "하위사용자"란 영업활동 과정에서 화학물질 또는 혼합물을 사
용하는 자(법인의 경우에는 국내에 설립된 경우로 한정한다)를
말한다. 다만, 화학물질 또는 혼합물을 제조·수입·판매하는 자 또
는 소비자는 제외한다.

18. "판매"란 화학물질, 혼합물 또는 제품을 시장에 출시하는 행위
를 말한다.

19. "척추동물대체시험"이란 화학물질의 유해성, 위해성 등에 관한

정보를 생산하는 과정에서 살아있는 척추동물의 사용을 최소화하
거나 부득이하게 척추동물을 사용하는 경우 불필요한 고통을 경
감시키는 시험을 말한다.

20. "화합물(compound)"이란 2종 이상의 원소가 화학적인 결합
에 의해 생성하여 일정의 조성을 가지고 있는 물질을 말한다.

21. "염류(salts)"란 산과 염기와의 중화반응에 의해 생성된 화학
물질을 말한다.

22. "화학사고"란 시설의 교체 등 작업 시 작업자의 과실, 시설 결
함·노후화, 자연재해, 운송사고 등으로 인하여 화학물질이 사람이
나 환경에 유출·누출되어 발생하는 모든 상황을 말한다.

4. 위험물 안전관리법

1. "위험물"이라 함은 인화성 또는 발화성 등의 성질을 가지는 것으
로서 대통령령이 정하는 물품을 말한다.

위험물안전관리법 시행령 [별표1] | 위험물 및 지정수량

위험물			지정수량
유별	성질	품명	
제 1 류	산화성	1. 아염소산염류	50 킬로그램

위험물			지정수량
유별	성질	품명	
	고체	2. 염소산염류	50 킬로그램
		3. 과염소산염류	50 킬로그램
		4. 무기과산화물	50 킬로그램
		5. 브롬산염류	300 킬로그램
		6. 질산염류	300 킬로그램
		7. 요오드산염류	300 킬로그램
		8. 과망간산염류	1,000 킬로그램
		9. 중크롬산염류	1,000 킬로그램
		10. 그 밖에 행정안전부령으로 정하는 것	50 킬로그램, 300 킬로그램 1,000 킬로그램
제 2 류	가연성 고체	1. 황화린	100 킬로그램
		2. 적린	100 킬로그램
		3. 유황	100 킬로그램
		4. 철분	500 킬로그램
		5. 금속분	500 킬로그램
		6. 마그네슘	500 킬로그램
		7. 그 밖에 행정안전부령으로 정하는 것	100 킬로그램 500 킬로그램
		8. 인화성고체	1,000 킬로그램
제 3 류	자연 발화성 물질	1. 칼륨	10 킬로그램
		2. 나트륨	10 킬로그램
		3. 알킬알루미늄	10 킬로그램
		4. 알킬리튬	10 킬로그램

위험물			지정수량
유별	성질	품명	
	및 금수성 물질	5. 황린	20 킬로그램
		6. 알칼리금속(칼륨 및 나트륨을 제외한다) 및 알칼리토금속	50 킬로그램
		7. 유기금속화합물(알킬알루미늄 및 알킬리튬을 제외한다)	50 킬로그램
		8. 금속의 수소화물	300 킬로그램
		9. 금속의 인화물	300 킬로그램
		10. 칼슘 또는 알루미늄의 탄화물	300 킬로그램
		11. 그 밖에 행정안전부령으로 정하는 것	10 킬로그램, 20 킬로그램, 50 킬로그램 300 킬로그램
제 4 류	인화성 액체	1. 특수인화물	50 리터
		2. 제 1 석유류 비수용성액체	200 리터
		수용성액체	400 리터
		3. 알코올류	400 리터
		4. 제 2 석유류 비수용성액체	1,000 리터
		수용성액체	2,000 리터
		5. 제 3 석유류 비수용성액체	2,000 리터
		수용성액체	4,000 리터
		6. 제 4 석유류	6,000 리터

위험물			지정수량
유별	성질	품명	
		7. 동식물유류	10,000 리터
제5류	자기 반응성 물질	1. 유기과산화물	10 킬로그램
		2. 질산에스테르류	10 킬로그램
		3. 니트로화합물	200 킬로그램
		4. 니트로소화합물	200 킬로그램
		5. 아조화합물	200 킬로그램
		6. 디아조화합물	200 킬로그램
		7. 히드라진 유도체	200 킬로그램
		8. 히드록실아민	100 킬로그램
		9. 히드록실아민염류	100 킬로그램
		10. 그 밖에 행정안전부령으로 정하는 것	10 킬로그램, 100 킬로그램 200 킬로그램
제6류	산화성 액체	1. 과염소산	300 킬로그램
		2. 과산화수소	300 킬로그램
		3. 질산	300 킬로그램
		4. 그 밖에 행정안전부령으로 정하는 것	300 킬로그램

2. "지정수량"이라 함은 위험물의 종류별로 위험성을 고려하여 대통령령이 정하는 수량으로서 제6호의 규정에 의한 제조소등의 설치허가 등에 있어서 최저의 기준이 되는 수량을 말한다.

3. "제조소"라 함은 위험물을 제조할 목적으로 지정수량 이상의 위험

물을 취급하기 위하여 제6조제1항의 규정에 따른 허가(동조제3항의 규정에 따라 허가가 면제된 경우 및 제7조제2항의 규정에 따라 협의로써 허가를 받은 것으로 보는 경우를 포함한다. 이하 제4호 및 제5호에서 같다)를 받은 장소를 말한다.

4. "저장소"라 함은 지정수량 이상의 위험물을 저장하기 위한 대통령령이 정하는 장소로서 제6조제1항의 규정에 따른 허가를 받은 장소를 말한다.

5. "취급소"라 함은 지정수량 이상의 위험물을 제조외의 목적으로 취급하기 위한 대통령령이 정하는 장소로서 제6조제1항의 규정에 따른 허가를 받은 장소를 말한다.

6. "제조소등"이라 함은 제3호 내지 제5호의 제조소·저장소 및 취급소를 말한다.

7. "기체"라 함은 1기압 및 섭씨 20도에서 기상인 것을 말한다

8. "액체"라 함은 1기압 및 섭씨 20도에서 액상인 것 또는 섭씨 20도 초과 섭씨 40도 이하에서 액상인 것을 말한다.

9. "액상"이라 함은 수직으로 된 시험관(안지름 30밀리미터, 높이 120밀리미터의 원통형유리관)에 시료를 55밀리미터까지 채운 다음 당해 시험관을 수평으로 하였을 때 시료액면의 선단이 30밀리미터를 이동하는데 걸리는 시간이 90초 이내에 있는 것을 말한다.

10. "산화성고체"라 함은 고체(액체 또는 기체외의 것)로서 산화력의 잠재적인 위험성 또는 충격에 대한 민감성을 판단하기 위하여 소방청장이 정하여 고시하는 시험에서 고시로 정하는 성질과 상태를 나타내는 것을 말한다.

11. "가연성고체"라 함은 고체로서 화염에 의한 발화의 위험성 또는 인화의 위험성을 판단하기 위하여 고시로 정하는 시험에서 고시로 정하는 성질과 상태를 나타내는 것을 말한다.

12. "철분"이라 함은 철의 분말로서 53마이크로미터의 표준체를 통과하는 것이 50중량퍼센트 미만인 것은 제외한다.

13. "금속분"이라 함은 알칼리금속·알칼리토류금속·철 및 마그네슘외의 금속의 분말을 말하고, 구리분·니켈분 및 150마이크로미터의 체를 통과하는 것이 50중량퍼센트 미만인 것은 제외한다.

14. 황화린·적린·유황 및 철분은 제2호에 따른 성질과 상태가 있는 것으로 본다.

15. "인화성고체"라 함은 고형알코올 그 밖에 1기압에서 인화점이 섭씨 40도 미만인 고체를 말한다.

16. "자연발화성물질 및 금수성물질"이라 함은 고체 또는 액체로서 공기 중에서 발화의 위험성이 있거나 물과 접촉하여 발화하거나 가연성가스를 발생하는 위험성이 있는 것을 말한다.

17. "인화성액체"라 함은 액체(제3석유류, 제4석유류 및 동식물유류의 경우 1기압과 섭씨 20도에서 액체인 것만 해당한다)로서 인화의 위험성이 있는 것을 말한다. 다만, 다음 각 목의 어느 하나에 해당하는 것을 법 제20조제1항의 중요기준과 세부기준에 따른 운반용기를 사용하여 운반하거나 저장(진열 및 판매를 포함한다)하는 경우는 제외한다.
    가. 「화장품법」 제2조제1호에 따른 화장품 중 인화성액체를 포함하고 있는 것
    나. 「약사법」 제2조제4호에 따른 의약품 중 인화성액체를 포함하고 있는 것
    다. 「약사법」 제2조제7호에 따른 의약외품(알코올류에 해당하는 것은 제외한다) 중 수용성인 인화성액체를 50부피퍼센트 이하로 포함하고 있는 것
    라. 「의료기기법」에 따른 체외진단용 의료기기 중 인화성액체를 포함하고 있는 것

마. 「생활화학제품 및 살생물제의 안전관리에 관한 법률」 제3조 제4호에 따른 안전확인대상생활화학제품(알코올류에 해당하는 것은 제외한다) 중 수용성인 인화성액체를 50부피퍼센트 이하로 포함하고 있는 것

18. "특수인화물"이라 함은 이황화탄소, 디에틸에테르 그 밖에 1기압에서 발화점이 섭씨 100도 이하인 것 또는 인화점이 섭씨 영하 20도 이하이고 비점이 섭씨 40도 이하인 것을 말한다.

19. "알코올류"라 함은 1분자를 구성하는 탄소원자의 수가 1개부터 3개까지인 포화1가 알코올(변성알코올을 포함한다)을 말한다. 다만, 다음 각목의 1에 해당하는 것은 제외한다.
    가. 1분자를 구성하는 탄소원자의 수가 1개 내지 3개의 포화1가 알코올의 함유량이 60중량퍼센트 미만인 수용액
    나. 가연성액체량이 60중량퍼센트 미만이고 인화점 및 연소점(태그개방식인화점측정기에 의한 연소점을 말한다. 이하 같다)이 에틸알코올 60중량퍼센트 수용액의 인화점 및 연소점을 초과하는 것

20. "제1석유류"라 함은 아세톤, 휘발유 그 밖에 1기압에서 인화점이 섭씨 21도 미만인 것을 말한다.

21. "제2석유류"라 함은 등유, 경유 그 밖에 1기압에서 인화점이 섭씨 21도 이상 70도 미만인 것을 말한다. 다만, 도료류 그 밖의 물품에 있어서 가연성 액체량이 40중량퍼센트 이하이면서 인화점이 섭씨 40도 이상인 동시에 연소점이 섭씨 60도 이상인 것은 제외한다.

22. "제3석유류"라 함은 중유, 클레오소트유 그 밖에 1기압에서 인화점이 섭씨 70도 이상 섭씨 200도 미만인 것을 말한다. 다만, 도료류 그 밖의 물품은 가연성 액체량이 40중량퍼센트 이하인 것은 제외한다.

23. "제4석유류"라 함은 기어유, 실린더유 그 밖에 1기압에서 인화점이 섭씨 200도 이상 섭씨 250도 미만의 것을 말한다. 다만 도료류 그 밖의 물품은 가연성 액체량이 40중량퍼센트 이하인 것은 제외한다.

24. "동식물유류"라 함은 동물의 지육(枝肉: 머리, 내장, 다리를 잘라내고 아직 부위별로 나누지 않은 고기를 말한다) 등 또는 식물의 종자나 과육으로부터 추출한 것으로서 1기압에서 인화점이 섭씨 250도 미만인 것을 말한다. 다만, 법 제20조제1항의 규정에 의하여 행정안전부령으로 정하는 용기기준과 수납·저장기준에 따라 수납되어 저장·보관되고 용기의 외부에 물품의 통칭명, 수량 및 화기엄금(화기엄금과 동일한 의미를 갖는 표시를 포함한다)의 표시가 있는 경우를 제외한다.

25. "자기반응성물질"이라 함은 고체 또는 액체로서 폭발의 위험성 또는 가열분해의 격렬함을 판단하기 위하여 고시로 정하는 시험에서 고시로 정하는 성질과 상태를 나타내는 것을 말한다.

26. "산화성액체"라 함은 액체로서 산화력의 잠재적인 위험성을 판단하기 위하여 고시로 정하는 시험에서 고시로 정하는 성질과 상태를 나타내는 것을 말한다.

석유 및 석유대체연료 사업법

1. "석유"란 원유, 천연가스[액화(液化)한 것을 포함] 및 석유제품을

말한다.

2. "석유제품"이란 휘발유, 등유, 경유, 중유, 윤활유와 이에 준하는 탄화수소유 및 석유가스(액화한 것을 포함)로서 다음 각 목의 것을 말한다.

　가. 탄화수소유: 항공유, 용제(溶劑), 아스팔트, 나프타, 윤활기유, 석유중간제품 및 부생연료유

　나. 석유가스: 프로판·부탄 및 이를 혼합한 연료용 가스

2의2. "석유중간제품"이란 석유제품 생산공정에 원료용으로 투입되는 잔사유(殘渣油) 및 유분(溜分)을 말한다.

2의3. "부생연료유(副生燃料油)"란 등유나 중유를 대체하여 연료유로 사용되는 부산물인 석유제품을 말한다.

3. "부산물인 석유제품"이란 석유제품 외의 물품을 제조할 때 그 제조공정에서 부산물로 생기는 석유제품을 말한다.

4. "석유정제업"이란 석유를 정제하여 석유제품(부산물인 석유제품은 제외)을 제조하는 사업을 말한다.

5. "석유수출입업"이란 석유를 수출하거나 수입하는 사업을 말한다.

5의2. "국제석유거래업"이란 다음 각 목의 어느 하나에 해당하는 사업을 말한다.

　가. 「관세법」 제154조에 따른 보세구역("보세구역")에서 석유를 거래하는 사업

　나. 「관세법」 제197조에 따라 관세청장이 지정한 종합보세구역("종합보세구역")에서 대통령령으로 정하는 방법으로 석유제품 등을 혼합하여 석유제품을 제조(종합보세구역에서 종합보세사업장을 설치·운영하는 자에게 위탁하여 제조하는 경우를 포함)하여 그 제품을 보세구역에서 거래하는 사업

6. "석유판매업"이란 석유 판매를 업(業)으로 하는 것을 말한다.

7. "석유정제업자"란 제5조에 따라 등록을 하거나 신고를 하고 석유정제업을 하는 자를 말한다.

8. "석유수출입업자"란 제9조에 따라 등록(등록이 면제되는 경우를 포함)을 하고 석유수출입업을 하는 자를 말한다.

8의2. "국제석유거래업자"란 제9조의2에 따라 신고를 하고 국제석유거래업을 하는 자를 말한다.

9. "석유판매업자"란 제10조에 따라 등록 또는 신고를 하고 석유판매업을 하는 자를 말한다.

10. "가짜석유제품"이란 조연제(助燃劑), 첨가제(다른 법률에서 규정하는 경우를 포함), 그 밖에 어떠한 명칭이든 다음 각 목의 어느 하나의 방법으로 제조된 것으로서 「자동차관리법」 제2조제1호에 따른 자동차 및 대통령령으로 정하는 차량·기계(휘발유 또는 경유를 연료로 사용하는 것만을 말한다)의 연료로 사용하거나 사용하게 할 목적으로 제조된 것(제11호의 석유대체연료는 제외한다)을 말한다.
  가. 석유제품에 다른 석유제품(등급이 다른 석유제품을 포함한다)을 혼합하는 방법
  나. 석유제품에 석유화학제품을 혼합하는 방법
  다. 석유화학제품에 다른 석유화학제품을 혼합하는 방법
  라. 석유제품이나 석유화학제품에 탄소와 수소가 들어 있는 물질을 혼합하는 방법

10의2. "석유화학제품"이란 석유로부터 물리·화학적 공정을 거쳐 제조되는 제품 중 석유제품을 제외한 유기화학제품으로서 산업통상자원부령으로 정하는 것을 말한다.

11. "석유대체연료"란 석유제품 연소 설비의 근본적인 구조 변경 없이 석유제품을 대체하여 사용할 수 있는 연료(석탄과 천연가스는 제외)로서 대통령령으로 정하는 것을 말한다.

석유 및 석유대체연료 사업법 시행령 제5조 석유대체연료의 종류

1. 바이오디젤연료유: 바이오디젤 및 이를 산업통상자원부장관이 정하여 고시하는 비율로 석유제품인 경유와 혼합하여 제조한 연료
2. 바이오에탄올연료유: 자동차 연료용 바이오에탄올 및 이를 석유제품인 휘발유와 혼합하여 제조한 연료
3. 석탄액화연료유: 석탄을 원료로 사용하여 물리·화학적 반응공정을 거쳐 생산된 연료 및 이를 석유제품과 혼합하여 제조한 연료
4. 천연역청유(天然瀝靑油): 천연역청물질을 물 및 계면활성제 등과 혼합한 연료
5. 유화연료유: 석유제품인 중유를 물 및 유화제와 혼합하여 제조한 연료
6. 가스액화연료유: 천연가스나 바이오매스를 원료로 하는 합성가스를 사용하여 물리·화학적 반응공정을 거쳐 생산된 연료 및 이를 석유제품과 혼합하여 제조한 연료
7. 디메틸에테르연료유: 디메틸에테르 및 이를 석유제품과 혼합하여 제조한 연료
8. 바이오가스연료유: 유기성(有機性) 폐기물이나 바이오매스를 소화(消化) 또는 발효시켜 만든 연료 및 이를 석유제품 또는 천연가스와 혼합하여 제조한 연료
9. 그 밖에 에너지 이용효율을 높이기 위하여 이용 보급을 확대할 필요가 있고 사용기기에 적합한 품질과 성능 및 안전성 등을 갖추고 있다고 인정하여 산업통상자원부장관이 관계 행정기관의 장과 협의하여 산업통상자원부령으로 정하는 연료

12. "석유대체연료 제조·수출입업"이란 석유대체연료를 제조하거나 수출·수입하는 사업을 말한다.

13. "석유대체연료 판매업"이란 석유대체연료 판매를 업으로 하는 것을 말한다.

14. "석유대체연료 제조·수출입업자"란 제32조에 따라 등록(등록이 면제되는 경우를 포함)을 하고 석유대체연료 제조·수출입업을 하는 자를 말한다.

15. "석유대체연료 판매업자"란 제33조에 따라 등록을 하고 석유대체연료 판매업을 하는 자를 말한다.

6 에너지이용 합리화법

1. "에너지경영시스템"이란 에너지사용자 또는 에너지공급자가 에너지이용효율을 개선할 수 있는 경영목표를 설정하고, 이를 달성하기 위하여 인적·물적 자원을 일정한 절차와 방법에 따라 체계적이고 지속적으로 관리하는 경영활동체제를 말한다.

2. "에너지관리시스템"이란 에너지사용을 효율적으로 관리하기 위하여 센서·계측장비, 분석 소프트웨어 등을 설치하고 에너지사용현황을 실시간으로 모니터링하여 필요시 에너지사용을 제어할 수 있는 통합관리시스템을 말한다.

3. "에너지진단"이란 에너지를 사용하거나 공급하는 시설에 대한 에너지 이용실태와 손실요인 등을 파악하여 에너지이용효율의 개선방안을 제시하는 모든 행위를 말한다.

에너지법

1. "에너지"란 연료·열 및 전기를 말한다.

2. "연료"란 석유·가스·석탄, 그 밖에 열을 발생하는 열원(熱源)을 말한다. 다만, 제품의 원료로 사용되는 것은 제외한다.

3. "신·재생에너지"란 「신에너지 및 재생에너지 개발·이용·보급 촉진법」 제2조제1호 및 제2호에 따른 에너지를 말한다.

   (1) "신에너지"란 기존의 화석연료를 변환시켜 이용하거나 수소·산소 등의 화학 반응을 통하여 전기 또는 열을 이용하는 에너지로서 다음 각 목의 어느 하나에 해당하는 것을 말한다.

   ① 수소에너지

   ② 연료전지

   ③ 석탄을 액화·가스화한 에너지 및 중질잔사유(重質殘渣油)(원유를 정제하고 남은 최종 잔재물로서 감압증류 과정에서 나오는 감압잔사유, 아스팔트와 열분해 공정에서 나오는 코크, 타르 및 피치 등을 말한다)를 가스화한 에너지로서 대통령령으로 정하는 기준 및 범위에 해당하는 에너지

   ④ 그 밖에 석유·석탄·원자력 또는 천연가스가 아닌 에너지로서 대통령령으로 정하는 에너지

   (2) "재생에너지"란 햇빛·물·지열(地熱)·강수(降水)·생물유기체 등을 포함하는 재생 가능한 에너지를 변환시켜 이용하는 에너지로서 다음 각 목의 어느 하나에 해당하는 것을 말한다.

   ① 태양에너지

   ② 풍력

   ③ 수력

④ 해양에너지

⑤ 지열에너지

⑥ 생물자원을 변환시켜 이용하는 바이오에너지로서 대통령령으로 정하는 기준 및 범위에 해당하는 에너지

⑦ 폐기물에너지(비재생폐기물로부터 생산된 것은 제외)로서 대통령령으로 정하는 기준 및 범위에 해당하는 에너지

⑧ 그 밖에 해수(海水)의 표층 및 하천수의 열을 변환시켜 얻어지는 에너지로서 물의 열을 히트펌프(heat pump)를 사용하여 변환시켜 얻어지는 수열에너지

4. "에너지사용시설"이란 에너지를 사용하는 공장·사업장 등의 시설이나 에너지를 전환하여 사용하는 시설을 말한다.

5. "에너지사용자"란 에너지사용시설의 소유자 또는 관리자를 말한다.

6. "에너지공급설비"란 에너지를 생산·전환·수송 또는 저장하기 위하여 설치하는 설비를 말한다.

7. "에너지공급자"란 에너지를 생산·수입·전환·수송·저장 또는 판매하는 사업자를 말한다.

7의2. "에너지이용권"이란 저소득층 등 에너지 이용에서 소외되기 쉬운 계층의 사람이 에너지공급자에게 제시하여 냉방 및 난방 등에 필요한 에너지를 공급받을 수 있도록 일정한 금액이 기재(전자적 또는 자기적 방법에 의한 기록을 포함한다)된 증표를 말한다.

8. "에너지사용기자재"란 열사용기자재나 그 밖에 에너지를 사용하는 기자재를 말한다.

9. "열사용기자재"란 연료 및 열을 사용하는 기기, 축열식 전기기기와 단열성(斷熱性) 자재로서 산업통상자원부령으로 정하는 것을 말한다.

에너지이용 합리화법 시행규칙 [별표1] 열사용기자재

1. 보일러
    (1) 강철제 보일러, 주철제 보일러
        다음 각 호의 어느 하나에 해당하는 것을 말한다.
        ① 1종 관류보일러: 강철제 보일러 중 헤더(여러 관이
            붙어 있는 용기)의 안지름이 150미리미터 이하이고,
            전열면적이 5제곱미터 초과 10제곱미터 이하이며,
            최고사용압력이 1MPa 이하인 관류보일러(기수분리
            기를 장치한 경우에는 기수분리기의 안지름이 300미
            리미터 이하이고, 그 내부 부피가 0.07세제곱미터
            이하인 것만 해당한다)
        ② 2종 관류보일러: 강철제 보일러 중 헤더의 안지름이
            150미리미터 이하이고, 전열면적이 5제곱미터 이하
            이며, 최고사용압력이 1MPa 이하인 관류보일러(기수
            분리기를 장치한 경우에는 기수분리기의 안지름이
            200미리미터 이하이고, 그 내부 부피가 0.02세제곱
            미터 이하인 것에 한정한다)
        ③ 제1호 및 제2호 외의 금속(주철을 포함한다)으로 만
            든 것. 다만, 소형 온수보일러·구멍탄용 온수보일러·
            축열식 전기보일러 및 가정용 화목보일러는 제외한다.
    (2) 소형 온수보일러
        전열면적이 14제곱미터 이하이고, 최고사용압력이 0.35MPa
        이하의 온수를 발생하는 것. 다만, 구멍탄용 온수보일러·
        축열식 전기보일러·가정용 화목보일러 및 가스사용량이
        17kg/h(도시가스는 232.6킬로와트) 이하인 가스용 온수
        보일러는 제외한다.
    (3) 구멍탄용 온수보일러
        「석탄산업법 시행령」 제2조제2호에 따른 연탄을 연료로
        사용하여 온수를 발생시키는 것으로서 금속제만 해당한다.
    (4) 축열식 전기보일러
        심야전력을 사용하여 온수를 발생시켜 축열조에 저장한

후 난방에 이용하는 것으로서 정격(기기의 사용조건 및 성능의 범위)소비전력이 30킬로와트 이하이고, 최고사용 압력이 0.35MPa 이하인 것

(5) 캐스케이드 보일러

「산업표준화법」 제12조제1항에 따른 한국산업표준에 적합함을 인증받거나 「액화석유가스의 안전관리 및 사업법」 제39조제1항에 따라 가스용품의 검사에 합격한 제품으로서, 최고사용압력이 대기압을 초과하는 온수보일러 또는 온수기 2대 이상이 단일 연통으로 연결되어 서로 연동되도록 설치되며, 최대 가스사용량의 합이 17kg/h(도시가스는 232.6킬로와트)를 초과하는 것

(6) 가정용 화목보일러

화목(火木) 등 목재연료를 사용하여 90℃ 이하의 난방수 또는 65℃ 이하의 온수를 발생하는 것으로서 표시 난방 출력이 70킬로와트 이하로서 옥외에 설치하는 것

2. 태양열 집열기

3. 압력용기

(1) 1종 압력용기

최고사용압력(MPa)과 내부 부피(㎥)를 곱한 수치가 0.004를 초과하는 다음 각 호의 어느 하나에 해당하는 것

① 증기 그 밖의 열매체를 받아들이거나 증기를 발생시켜 고체 또는 액체를 가열하는 기기로서 용기안의 압력이 대기압을 넘는 것

② 용기 안의 화학반응에 따라 증기를 발생시키는 용기로서 용기 안의 압력이 대기압을 넘는 것

③ 용기 안의 액체의 성분을 분리하기 위하여 해당 액체를 가열하거나 증기를 발생시키는 용기로서 용기 안의 압력이 대기압을 넘는 것

④ 용기 안의 액체의 온도가 대기압에서의 끓는 점을 넘는 것

(2) 2종 압력용기

최고사용압력이 0.2MPa를 초과하는 기체를 그 안에 보유하는 용기로서 다음 각 호의 어느 하나에 해당하는 것
① 내부 부피가 0.04세제곱미터 이상인 것
② 동체의 안지름이 200미리미터 이상(증기헤더의 경우에는 동체의 안지름이 300미리미터 초과)이고, 그 길이가 1천미리미터 이상인 것

4. 요로(窯爐: 고온가열장치)
   (1) 요업요로
   연속식유리용융가마·불연속식유리용융가마·유리용용도가니가마·터널가마·도염식가마·셔틀가마·회전가마 및 석회용선가마
   (2) 금속요로
   용선로·비철금속용융로·금속소둔로·철금속가열로 및 금속균열로

8. 대기환경보전법

1. "대기오염물질"이란 대기 중에 존재하는 물질 중 제7조에 따른 심사·평가 결과 대기오염의 원인으로 인정된 가스·입자상물질로서 환경부령으로 정하는 것을 말한다.

대기환경보전법 시행규칙 [별표 1] 대기오염물질

1. 입자상물질	2. 브롬 및 그 화합물

3. 알루미늄 및 그 화합물
4. 바나듐 및 그 화합물
5. 망간화합물
6. 철 및 그 화합물
7. 아연 및 그 화합물
8. 셀렌 및 그 화합물
9. 안티몬 및 그 화합물
10. 주석 및 그 화합물
11. 텔루륨 및 그 화합물
12. 바륨 및 그 화합물
13. 일산화탄소
14. 암모니아
15. 질소산화물
16. 황산화물
17. 황화수소
18. 황화메틸
19. 이황화메틸
20. 메르캅탄류
21. 아민류
22. 사염화탄소
23. 이황화탄소
24. 탄화수소
25. 인 및 그 화합물
26. 붕소화합물
27. 아닐린
28. 벤젠
29. 스틸렌
30. 아크롤레인
31. 카드뮴 및 그 화합물
32. 시안화물
33. 납 및 그 화합물

34. 크롬 및 그 화합물
35. 비소 및 그 화합물
36. 수은 및 그 화합물
37. 구리 및 그 화합물
38. 염소 및 그 화합물
39. 불소화물
40. 석면
41. 니켈 및 그 화합물
42. 염화비닐
43. 다이옥신
44. 페놀 및 그 화합물
45. 베릴륨 및 그 화합물
46. 프로필렌옥사이드
47. 폴리염화비페닐
48. 클로로포름
49. 포름알데히드
50. 아세트알데히드
51. 벤지딘
52. 1,3-부타디엔
53. 다환 방향족 탄화수소류
54. 에틸렌옥사이드
55. 디클로로메탄
56. 테트라클로로에틸렌
57. 1,2-디클로로에탄
58. 에틸벤젠
59. 트리클로로에틸렌
60. 아크릴로니트릴
61. 히드라진
62. 아세트산비닐
63. 비스(2-에틸헥실)프탈레이트
64. 디메틸포름아미드

1의2. "유해성대기감시물질"이란 대기오염물질 중 제7조에 따른 심
   사·평가 결과 사람의 건강이나 동식물의 생육(生育)에 위해를 끼
   칠 수 있어 지속적인 측정이나 감시·관찰 등이 필요하다고 인정

된 물질로서 환경부령으로 정하는 것을 말한다.

2. "기후·생태계 변화유발물질"이란 지구 온난화 등으로 생태계의 변화를 가져올 수 있는 기체상물질(氣體狀物質)로서 온실가스와 환경부령으로 정하는 것을 말한다.

3. "온실가스"란 적외선 복사열을 흡수하거나 다시 방출하여 온실효과를 유발하는 대기 중의 가스상태 물질로서 이산화탄소, 메탄, 아산화질소, 수소불화탄소, 과불화탄소, 육불화황을 말한다.

4. "가스"란 물질이 연소·합성·분해될 때에 발생하거나 물리적 성질로 인하여 발생하는 기체상물질을 말한다.

5. "입자상물질(粒子狀物質)"이란 물질이 파쇄·선별·퇴적·이적(移積)될 때, 그 밖에 기계적으로 처리되거나 연소·합성·분해될 때에 발생하는 고체상(固體狀) 또는 액체상(液體狀)의 미세한 물질을 말한다.

6. "먼지"란 대기 중에 떠다니거나 흩날려 내려오는 입자상물질을 말한다.

7. "매연"이란 연소할 때에 생기는 유리(遊離) 탄소가 주가 되는 미세한 입자상물질을 말한다.

8. "검댕"이란 연소할 때에 생기는 유리(遊離) 탄소가 응결하여 입자의 지름이 1미크론 이상이 되는 입자상물질을 말한다.

9. "특정대기유해물질"이란 유해성대기감시물질 중 제7조에 따른 심사·평가 결과 저농도에서도 장기적인 섭취나 노출에 의하여 사람의 건강이나 동식물의 생육에 직접 또는 간접으로 위해를 끼칠 수 있어 대기 배출에 대한 관리가 필요하다고 인정된 물질로서 환경부령으로 정하는 것을 말한다.

10. "휘발성유기화합물"이란 탄화수소류 중 석유화학제품, 유기용제, 그 밖의 물질로서 환경부장관이 관계 중앙행정기관의 장과 협의

하여 고시하는 것을 말한다.

11. "대기오염물질배출시설"이란 대기오염물질을 대기에 배출하는 시설물, 기계, 기구, 그 밖의 물체로서 환경부령으로 정하는 것을 말한다.

12. "대기오염방지시설"이란 대기오염물질배출시설로부터 나오는 대기오염물질을 연소조절에 의한 방법 등으로 없애거나 줄이는 시설로서 환경부령으로 정하는 것을 말한다.

대기환경보전법 시행규칙 [별표 4] 대기오염방지시설

1. 중력집진시설
2. 관성력집진시설
3. 원심력집진시설
4. 세정집진시설
5. 여과집진시설
6. 전기집진시설
7. 음파집진시설
8. 흡수에 의한 시설
9. 흡착에 의한 시설
10. 직접연소에 의한 시설
11. 촉매반응을 이용하는 시설
12. 응축에 의한 시설
13. 산화·환원에 의한 시설
14. 미생물을 이용한 처리시설
15. 연소조절에 의한 시설

16. 위 제1호부터 제15호까지의 시설과 같은 방지효율 또는 그 이상의 방지효율을 가진 시설로서 환경부장관이 인정하는 시설

[비고] 방지시설에는 대기오염물질을 포집하기 위한 장치(후드), 오염물질이 통과하는 관로(덕트), 오염물질을 이송하기 위한 송풍기 및 각종 펌프 등 방지시설에 딸린 기계·기구류(예비용을 포함) 등을 포함한다.

---

13. "자동차"란 다음 각 목의 어느 하나에 해당하는 것을 말한다.
    가. 「자동차관리법」 제2조제1호에 규정된 자동차 중 환경부령으로 정하는 것
    나. 「건설기계관리법」 제2조제1항제1호에 따른 건설기계 중 주행특성이 가목에 따른 것과 유사한 것으로서 환경부령으로

정하는 것

13의2. "원동기"란 다음 각 목의 어느 하나에 해당하는 것을 말한다.
가. 「건설기계관리법」 제2조제1항제1호에 따른 건설기계 중 제
13호나목 외의 건설기계로서 환경부령으로 정하는 건설기계
에 사용되는 동력을 발생시키는 장치
나. 농림용 또는 해상용으로 사용되는 기계로서 환경부령으로 정
하는 기계에 사용되는 동력을 발생시키는 장치
다. 「철도산업발전기본법」 제3조제4호에 따른 철도차량 중 동력
차에 사용되는 동력을 발생시키는 장치

14. "선박"이란 「해양환경관리법」 제2조제16호에 따른 선박을 말한다.

15. "첨가제"란 자동차의 성능을 향상시키거나 배출가스를 줄이기
위하여 자동차의 연료에 첨가하는 탄소와 수소만으로 구성된 물
질을 제외한 화학물질로서 다음 각 목의 요건을 모두 충족하는
것을 말한다.
가. 자동차의 연료에 부피 기준(액체첨가제의 경우만 해당한다)
또는 무게 기준(고체첨가제의 경우만 해당한다)으로 1퍼센트
미만의 비율로 첨가하는 물질. 다만, 「석유 및 석유대체연료
사업법」 제2조제7호 및 제8호에 따른 석유정제업자 및 석유
수출입업자가 자동차연료인 석유제품을 제조하거나 품질을
보정(補正)하는 과정에 첨가하는 물질의 경우에는 그 첨가비
율의 제한을 받지 아니한다.
나. 「석유 및 석유대체연료 사업법」 제2조제10호에 따른 가짜석
유제품 또는 같은 조 제11호에 따른 석유대체연료에 해당하
지 아니하는 물질

15의2. "촉매제"란 배출가스를 줄이는 효과를 높이기 위하여 배출가
스저감장치에 사용되는 화학물질로서 환경부령으로 정하는 것을
말한다.

16. "저공해자동차"란 다음 각 목의 자동차로서 대통령령으로 정하

는 것을 말한다.

가. 대기오염물질의 배출이 없는 자동차

나. 제46조제1항에 따른 제작차의 배출허용기준보다 오염물질을
적게 배출하는 자동차

16의2. "저공해건설기계"란 다음 각 목의 건설기계로서 대통령령으
로 정하는 것을 말한다.

가. 대기오염물질의 배출이 없는 건설기계

나. 제46조제1항에 따른 제작차의 배출허용기준보다 오염물질을
적게 배출하는 건설기계

17. "배출가스저감장치"란 자동차 또는 건설기계에서 배출되는 대기
오염물질을 줄이기 위하여 자동차 또는 건설기계에 부착 또는 교
체하는 장치로서 환경부령으로 정하는 저감효율에 적합한 장치를
말한다.

18. "저공해엔진"이란 자동차 또는 건설기계에서 배출되는 대기오염
물질을 줄이기 위한 엔진(엔진 개조에 사용하는 부품을 포함한
다)으로서 환경부령으로 정하는 배출허용기준에 맞는 엔진을 말
한다.

19. "공회전제한장치"란 자동차에서 배출되는 대기오염물질을 줄이
고 연료를 절약하기 위하여 자동차에 부착하는 장치로서 환경부
령으로 정하는 기준에 적합한 장치를 말한다.

20. "온실가스 배출량"이란 자동차에서 단위 주행거리당 배출되는
이산화탄소(CO_2) 배출량(g/km)을 말한다.

21. "온실가스 평균배출량"이란 자동차제작자가 판매한 자동차 중
환경부령으로 정하는 자동차의 온실가스 배출량의 합계를 해당
자동차 총 대수로 나누어 산출한 평균값(g/km)을 말한다.

22. "장거리이동대기오염물질"이란 황사, 먼지 등 발생 후 장거리
이동을 통하여 국가 간에 영향을 미치는 대기오염물질로서 환경

부령으로 정하는 것을 말한다.

23. "냉매(冷媒)"란 기후·생태계 변화유발물질 중 열전달을 통한 냉난방, 냉동·냉장 등의 효과를 목적으로 사용되는 물질로서 환경부령으로 정하는 것을 말한다.

기후위기 대응을 위한 탄소중립·녹색성장 기본법

1. "기후변화"란 사람의 활동으로 인하여 온실가스의 농도가 변함으로써 상당 기간 관찰되어 온 자연적인 기후변동에 추가적으로 일어나는 기후체계의 변화를 말한다.

2. "기후위기"란 기후변화가 극단적인 날씨뿐만 아니라 물 부족, 식량 부족, 해양산성화, 해수면 상승, 생태계 붕괴 등 인류 문명에 회복할 수 없는 위험을 초래하여 획기적인 온실가스 감축이 필요한 상태를 말한다.

3. "탄소중립"이란 대기 중에 배출·방출 또는 누출되는 온실가스의 양에서 온실가스 흡수의 양을 상쇄한 순배출량이 영(零)이 되는 상태를 말한다.

4. "탄소중립 사회"란 화석연료에 대한 의존도를 낮추거나 없애고 기후위기 적응 및 정의로운 전환을 위한 재정·기술·제도 등의 기반을 구축함으로써 탄소중립을 원활히 달성하고 그 과정에서 발생하는 피해와 부작용을 예방 및 최소화할 수 있도록 하는 사회를 말한다.

5. "온실가스"란 적외선 복사열을 흡수하거나 재방출하여 온실효과를 유발하는 대기 중의 가스 상태의 물질로서 이산화탄소(CO_2), 메탄(CH_4), 아산화질소(N_2O), 수소불화탄소(HFCs), 과불화탄소(PFCs), 육불화황(SF_6) 및 그 밖에 대통령령으로 정하는 물질을 말한다.

6. "온실가스 배출"이란 사람의 활동에 수반하여 발생하는 온실가스를 대기 중에 배출·방출 또는 누출시키는 직접배출과 다른 사람으로부터 공급된 전기 또는 열(연료 또는 전기를 열원으로 하는 것만 해당한다)을 사용함으로써 온실가스가 배출되도록 하는 간접배출을 말한다.

7. "온실가스 감축"이란 기후변화를 완화 또는 지연시키기 위하여 온실가스 배출량을 줄이거나 흡수하는 모든 활동을 말한다.

8. "온실가스 흡수"란 토지이용, 토지이용의 변화 및 임업활동 등에 의하여 대기로부터 온실가스가 제거되는 것을 말한다.

9. "신·재생에너지"란 「신에너지 및 재생에너지 개발·이용·보급 촉진법」 제2조제1호 및 제2호에 따른 신에너지 및 재생에너지를 말한다.

10. "에너지 전환"이란 에너지의 생산, 전달, 소비에 이르는 시스템 전반을 기후위기 대응(온실가스 감축, 기후위기 적응 및 관련 기반의 구축 등 기후위기에 대응하기 위한 일련의 활동을 말한다.)과 환경성·안전성·에너지안보·지속가능성을 추구하도록 전환하는 것을 말한다.

11. "기후위기 적응"이란 기후위기에 대한 취약성을 줄이고 기후위기로 인한 건강피해와 자연재해에 대한 적응역량과 회복력을 높이는 등 현재 나타나고 있거나 미래에 나타날 것으로 예상되는 기후위기의 파급효과와 영향을 최소화하거나 유익한 기회로 촉진하는 모든 활동을 말한다.

12. "기후정의"란 기후변화를 야기하는 온실가스 배출에 대한 사회 계층별 책임이 다름을 인정하고 기후위기를 극복하는 과정에서 모든 이해관계자들이 의사결정과정에 동등하고 실질적으로 참여 하며 기후변화의 책임에 따라 탄소중립 사회로의 이행 부담과 녹 색성장의 이익을 공정하게 나누어 사회적·경제적 및 세대 간의 평등을 보장하는 것을 말한다.

13. "정의로운 전환"이란 탄소중립 사회로 이행하는 과정에서 직·간 접적 피해를 입을 수 있는 지역이나 산업의 노동자, 농민, 중소 상공인 등을 보호하여 이행 과정에서 발생하는 부담을 사회적으 로 분담하고 취약계층의 피해를 최소화하는 정책방향을 말한다.

14. "녹색성장"이란 에너지와 자원을 절약하고 효율적으로 사용하여 기후변화와 환경훼손을 줄이고 청정에너지와 녹색기술의 연구개 발을 통하여 새로운 성장동력을 확보하며 새로운 일자리를 창출 해 나가는 등 경제와 환경이 조화를 이루는 성장을 말한다.

15. "녹색경제"란 화석에너지의 사용을 단계적으로 축소하고 녹색기 술과 녹색산업을 육성함으로써 국가경쟁력을 강화하고 지속가능 발전을 추구하는 경제를 말한다.

16. "녹색기술"이란 기후변화대응 기술(「기후변화대응 기술개발 촉 진법」 제2조제6호에 따른 기후변화대응 기술을 말한다), 에너지 이용 효율화 기술, 청정생산기술, 신·재생에너지 기술, 자원순환 (「자원순환기본법」 제2조제1호에 따른 자원순환을 말한다.) 및 친환경 기술(관련 융합기술을 포함한다) 등 사회·경제 활동의 전 과정에 걸쳐 화석에너지의 사용을 대체하고 에너지와 자원을 효 율적으로 사용하여 탄소중립을 이루고 녹색성장을 촉진하기 위한 기술을 말한다.

17. "녹색산업"이란 온실가스를 배출하는 화석에너지의 사용을 대체 하고 에너지와 자원 사용의 효율을 높이며, 환경을 개선할 수 있

는 재화의 생산과 서비스의 제공 등을 통하여 탄소중립을 이루고 녹색성장을 촉진하기 위한 모든 산업을 말한다.

10 건축법

1. "대지(垈地)"란 「공간정보의 구축 및 관리 등에 관한 법률」에 따라 각 필지(筆地)로 나눈 토지를 말한다. 다만, 대통령령으로 정하는 토지는 둘 이상의 필지를 하나의 대지로 하거나 하나 이상의 필지의 일부를 하나의 대지로 할 수 있다.

2. "건축물"이란 토지에 정착(定着)하는 공작물 중 지붕과 기둥 또는 벽이 있는 것과 이에 딸린 시설물, 지하나 고가(高架)의 공작물에 설치하는 사무소·공연장·점포·차고·창고, 그 밖에 대통령령으로 정하는 것을 말한다.

3. "건축물의 용도"란 건축물의 종류를 유사한 구조, 이용 목적 및 형태별로 묶어 분류한 것을 말한다.

> **건축법 시행령 [별표 1] 용도별 건축물의 종류**
>
> | | |
> |---|---|
> | 1. 단독주택 | 16. 위락(慰樂)시설 |
> | 2. 공동주택 | 17. 공장 |
> | 3. 제1종 근린생활시설 | 18. 창고시설 |
> | 4. 제2종 근린생활시설 | 19. 위험물 저장 및 처리 시설 |
> | 5. 문화 및 집회시설 | |
> | 6. 종교시설 | 20. 자동차 관련 시설 |
> | 7. 판매시설 | 21. 동물 및 식물 관련 시설 |

8. 운수시설
9. 의료시설
10. 교육연구시설
11. 노유자(노인 및 어린이)시설
12. 수련시설
13. 운동시설
14. 업무시설
15. 숙박시설

22. 자원순환 관련 시설
23. 교정(矯正) 및 군사 시설
24. 방송통신시설
25. 발전시설
26. 묘지 관련 시설
27. 관광 휴게시설
28. 그 밖에 대통령령으로 정하는 시설

3의1. "위험물 저장 및 처리 시설"이란 「위험물안전관리법」, 「석유 및 석유대체연료 사업법」, 「도시가스사업법」, 「고압가스 안전관리법」, 「액화석유가스의 안전관리 및 사업법」, 「총포·도검·화약류 등 단속법」, 「화학물질 관리법」 등에 따라 설치 또는 영업의 허가를 받아야 하는 건축물로서 다음 각 목의 어느 하나에 해당하는 것. 다만, 자가난방, 자가발전, 그 밖에 이와 비슷한 목적으로 쓰는 저장시설은 제외한다.

가. 주유소(기계식 세차설비를 포함한다) 및 석유 판매소
나. 액화석유가스 충전소·판매소·저장소(기계식 세차설비를 포함한다)
다. 위험물 제조소·저장소·취급소
라. 액화가스 취급소·판매소
마. 유독물 보관·저장·판매시설
바. 고압가스 충전소·판매소·저장소
사. 도료류 판매소
아. 도시가스 제조시설
자. 화약류 저장소
차. 그 밖에 가목부터 자목까지의 시설과 비슷한 것

4. "건축설비"란 건축물에 설치하는 전기·전화 설비, 초고속 정보통신 설비, 지능형 홈네트워크 설비, 가스·급수·배수(配水)·배수(排

水)·환기·난방·냉방·소화(消火)·배연(排煙) 및 오물처리의 설비, 굴뚝, 승강기, 피뢰침, 국기 게양대, 공동시청 안테나, 유선방송 수신시설, 우편함, 저수조(貯水槽), 방범시설, 그 밖에 국토교통부령으로 정하는 설비를 말한다.

5. "지하층"이란 건축물의 바닥이 지표면 아래에 있는 층으로서 바닥에서 지표면까지 평균높이가 해당 층 높이의 2분의 1 이상인 것을 말한다.

6. "거실"이란 건축물 안에서 거주, 집무, 작업, 집회, 오락, 그 밖에 이와 유사한 목적을 위하여 사용되는 방을 말한다.

7. "주요구조부"란 내력벽(耐力壁), 기둥, 바닥, 보, 지붕틀 및 주계단(主階段)을 말한다. 다만, 사이 기둥, 최하층 바닥, 작은 보, 차양, 옥외 계단, 그 밖에 이와 유사한 것으로 건축물의 구조상 중요하지 아니한 부분은 제외한다.

8. "건축"이란 건축물을 신축·증축·개축 · 재축(再築)하거나 건축물을 이전하는 것을 말한다.

8의2. "결합건축"이란 제56조에 따른 용적률을 개별 대지마다 적용하지 아니하고, 2개 이상의 대지를 대상으로 통합적용하여 건축물을 건축하는 것을 말한다.

9. "대수선"이란 건축물의 기둥, 보, 내력벽, 주계단 등의 구조나 외부 형태를 수선·변경하거나 증설하는 것으로서 대통령령으로 정하는 것을 말한다.

10. "리모델링"이란 건축물의 노후화를 억제하거나 기능 향상 등을 위하여 대수선하거나 건축물의 일부를 증축 또는 개축하는 행위를 말한다.

11. "도로"란 보행과 자동차 통행이 가능한 너비 4미터 이상의 도로로서 다음 각 목의 어느 하나에 해당하는 도로나 그 예정도로를 말한다.

가. 「국토의 계획 및 이용에 관한 법률」, 「도로법」, 「사도법」, 그 밖의 관계 법령에 따라 신설 또는 변경에 관한 고시가 된 도로

나. 건축허가 또는 신고 시에 특별시장·광역시장·특별자치시장·도지사·특별자치도지사("시·도지사") 또는 시장·군수·구청장(자치구의 구청장)이 위치를 지정하여 공고한 도로

12. "건축주"란 건축물의 건축·대수선·용도변경, 건축설비의 설치 또는 공작물의 축조("건축물의 건축등") 에 관한 공사를 발주하거나 현장 관리인을 두어 스스로 그 공사를 하는 자를 말한다.

12의2. "제조업자"란 건축물의 건축·대수선·용도변경, 건축설비의 설치 또는 공작물의 축조 등에 필요한 건축자재를 제조하는 사람을 말한다.

12의3. "유통업자"란 건축물의 건축·대수선·용도변경, 건축설비의 설치 또는 공작물의 축조에 필요한 건축자재를 판매하거나 공사현장에 납품하는 사람을 말한다.

13. "설계자"란 자기의 책임으로 설계도서를 작성하고 그 설계도서에서 의도하는 바를 해설하며, 지도하고 자문에 응하는 자를 말한다.

14. "설계도서"란 건축물의 건축등에 관한 공사용 도면, 구조 계산서, 시방서(示方書), 그 밖에 국토교통부령으로 정하는 공사에 필요한 서류를 말한다.

15. "공사감리자"란 자기의 책임으로 이 법으로 정하는 바에 따라 건축물, 건축설비 또는 공작물이 설계도서의 내용대로 시공되는지를 확인하고, 품질관리·공사관리·안전관리 등에 대하여 지도·감독하는 자를 말한다.

16. "공사시공자"란 「건설산업기본법」 제2조제4호에 따른 건설공사를 하는 자를 말한다.

16의2. "건축물의 유지·관리"란 건축물의 소유자나 관리자가 사용

승인된 건축물의 대지·구조·설비 및 용도 등을 지속적으로 유지하기 위하여 건축물이 멸실될 때까지 관리하는 행위를 말한다.

17. "관계전문기술자"란 건축물의 구조·설비 등 건축물과 관련된 전문기술자격을 보유하고 설계와 공사감리에 참여하여 설계자 및 공사감리자와 협력하는 자를 말한다.

18. "특별건축구역"이란 조화롭고 창의적인 건축물의 건축을 통하여 도시경관의 창출, 건설기술 수준향상 및 건축 관련 제도개선을 도모하기 위하여 이 법 또는 관계 법령에 따라 일부 규정을 적용하지 아니하거나 완화 또는 통합하여 적용할 수 있도록 특별히 지정하는 구역을 말한다.

19. "고층건축물"이란 층수가 30층 이상이거나 높이가 120미터 이상인 건축물을 말한다.

20. "실내건축"이란 건축물의 실내를 안전하고 쾌적하며 효율적으로 사용하기 위하여 내부 공간을 칸막이로 구획하거나 벽지, 천장재, 바닥재, 유리 등 대통령령으로 정하는 재료 또는 장식물을 설치하는 것을 말한다.

21. "부속구조물"이란 건축물의 안전·기능·환경 등을 향상시키기 위하여 건축물에 추가적으로 설치하는 환기시설물 등 대통령령으로 정하는 구조물을 말한다.

22. "신축"이란 건축물이 없는 대지(기존 건축물이 해체되거나 멸실된 대지를 포함한다)에 새로 건축물을 축조(築造)하는 것[부속건축물만 있는 대지에 새로 주된 건축물을 축조하는 것을 포함하되, 개축(改築) 또는 재축(再築)하는 것은 제외한다]을 말한다.

23. "증축"이란 기존 건축물이 있는 대지에서 건축물의 건축면적, 연면적, 층수 또는 높이를 늘리는 것을 말한다.

24. "개축"이란 기존 건축물의 전부 또는 일부[내력벽·기둥·보·지붕틀(한옥의 경우에는 지붕틀의 범위에서 서까래는 제외) 중 셋 이

상이 포함되는 경우를 말한다]를 해체하고 그 대지에 종전과 같은 규모의 범위에서 건축물을 다시 축조하는 것을 말한다.

25. "재축"이란 건축물이 천재지변이나 그 밖의 재해(災害)로 멸실된 경우 그 대지에 다음 각 목의 요건을 모두 갖추어 다시 축조하는 것을 말한다.
    가. 연면적 합계는 종전 규모 이하로 할 것
    나. 동(棟)수, 층수 및 높이는 다음의 어느 하나에 해당할 것
        1) 동수, 층수 및 높이가 모두 종전 규모 이하일 것
        2) 동수, 층수 또는 높이의 어느 하나가 종전 규모를 초과하는 경우에는 해당 동수, 층수 및 높이가 「건축법」 또는 건축조례에 모두 적합할 것

26. "이전"이란 건축물의 주요구조부를 해체하지 아니하고 같은 대지의 다른 위치로 옮기는 것을 말한다.

27. "내수재료(耐水材料)"란 인조석·콘크리트 등 내수성을 가진 재료로서 국토교통부령으로 정하는 재료를 말한다.

28. "내화구조(耐火構造)"란 화재에 견딜 수 있는 성능을 가진 구조로서 국토교통부령으로 정하는 기준에 적합한 구조를 말한다.

29. "방화구조(防火構造)"란 화염의 확산을 막을 수 있는 성능을 가진 구조로서 국토교통부령으로 정하는 기준에 적합한 구조를 말한다.

30. "난연재료(難燃材料)"란 불에 잘 타지 아니하는 성능을 가진 재료로서 국토교통부령으로 정하는 기준에 적합한 재료를 말한다.

31. "불연재료(不燃材料)"란 불에 타지 아니하는 성질을 가진 재료로서 국토교통부령으로 정하는 기준에 적합한 재료를 말한다.

32. "준불연재료"란 불연재료에 준하는 성질을 가진 재료로서 국토교통부령으로 정하는 기준에 적합한 재료를 말한다.

33. "부속건축물"이란 같은 대지에서 주된 건축물과 분리된 부속용도의 건축물로서 주된 건축물을 이용 또는 관리하는 데에 필요한 건축물을 말한다.

34. "부속용도"란 건축물의 주된 용도의 기능에 필수적인 용도로서 다음 각 목의 어느 하나에 해당하는 용도를 말한다.
    가. 건축물의 설비, 대피, 위생, 그 밖에 이와 비슷한 시설의 용도
    나. 사무, 작업, 집회, 물품저장, 주차, 그 밖에 이와 비슷한 시설의 용도
    다. 구내식당·직장어린이집·구내운동시설 등 종업원 후생복리시설, 구내소각시설, 그 밖에 이와 비슷한 시설의 용도. 이 경우 다음의 요건을 모두 갖춘 휴게음식점은 구내식당에 포함되는 것으로 본다.
        1) 구내식당 내부에 설치할 것
        2) 설치면적이 구내식당 전체 면적의 3분의 1 이하로서 50제곱미터 이하일 것
        3) 다류(茶類)를 조리·판매하는 휴게음식점일 것
    라. 관계 법령에서 주된 용도의 부수시설로 설치할 수 있게 규정하고 있는 시설, 그 밖에 국토교통부장관이 이와 유사하다고 인정하여 고시하는 시설의 용도

35. "발코니"란 건축물의 내부와 외부를 연결하는 완충공간으로서 전망이나 휴식 등의 목적으로 건축물 외벽에 접하여 부가적(附加的)으로 설치되는 공간을 말한다. 이 경우 주택에 설치되는 발코니로서 국토교통부장관이 정하는 기준에 적합한 발코니는 필요에 따라 거실·침실·창고 등의 용도로 사용할 수 있다.

36. "초고층 건축물"이란 층수가 50층 이상이거나 높이가 200미터 이상인 건축물을 말한다.

36의2. "준초고층 건축물"이란 고층건축물 중 초고층 건축물이 아닌 것을 말한다.

37. "한옥"이란 「한옥 등 건축자산의 진흥에 관한 법률」 제2조제2호에 따른 한옥을 말한다.

38. "다중이용 건축물"이란 다음 각 목의 어느 하나에 해당하는 건축물을 말한다.

　가. 다음의 어느 하나에 해당하는 용도로 쓰는 바닥면적의 합계가 5천제곱미터 이상인 건축물

　　1) 문화 및 집회시설(동물원 및 식물원은 제외한다)

　　2) 종교시설

　　3) 판매시설

　　4) 운수시설 중 여객용 시설

　　5) 의료시설 중 종합병원

　　6) 숙박시설 중 관광숙박시설

　나. 16층 이상인 건축물

38의2. "준다중이용 건축물"이란 다중이용 건축물 외의 건축물로서 다음 각 목의 어느 하나에 해당하는 용도로 쓰는 바닥면적의 합계가 1천제곱미터 이상인 건축물을 말한다.

　가. 문화 및 집회시설(동물원 및 식물원은 제외한다)

　나. 종교시설

　다. 판매시설

　라. 운수시설 중 여객용 시설

　마. 의료시설 중 종합병원

　바. 교육연구시설

　사. 노유자시설

　아. 운동시설

　자. 숙박시설 중 관광숙박시설

　차. 위락시설

　카. 관광 휴게시설

　타. 장례시설

39. "특수구조 건축물"이란 다음 각 목의 어느 하나에 해당하는 건축물을 말한다.

　가. 한쪽 끝은 고정되고 다른 끝은 지지(支持)되지 아니한 구조로 된 보·차양 등이 외벽(외벽이 없는 경우에는 외곽 기둥을 말한다)의 중심선으로부터 3미터 이상 돌출된 건축물

　나. 기둥과 기둥 사이의 거리(기둥의 중심선 사이의 거리를 말하며, 기둥이 없는 경우에는 내력벽과 내력벽의 중심선 사이의 거리를 말한다. 이하 같다)가 20미터 이상인 건축물

　다. 특수한 설계·시공·공법 등이 필요한 건축물로서 국토교통부장관이 정하여 고시하는 구조로 된 건축물

11 건설산업기본법

1. "건설산업"이란 건설업과 건설용역업을 말한다.

2. "건설업"이란 건설공사를 하는 업(業)을 말한다.

3. "건설용역업"이란 건설공사에 관한 조사, 설계, 감리, 사업관리, 유지관리 등 건설공사와 관련된 용역("건설용역")을 하는 업(業)을 말한다.

4. "건설공사"란 토목공사, 건축공사, 산업설비공사, 조경공사, 환경시설공사, 그 밖에 명칭과 관계없이 시설물을 설치·유지·보수하는 공사(시설물을 설치하기 위한 부지조성공사를 포함) 및 기계설비나 그 밖의 구조물의 설치 및 해체공사 등을 말한다. 다만, 다음

각 목의 어느 하나에 해당하는 공사는 포함하지 아니한다.

가. 「전기공사업법」에 따른 전기공사

나. 「정보통신공사업법」에 따른 정보통신공사

다. 「소방시설공사업법」에 따른 소방시설공사

라. 「문화재 수리 등에 관한 법률」에 따른 문화재 수리공사

5. "종합공사"란 종합적인 계획, 관리 및 조정을 하면서 시설물을 시공하는 건설공사를 말한다.

6. "전문공사"란 시설물의 일부 또는 전문 분야에 관한 건설공사를 말한다.

7. "건설사업자"란 이 법 또는 다른 법률에 따라 등록 등을 하고 건설업을 하는 자를 말한다.

8. "건설사업관리"란 건설공사에 관한 기획, 타당성 조사, 분석, 설계, 조달, 계약, 시공관리, 감리, 평가 또는 사후관리 등에 관한 관리를 수행하는 것을 말한다.

9. "시공책임형 건설사업관리"란 종합공사를 시공하는 업종을 등록한 건설사업자가 건설공사에 대하여 시공 이전 단계에서 건설사업관리 업무를 수행하고 아울러 시공 단계에서 발주자와 시공 및 건설사업관리에 대한 별도의 계약을 통하여 종합적인 계획, 관리 및 조정을 하면서 미리 정한 공사 금액과 공사기간 내에 시설물을 시공하는 것을 말한다.

10. "발주자"란 건설공사를 건설사업자에게 도급하는 자를 말한다. 다만, 수급인으로서 도급받은 건설공사를 하도급하는 자는 제외한다.

11. "도급"이란 원도급, 하도급, 위탁 등 명칭과 관계없이 건설공사를 완성할 것을 약정하고, 상대방이 그 공사의 결과에 대하여 대가를 지급할 것을 약정하는 계약을 말한다.

12. "하도급"이란 도급받은 건설공사의 전부 또는 일부를 다시 도급

하기 위하여 수급인이 제3자와 체결하는 계약을 말한다.

13. "수급인"이란 발주자로부터 건설공사를 도급받은 건설사업자를 말하고, 하도급의 경우 하도급하는 건설사업자를 포함한다.

14. "하수급인"이란 수급인으로부터 건설공사를 하도급받은 자를 말한다.

15. "건설기술인"이란 관계 법령에 따라 건설공사에 관한 기술이나 기능을 가졌다고 인정된 사람을 말한다.

12 건설기술진흥법

1. "건설공사"란 「건설산업기본법」에 따른 건설공사를 말한다.

2. "건설기술"이란 다음 각 목의 사항에 관한 기술을 말한다. 다만, 「산업안전보건법」에서 근로자의 안전에 관하여 따로 정하고 있는 사항은 제외한다.

　가. 건설공사에 관한 계획·조사(지반조사를 포함한다)·설계·시공·감리·시험·평가·측량(해양조사를　포함)·자문·지도·품질관리·안전점검 및 안전성 검토

　나. 시설물의 운영·검사·안전점검·정밀안전진단·유지·관리·보수·보강 및 철거

　다. 건설공사에 필요한 물자의 구매와 조달

　라. 건설장비의 시운전(試運轉)

　마. 건설사업관리

바. 그 밖에 건설공사에 관한 사항으로서 대통령령으로 정하는
   사항

3. "건설엔지니어링"이란 다른 사람의 위탁을 받아 건설기술에 관한
   업무를 수행하는 것을 말한다. 다만, 건설공사의 시공 및 시설물
   의 보수·철거 업무는 제외한다.

4. "건설사업관리"란 「건설산업기본법」에 따른 건설사업관리를 말한다.

5. "감리"란 건설공사가 관계 법령이나 기준, 설계도서 또는 그 밖
   의 관계 서류 등에 따라 적정하게 시행될 수 있도록 관리하거나
   시공관리·품질관리·안전관리 등에 대한 기술지도를 하는 건설사
   업관리 업무를 말한다.

6. "발주청"이란 건설공사 또는 건설엔지니어링을 발주(發注)하는 국
   가, 지방자치단체, 공기업·준정부기관, 지방공사·지방공단, 그 밖
   에 대통령령으로 정하는 기관의 장을 말한다.

7. "건설사업자"란 「건설산업기본법」에 따른 건설사업자를 말한다.

8. "건설기술인"이란 「국가기술자격법」 등 관계 법률에 따른 건설공
   사 또는 건설엔지니어링에 관한 자격, 학력 또는 경력을 가진 사
   람으로서 대통령령으로 정하는 사람을 말한다.

9. "건설엔지니어링사업자"란 건설엔지니어링을 영업의 수단으로 하
   려는 자로서 제26조에 따라 등록한 자를 말한다.

10. "건설사고"란 건설공사를 시행하면서 대통령령으로 정하는 규모
    이상의 인명피해나 재산피해가 발생한 사고를 말한다.

11. "지반조사"란 건설공사 대상 지역의 지질구조 및 지반상태, 토
    질 등에 관한 정보를 획득할 목적으로 수행하는 일련의 행위를
    말한다.

12. "무선안전장비"란 「전파법」에 따른 무선설비 및 무선통신을 이
    용하여 건설사고의 위험을 낮추는 기능을 갖춘 장비를 말한다.

13 항만법

1. "항만"이란 선박의 출입, 사람의 승선·하선, 화물의 하역·보관 및 처리, 해양친수활동 등을 위한 시설과 화물의 조립·가공·포장·제조 등 부가가치 창출을 위한 시설이 갖추어진 곳을 말한다.

2. "무역항"이란 국민경제와 공공의 이해(利害)에 밀접한 관계가 있고, 주로 외항선이 입항·출항하는 항만으로서 제3조제1항에 따라 대통령령으로 정하는 항만을 말한다.

3. "연안항"이란 주로 국내항 간을 운항하는 선박이 입항·출항하는 항만으로서 제3조제1항에 따라 대통령령으로 정하는 항만을 말한다.

4. "항만구역"이란 항만의 수상구역과 육상구역을 말한다.

5. "항만시설"이란 다음 각 목의 어느 하나에 해당하는 시설을 말한다. 이 경우 다음 각 목의 시설이 항만구역 밖에 있는 경우에는 해양수산부장관이 지정·고시하는 시설로 한정한다.
   가. 기본시설
   나. 기능시설
   다. 지원시설
   라. 항만친수시설(港灣親水施設)
   마. 항만배후단지

> **항만법 시행령 [별표5] 항만 시설장비**
>
> 1. 갑문본체: 상·하부 대차를 포함한다.
> 2. 갑문구동장치: 동력전달장치를 포함한다.

3. 충수(充水: 물 보충)설비: 충수문과 충수용 펌프설비를 말한다.
4. 취수·배수설비: 취수·배수문과 구동장치를 말한다.
5. 컨테이너 크레인(Container Crane): 부두(안벽시설)에 설치되어 선박의 컨테이너를 부두의 육상 운송장비에 실어주거나 야드(선박에서 컨테이너가 내려져 잠시 보관되는 곳)로부터 운송되어 온 컨테이너를 선박에 실어주는 컨테이너 전용 크레인을 말하며, 타이어식 또는 레일식을 포함한다.
6. 트랜스퍼 크레인(Transfer Crane): 야드에 설치되어 컨테이너를 들어올리고 내려서 다른 곳으로 옮기거나 야드 트랙터, 화물차 등에 싣거나 내려주는 크레인을 말한다.
7. 스트래들 캐리어(Straddle Carrier): 안벽이나 야드에 적치된 컨테이너를 다른 장비의 도움 없이 야드 또는 안벽으로 직접 운반하는 데 사용되는 장비를 말한다.
8. 야드 트랙터(Yard Tractor): 안벽과 야드 사이에서 야드 섀시를 견인하여 컨테이너를 운반하는 장비를 말하며, 무인 트랜스포터(Automatic Guided Vehicle, Transporter: 수백 톤의 화물을 운반하는 무인 특수 장비)를 포함한다.
9. 리치 스태커(Reach Stacker): 주로 야드에서 컨테이너를 운반·적재·반출하는데 사용되는 장비로서 신축형 붐을 이용하여 높이를 조절할 수 있는 장비를 말한다.
10. 야드 섀시(Yard Chassis): 안벽과 야드 사이에서 야드 트랙터와 조합되어 컨테이너를 운반하는 장비를 말한다.
11. 십 로더(Ship Loader): 육상이나 야드에 준비된 철광석, 석탄, 곡물 등 화물을 배에 싣는 장비를 말한다.
12. 십 언로더(Ship Unloader): 배에 실린 철광석, 석탄, 곡물 등 화물을 육상이나 야드로 하역할 때 사용하는 장비를 말한다.
13. 스태커 리클레이머(Stacker Reclaimer): 배에서 이송된 철광석, 석탄, 곡물 등 화물을 야드에 적치하거나 야드에 적치된 화물을 다시 외부로 반출할 때 사용하는 장비로서 스태커와 리클레이머 기능을 동시에 수행할 수 있는 장비를 말한다.

14. 벨트 컨베이어(Belt Conveyor): 벨트에 석탄, 곡물 등 벌크 화물을 올려 운송하는 장비로서 항만시설과 결합되어 있으며, 길이가 50 미터 이상인 것을 말한다.
15. 다목적 크레인(Multipurpose Crane): 레벨러핑 크레인(Level Luffing Crane: 화물을 일정한 높이에서 수평으로 옮기는 크레인) 및 브리지타입 크레인(Bridge Type Crane: 화물을 들어올리거나 내리는 다리 모양 크레인)을 말한다.
16. 모빌 하버 크레인(Mobile Harbor Crane): 주로 잡화의 하역 선적에 사용되는 징비로서 레일에 고정되어 있지 않아 자유롭게 이동이 가능한 것을 말한다.
17. 로딩 암(Loading Arm): 유류, 가스의 하역·선적에 사용하는 장비를 말한다.
18. 탑승교(Passenger Boarding Bridge): 터미널 건물과 선박까지 연결하는 여객 통로를 말한다.

6. "관리청"이란 항만의 개발 및 관리에 관한 행정업무를 수행하는 다음 각 목의 구분에 따른 행정관청을 말한다.
　가. 제3조제2항제1호 및 제3항제1호에 따른 국가관리무역항 및 국가관리연안항: 해양수산부장관
　나. 제3조제2항제2호 및 제3항제2호에 따른 지방관리무역항 및 지방관리연안항: 특별시장·광역시장·도지사 또는 특별자치도지사

7. "항만개발사업"이란 항만시설(항만구역 밖에 설치하려는 제5호 각목의 어느 하나에 해당하는 시설로서 장래에 해양수산부장관이 항만시설로 지정·고시할 예정인 시설을 포함한다)의 신설·개축·보강·유지·보수(補修) 및 준설 등을 하는 사업을 말한다.

8. "항만물류"란 항만에서 화물이 공급자로부터 수요자에게 전달될 때까지 이루어지는 운송·보관·하역 및 포장 등 일련의 처리과정을 말한다.

9. "항만물류통합정보체계"란 관리청 및 항만을 이용하는 자가 항만 물류비의 절감 및 각종 정보의 실시간 획득 등을 위하여 항만이용 및 항만물류의 과정에서 발생하는 정보를 정보통신망을 이용하여 상호교환·처리 및 활용하는 체계를 말한다.

10. "항만건설통합정보체계"란 관리청 및 항만개발사업 관련자가 신속한 행정업무처리와 비용 절감 등을 통하여 항만개발사업의 전반적인 효율을 높이기 위하여 항만개발사업의 계획·설계·계약·시공·유지 및 관리의 과정에서 발생하는 정보를 정보통신망을 이용하여 상호교환·처리 및 활용하는 체계를 말한다.

11. "항만배후단지"란 항만구역 또는 제6조제1항제8호에 따른 항만시설 설치 예정지역에 지원시설 및 항만친수시설을 집단적으로 설치하고 이들 시설의 기능 제고를 위하여 일반업무시설·판매시설·주거시설 등 대통령령으로 정하는 시설을 설치함으로써 항만의 부가가치와 항만 관련 산업의 활성화를 도모하며, 항만을 이용하는 사람의 편익을 꾀하기 위하여 제45조에 따라 지정한 구역을 말한다.

12. "항만배후단지개발사업"이란 항만배후단지를 개발하는 사업을 말한다.

13. "기반시설"이란 「국토의 계획 및 이용에 관한 법률」 제2조제6호에 따른 기반시설을 말한다.

14. "공공시설"이란 「국토의 계획 및 이용에 관한 법률」 제2조제13호에 따른 공공시설을 말한다.

15. "입주기업체"란 제45조제1호에 따른 1종 항만배후단지에 입주하기 위하여 제71조에 따라 입주계약을 체결한 자를 말한다.

14 산업표준화법

1. "산업표준"이란 산업표준화를 위한 기준을 말한다.

2. "산업표준화"란 다음 각 목의 사항을 통일하고 단순화하는 것을 말한다.
    가. 광공업품의 종류·형상·치수·구조·장비·품질·등급·성분·성능·기능·내구도·안전도
    나. 광공업품의 생산방법·설계방법·제도방법(製圖方法)·사용방법·운용방법·원단위(原單位) 생산에 관한 작업방법·안전조건
    다. 광공업품의 포장의 종류·형상·치수·구조·성능·등급·방법
    라. 광공업품 또는 광공업의 기술과 관련되는 시험·분석·감정·검사·검정·통계적 기법·측정방법 및 용어·약어·기호·부호·표준수(標準數)·단위
    마. 구축물과 그 밖의 공작물의 설계·시공방법 또는 안전조건
    바. 기업활동과 관련되는 물품의 조달·설계·생산·운용·보수·폐기 등을 관리하는 정보체계 및 전자통신매체에 의한 상업적 거래
    사. 산업활동과 관련된 서비스의 제공절차·방법·체계·평가방법 등에 관한 사항

3. "품질경영"이란 기업·공공기관·단체 등("기업등")이 고객이 만족할 수 있는 품질목표를 설정하고 이를 달성하기 위하여 체계적으로 품질을 계획·관리·보증·개선하는 등의 경영활동을 말한다.

15 계량에 관한 법률

1. "계량"이란 상거래 또는 증명에 사용하기 위하여 어떤 양의 값을 결정하기 위한 일련의 작업을 말한다.

2. "계량기"란 계량을 하기 위한 기계·기구 또는 장치로서 대통령령으로 정하는 것을 말한다.

3. "정량표시상품"이란 제4조에 따른 법정단위인 길이, 질량, 부피, 면적과 개수[이하 "정량"(定量)이라 한다]로 표시된 상품 중 용기나 포장을 개봉하지 아니하고는 양을 증감할 수 없게 한 것으로 대통령령으로 정하는 상품을 말한다.

16 원자력안전법

1. "원자력"이란 원자핵 변화의 과정에 있어서 원자핵으로부터 방출되는 모든 종류의 에너지를 말한다.

2. "핵물질"이란 핵연료물질 및 핵원료물질을 말한다.

3. "핵연료물질"이란 우라늄·토륨 등 원자력을 발생할 수 있는 물질로서 대통령령으로 정하는 것을 말한다.

> **핵연료물질 | 원자력안전법시행령 제3조**
>
> 1. 우라늄 238에 대한 우라늄 235의 비율이 천연혼합률과 같은 우라늄 및 그 화합물
> 2. 우라늄 238에 대한 우라늄 235의 비율이 천연혼합률에 미달하는 우라늄 및 그 화합물
> 3. 토륨 및 그 화합물
> 4. 제1호부터 제3호까지의 규정에 해당하는 물질이 하나 이상 함유된 물질로서 원자로의 연료로 사용할 수 있는 물질
> 5. 우라늄 238에 대한 우라늄 235의 비율이 천연혼합률을 초과하는 우라늄 및 그 화합물
> 6. 플루토늄 및 그 화합물
> 7. 우라늄 233 및 그 화합물
> 8. 제5호부터 제7호까지의 규정에 해당하는 물질이 하나 이상 함유된 물질

4. "핵원료물질"이란 우라늄광·토륨광과 그 밖의 핵연료물질의 원료가 되는 물질로서 우라늄 및 그 화합물 또는 토륨 및 그 화합물을 함유한 물질로서 핵연료물질 외의 물질을 말한다.

5. "방사성물질"이란 핵연료물질·사용후핵연료·방사성동위원소 및 원자핵분열생성물(原子核分裂生成物)을 말한다.

6. "방사성동위원소"란 방사선을 방출하는 동위원소와 그 화합물 중 대통령령으로 정하는 것을 말한다.

> **방사성동위원소 | 원자력안전법시행령 제5조**
>
> 방사성동위원소의 기준 중 '대통령령으로 정하는 것'이란 동위원소의 수량과 농도가 위원회가 정하는 수량과 농도를 초과하는 물질로서 다음의 물질은 제외한다.
>
> 1. 법 제2조제3호에 따른 핵연료물질

2. 법 제 2 조제 4 호에 따른 핵원료물질
3. 방사성물질 또는 이를 내장한 장치 중 방사선장해의 우려가 없
   는 것으로서 다음과 같이 위원회가 정하여 고시하는 것[1]
   ① 「원자력안전법」 제60조 및 제61조에 따른 설계승인 및
      검사를 받은 방사선기기에 내장된 것으로서 다음 각 목
      에 해당하는 것
      ㉠ 연기감지기에 내장된 것으로서 다음 조건을 만족하
         는 것
         ⓐ 연기감지기의 뒷면 및 이를 열었을 때 눈에 띄
            기 쉬운 곳에 방사성물질임을 나타내는 표지와
            취급 시의 주의사항(폐기방법 포함)을 부착하고
            있을 것
         ⓑ 건물주와 공급자 사이에 연기감지기의 보수유지
            에 관한 유효한 서면 계약이 있을 것
      ㉡ 일정 시설에 고정되어 있거나 물품 내부에 견고하게
         부착되어 있는 다음과 같은 것
         ⓐ H-3(트리튬, tritium)[2]을 사용한 안전지시등으로
            서 단위제품당 925 GBq[3]을 초과하지 아니하여
            야 하며, 다음 조건을 만족하는 것
            ㉮ 방사성동위원소와의 접촉을 방지하는 구조일 것
            ㉯ 접근 가능한 표면에서의 표면방사선량률이
               1 μSv/h[4] 이하일 것
            ㉰ 취급으로 인한 개인피폭방사선량이 연간 10 μSv
               미만일 것
         ⓑ Pm(원자번호 61, 프로메튬)을 사용한 항공기용
            발광물질로서 3 GBq을 초과하지 않는 것
   ② 방사선기기에 내장된 것으로서 다음 각 목에 해당하는 것
      ㉠ 게이지 또는 지시계(시계를 포함한다)에 견고하게
         내장된 발광물질로서 다음 기준을 만족하는 것
         ⓐ 원자력안전위원회고시 「방사선방호 등에 관한 기
            준」 별표 5의 제3란에 명시된 최소 수량이 100
            kBq 미만인 제2란의 해당 방사성핵종을 함유하

지 아니 할 것
ⓑ 방사성 발광도료에 사람의 접촉이 어려운 상태의 것
ⓒ 단위 제품당 방사능이 방호기준 별표 5의 제2란의
해당 방사성핵종에 대한 제3란의 수량의 50배 이
하이고, 표면방사선량률이 1μSv/h 이하인 것
ⓛ 전기 및 가스 기기에 내장된 것으로서 다음 조건을
만족하는 것
ⓐ 방호기준 별표 5의 제3란에 명시된 최소수량이
10 kBq 미만인 제2란의 해당 방사성핵종을 함유
하지 아니 할 것
ⓑ 단위 부품당 방사능이 방호기준 별표 5의 제2란의
해당 방사성핵종에 대한 제3란의 수량의 100배
미만일 것
ⓒ 단위 부품 또는 여러 개의 단위 부품을 내장하
는 기기의 표면방사선량률이 1μSv/h 이하일 것
ⓒ 군사용 기기에 내장된 다음과 같은 것
ⓐ 9.25 MBq 이하의 Am-241
ⓑ 37 GBq 이하의 H-3
ⓒ 3 GBq 이하의 Pm-147
ⓓ 1 GBq 이하의 Ni-63
③ ISO 2919-1999(E) 또는 ANSI N542-1977에 명시된 방
사선계측기의 검·교정용 선원의 내구성 기준을 만족하는
밀봉된 방사성동위원소로서 그 수량이 3.7 MBq 이하
또는 방호기준 별표5의 제2란의 해당 방사성핵종에 대
한 제3란의 수량의 10배 이하인 것
④ 방사성의약품으로 인증된 37 kBq 이하의 C-14를 과립
형태로 내장한 캡슐을 인체에 대한 진단용으로 사용하
는 경우

---

1) (참조. 방사성동위원소에서 제외되는 물질 등에 관한 규정, 원자력안전위
원회고시 제2017-41호)

2) "트리튬(tritium)"이란 화학기호는 ^3H 또는 T.3중수소라고도 한다.

7. "방사선"이란 전자파 또는 입자선 중 직접 또는 간접으로 공기를 전리(電離)하는 능력을 가진 것으로서 다음 것을 말한다.
   ① 알파선·중양자선·양자선·베타선 및 그 밖의 중하전입자선
   ② 중성자선
   ③ 감마선 및 엑스선
   ④ 5만 전자볼트 이상의 에너지를 가진 전자선

8. "원자로"란 핵연료물질을 연료로 사용하는 장치를 말한다. 다만, 원자핵분열의 연쇄반응을 제어할 수 있고 그 반응의 평형상태를 중성자원을 쓰지 아니하고도 지속할 가능성이 있는 장치 외의 것은 제외한다.

9. "방사선발생장치"란 하전입자(荷電粒子)를 가속시켜 방사선을 발생시키는 장치로서 다음의 것을 말한다.
   ① 엑스선발생장치
   ② 사이클로트론(cyclotron)
   ③ 신크로트론(synchrotron)
   ④ 신크로사이클로트론(synchro-cyclotron)
   ⑤ 선형가속장치
   ⑥ 베타트론(betatron)
   ⑦ 반·데 그라프형 가속장치
   ⑧ 콕크로프트·왈톤형 가속장치
   ⑨ 변압기형 가속장치
   ⑩ 마이크로트론(microtron)
   ⑪ 방사광가속기
   ⑫ 가속이온주입기

---

3) "베크렐(Becquerel, Bq)"이란 방사능을 방출하는 능력을 측정하기 위한 방사능의 국제단위를 말한다.

4) "시버트(Sievert, Sv)"란 방사선 방호목적으로 사용하는 선량당량의 SI 단위를 말한다.

⑬ 수소를 이용한 핵융합 실험장치

⑭ 중수소를 이용한 핵융합 실험장치

10. "관계시설"이란 원자로의 안전에 관계되는 시설로서 다음의 것을 말한다.

① 원자로냉각계통 시설

② 계측제어계통 시설

③ 핵연료물질의 취급시설 및 저장시설

④ 원자력발전소 안에 위치한 방사성폐기물의 처리시설·배출시설 및 저장시설

⑤ 방사선관리시설

⑥ 원자로격납시설

⑦ 원자로안전계통 시설

⑧ 그 밖에 원자로의 안전에 관계되는 시설로서 위원회가 정하는 것

11. "정련"(精鍊)이란 핵원료물질에 포함된 우라늄 또는 토륨의 비율을 높이기 위하여 물리적·화학적 방법으로 핵원료물질을 처리하는 것을 말한다.

12. "변환"이란 핵연료물질을 화학적 방법으로 처리하여 가공에 적합한 형태로 만드는 것을 말한다.

13. "가공"이란 핵연료물질을 물리적·화학적 방법으로 처리하여 원자로의 연료로서 사용할 수 있는 형태로 만드는 것을 말한다.

14. "사용후핵연료처리"란 원자로의 연료로서 사용된 핵연료물질 또는 그 밖의 방법으로 원자핵분열을 시킨 핵연료물질을 연구 또는 시험을 목적으로 취급하거나, 물리적·화학적 방법으로 처리하여 핵연료물질과 그 밖의 물질로 분리하는 것을 말한다.

15. "핵연료주기사업"이란 정련·변환·가공 또는 사용후핵연료처리 사업을 말한다.

16. "방사선관리구역"이란 외부의 방사선량율(放射線量率), 공기 중

의 방사성물질의 농도 또는 방사성물질에 따라 오염된 물질의 표면의 오염도가 원자력안전위원회규칙으로 정하는 값을 초과할 우려가 있는 곳으로서 방사선의 안전관리를 위하여 사람의 출입을 관리하고 출입자에 대하여 방사선의 장해(障害)를 방지하기 위한 조치가 필요한 구역을 말한다.

17. "국제규제물자"란 원자력의 연구·개발 및 이용에 관한 조약과 그 밖의 국제약속에 따라 보장조치의 적용대상이 되는 물자로서 총리령으로 정하는 것을 말한다.

18. "방사성폐기물"이란 방사성물질 또는 그에 따라 오염된 물질("방사성물질등")로서 폐기의 대상이 되는 물질(제35조제4항에 따라 폐기하기로 결정한 사용후핵연료를 포함한다)을 말한다.

19. "피폭방사선량"(被曝放射線量)이란 사람의 신체의 외부 또는 내부에 피폭하는 방사선량을 말한다. 다만, 진료를 위하여 피폭하는 방사선량과 인위적으로 증가시키지 아니하는 자연방사선량은 제외한다. 이 경우 방사선량의 종류 및 적용기준은 원자력안전위원회가 정하여 고시한다.

20. "원자력이용시설"이란 원자력의 연구·개발·생산·이용("원자력이용")과 관련된 시설로서 다음의 것을 말한다.
① 원자로 및 관계시설
② 핵연료주기시설
③ 핵물질의 사용시설
④ 방사성동위원소의 생산시설·사용시설·분배시설·저장시설·보관시설·처리시설 및 배출시설
⑤ 방사선발생장치 및 그 부대시설
⑥ 사용후핵연료 중간저장시설
⑦ 방사성폐기물의 영구처분시설
⑧ 방사성폐기물의 처리시설 및 저장시설

21. "방사선작업종사자"란 원자력이용시설의 운전·이용 또는 보전이

나 방사성물질등의 사용·취급·저장·보관·처리·배출·처분·운반과 그 밖의 관리 또는 오염제거 등 방사선에 피폭하거나 그 염려가 있는 업무에 종사하는 자를 말한다.

22. "안전관련설비"란 원자로 및 관계시설 중에서 원자력안전위원회규칙으로 정하는 안전에 중요한 구조물·계통 및 기기로서 원자력안전위원회규칙으로 정하는 바에 따라 안전등급이 부여된 설비를 말한다.

23. "방사선투과검사"란 「비파괴검사기술의 진흥 및 관리에 관한 법률」 제2조에 따른 비파괴검사 중 방사선을 이용한 비파괴검사를 말한다.

24. "해체"란 제20조제1항에 따라 허가를 받은 자, 제30조의2제1항에 따라 허가를 받은 자, 제35조제1항 및 제2항에 따라 허가 또는 지정을 받은 자, 제63조제1항에 따라 건설·운영 허가를 받은 자가 이 법에 따라 허가 또는 지정을 받은 시설의 운영을 영구적으로 정지한 후, 해당 시설과 부지를 철거하거나 방사성오염을 제거함으로써 이 법의 적용대상에서 배제하기 위한 모든 활동을 말한다.

24의2. "폐쇄"란 제63조에 따라 방사성폐기물 처분시설 및 그 부속시설의 건설·운영 허가를 받은 자가 방사성폐기물을 처분하는 활동을 완결하고 장기 안전성을 확보하기 위하여 실시하는 관리적·기술적 조치(방사성폐기물 처분시설 지하 공간의 뒷채움, 덮개 설치 등을 포함한다)를 말한다.

25. "사고관리"란 원자로시설에 사고가 발생하였을 때 사고가 확대되는 것을 방지하고 사고의 영향을 완화하며 안전한 상태로 회복하기 위하여 취하는 제반조치를 말하며, 원자력안전위원회에서 정하는 설계기준을 초과하여 노심의 현저한 손상을 초래하는 사고("중대사고")에 대한 관리를 포함한다.

제6장
관련 고시

고압가스안전관리기준통합고시

(산업통상자원부고시 제2022-97호)

1. "종합적안전관리규정"이란 영 제9조에 따른 사업자가 작성·제출하여야 하는 안전관리규정을 말한다.

2. "일반안전관리규정"이란 영 제9조의 규정에 따른 사업자 이외의 사업자가 작성·제출하여야 하는 안전관리규정을 말한다.

3. "안전문화"란 사업장의 모든 안전문제에 대하여 그 중요성에 상응하는 관심을 최우선으로 기울이는 안전조직과 종사자의 태도와 성향을 말한다.

4. "종사자"란 사업자의 사업장 내에 종사하는 모든 자를 말한다.

5. "협력업체"란 사업장에서 행하는 사업 일부를 도급에 의하여 행하는 업체를 말한다. 다만, 사무보조, 식음료서비스, 세탁, 배달, 납품 등 안전에 영향이 없는 단순용역 및 잡무는 제외한다.

6. "심사"란 법 제11조제1항에 따른 심사를 말한다.

7. "확인·평가"란 법 제11조제6항에 따른 확인 및 평가를 말한다.

8. 영 제11조제1항에서 "주요구조부분의 변경"(고압가스사업법 시행령 제11조제1항)이란 다음 각 목과 같다.
   가. 생산량의 증가, 원료 또는 제품의 변경을 위하여 반응기(관련설비 포함)를 교체 또는 추가로 설치하는 경우
   나. 생산량의 증가, 원료 또는 제품의 변경을 위하여 플레어스택을 설치 또는 변경하는 경우
   다. 설비교체 등을 위하여 변경되는 생산설비 및 부대설비의 당

해 전기정격용량이 300㎾ 이상 증가한 경우

9. "공동심사"란 영 제10조제2항, 제11조제4항, 「산업안전보건법 시행령」 제33조의7제3항에 따라 사업자가 한국가스안전공사에 제출한 보고서에 대하여 한국가스안전공사와 안전보건공단이 각각의 심사기준에 따라 동시 또는 순차적으로 심사하는 방법을 말한다.

10. "순차심사"란 공동심사의 방법으로서, 사업자가 제출한 보고서에 대하여 한국가스안전공사에서 우선 심사한 후, 안전보건공단에서는 한국가스안전공사의 심사결과를 참조하여 심사하는 방법을 말한다.

11. "동시심사"란 공동심사의 방법으로서, 사업자가 제출한 보고서에 대하여 한국가스안공사와 안전보건공단이 동시에 심사를 하는 방법을 말한다.

12. "위험도기반검사기법(RBI : Risk Based Inspection)"이란 압력용기의 파손확률(LOF : Likelyhood Of Failure)과 피해정도(COF : Consequence Of Failure)을 체계적으로 종합하여 위험성을 분석함으로써 압력용기에 대한 검사 및 교체시기에 대한 우선순위를 결정하는 기법을 말한다.

13. "파손확률"이란 연간 압력용기에서 대형 누출 사고가 발생할 확률을 말하며, 파손확률은 6가지 요인(설비인자, 손상인자, 검사인자, 공정인자, 상태인자, 설계인자)을 평가하여 선정한다.

14. "파손피해"란 파손이 발생한 압력용기로 인한 피해(인명피해, 설비파손)를 피해면적 및 피해액으로 산정한 것을 말한다.

2 ISO 탱크 컨테이너의 제조, 충전·운반, 저장·사용에 관한 기준

(산업통상자원부고시 제2016-244호)

1. "운용설비(Service Equipment)"란 탱크 컨테이너에 부속된 계측기구와 충전장치, 배출장치, 배기장치, 안전장치, 가압(加壓)장치, 냉각장치, 가열장치, 단열장치 및 배관 등을 말한다.

2. "탱크 컨테이너" 란 고압가스를 제조, 충전·운반, 저장·사용하기 위한 것으로서 내부탱크와 외피, 운용설비, 프레임 등으로 구성된 것을 말한다.

3. "탱크"란 내압을 받는 부분으로서 「고압가스 안전관리법」 제22조의2제1항에 따라 제정된 상세기준 KGS AC111, 미국기계학회(The American Society of Mechanical Engineers)의 보일러 및 압력용기 규격(Boiler and Pressure Vessel Code) SEC. Ⅷ (이하 "ASME"라 한다) 또는 유럽의 압력용기지침(PED; Pressure Equipment Directive)(이하 "PED"라 한다) 및 이 기준에 적합하게 제조된 것을 말한다.

4. "내부 탱크(Inner Tank)"란 가스를 저장하는 부분으로서 상세기준 KGS AC111, ASME 또는 PED 기준에 적합하게 제조된 것을 말한다.

5. "외피(Jacket)"란 단열장치의 일부분인 외부 단열 덮개(Cover)나 피복재(Cladding)를 말한다.

6. "프레임"이란 탱크에 가해지는 외부 충격 등을 보호하기 위하여 탱크 몸체에 용접 등의 방법으로 직접 고정시킨 것으로서 「컨테이너 안전에 관한 국제협약(CSC; International Convention for Safe Containers)」에 적합하게 제조된 것을 말한다.

7. "최고허용사용압력(MAWP; Maximum Allowable Working Pressure)" 이란 사용 중인 충전된 탱크의 최상부에 허용되는 실질적인 최고 게이지 압력(충전 시의 최고유효압력을 포함한다)을 말한다.

8. "내압시험압력"이란 설계압력의 1.3배의 압력을 말한다.

9. "압력유지기간(Holding Time)"이란 초기 충전상태에서의 압력이 외부의 열 유입으로 인하여 안전밸브의 최저설정압력에 도달할 때 까지 경과하는 시간을 말한다.

3 가스·분말자동소화장치의 형식승인 및 제품검사의 기술기준

(소방청고시 제2017-13호)

1. "감지부"란 화재시 발생하는 열이나 연기 또는 불꽃 등을 감지하는 것을 말한다.

2. "제어부"란 감지부의 화재신호를 수신하여 경보를 발하고 작동장치에 신호를 보내는 장치를 말한다.

3. "작동장치"란 제어부 또는 감지부의 작동에 의하여 소화약제를 방출시키는 장치를 말한다.

4. "소화농도"란 규정된 실험조건의 화재를 소화하는데 필요한 가스소화약제의 농도를 말한다.

5. "소화밀도"란 규정된 실험조건의 화재를 소화하는데 필요한 분말소화약제의 밀도를 말한다.

6. "안전계수"란 설계밀도 또는 설계농도를 결정하기 위한 안전율을

말한다.

7. "설계농도"란 방호구역의 가스소화약제량을 산출하기 위한 농도로서 소화농도에 안전율을 고려하여 설정한 농도를 말한다.

8. "설계밀도"란 방호구역의 분말 소화약제량을 산출하기 위한 농도로서 소화밀도에 안전율을 고려하여 설정한 밀도를 말한다.

9. "소화등급"이란 소화등급시험에 따라 1등급에서 5등급으로 분류되는 것을 말한다.

10. "단독형 자동소화장치"라 함은 다른 소화장치와 연동하지 않고 자동소화장치 1개만 단독으로 사용되는 자동소화장치를 말한다.

11. "일체형 자동소화장치"라 함은 2개 이상의 자동소화장치가 연동되어 있는 구조로 용기와 용기간 방출구와 방출구간의 거리가 고정되어 있어 조정이 불가한 구조의 자동소화장치를 말한다.

12. "분리형 자동소화장치"라 함은 2개 이상의 자동소화장치를 연동하여 사용하는 구조로 용기와 용기간 방출구와 방출구간의 거리를 승인 받은 거리내에서 수직 또는 수평방향으로 조정이 가능한 구조의 자동소화장치를 말한다.

4. 가스관선택밸브의 형식승인 및 제품검사의 기술기준

(소방청고시 제2020-23호)

1. "접합부"란 선택밸브에서 배관연결·결합 또는 접합시키는 기능을 가진 부위를 말한다.

2. "피스톤릴리스"란 실린더에 공급된 기동용가스가 일정압력에 도달하면 피스톤을 작동시켜 일시적으로 방출되는 구조의 기계적 장치를 말한다.

3. "솔레노이드식 작동장치"란 전자석의 자력을 이용하여 밸브시트를 여는 전기적 장치를 말한다.

4. "모터식 작동장치"란 전기 모터의 구동력을 이용하여 밸브시트를 여는 장치를 말한다.

5. "사용압력 범위"란 해당 선택밸브가 사용되는 소화설비의 작동시, 소화약제 저장용기에서 배관설비에 가해지는 조정압력범위를 말한다.

6. "가스계소화설비"란 이산화탄소, 할로겐화합물 등의 가스계소화약제를 이용하여 화재를 진화하는 소화설비를 말한다.

7. "분말소화설비"란 분말소화약제를 이용하여 화재를 진화하는 소화설비를 말한다.

가스누설경보기의 형식승인 및 제품검사의 기술기준

(소방청고시 제2019-45호)

1. "경보기구"란 자동화재탐지설비, 비상경보설비의 축전지, 화재속보설비, 누전경보기, 가스누설경보기 등 화재의 발생 또는 화재의 발생이 예상되는 상황에 대하여 경보를 발하여 주는 설비를 말한다.

2. "가스누설경보기"란 가스시설이 설치된 장소에서 액화석유가스(LPG), 액화천연가스(LNG), 일산화탄소 또는 기타 가스(이소부탄, 메탄, 수소)를 탐지하여 경보하는 것을 말한다. 다만, 탐지소자 외의 방법에 의하여 가스가 새는 것을 탐지하는 것, 점검용으로 만들어진 휴대용검지기 또는 연동기기에 의하여 경보를 발하는 것은 제외한다.

3. "방폭형"이란 폭발성가스가 용기내부에서 폭발하였을 때 용기가 그 압력에 견디거나 또는 외부의 폭발성가스에 인화될 우려가 없도록 만들어진 형태의 제품을 말한다.

4. "방수형"이란 그 구조가 방수구조로 되어 있는 것을 말한다.

5. "탐지부"란 가스누설경보기 중 가스누설을 검지하여 중계기 또는 수신부에 가스누설의 신호를 발신하는 부분 또는 가스누설을 검지하여 이를 음향으로 경보하고 동시에 중계기 또는 수신부에 가스누설의 신호를 발신하는 부분을 말한다.

6. "수신부"란 경보기 중 탐지부에서 발하여진 가스누설신호를 직접 또는 중계기를 통하여 수신하고 이를 관계자에게 음향으로서 경보하여 주는 것을 말한다.

7. "지구경보부"란 경보기의 수신부로부터 발하여진 신호를 받아 경보음을 발하는 것으로서 경보기에 추가로 부착하여 사용되는 부분을 말한다.

8. "부속장치"란 경보기에 연결하여 사용되는 환풍기 또는 지구경보부 등에 작동신호원을 공급시켜 주기 위하여 경보기에 부수적으로 설치되어진 장치를 말한다.

9. "분리형"이란 탐지부와 수신부가 분리되어 있는 형태의 경보기를 말한다.

10. "단독형"이란 탐지부와 수신부가 1개의 상자에 넣어 일체로 되

어있는 형태의 경보기를 말한다.

11. "중계기"란 감지기 또는 발신기의 작동에 의한 신호 또는 탐지부에서 발하여진 가스누설신호를 받아 이를 수신기 또는 수신부에 발신하여, 소화설비·제연설비 그밖에 이와 유사한 방재설비에 제어 또는 누설신호를 발신 또는 신호증폭을 하여 발신하는 설비를 말한다.

6 가스미터 기술기준

(산업통상자원부고시 제2019-33호)

■ 가스미터와 그 구성요소

1. "가스미터(gas meter)"란 작동 중 공급센서를 통과하는 가스의 양을 측정, 기억, 표시하는 장치를 말한다.

2. "측정량(measurand)"이란 측정의 대상이 되는 특정한 양을 말한다.

3. "센서(sensor)"란 가스미터나 측정 기구(measuring chain)에서 측정량에 직접적으로 연관된 부분을 말한다.

4. "측정 변환기(measuring transducer)"란 입력량에 따라 측정되어 출력량을 결정하는 장치를 말한다.

5. "기계적 출력 시 정수(상수)(mechanical output constant)"란 기계식 가스미터에서 축의 1회전 시 생산되는 에너지의 양을 말한다. 검사 요소의 1회전 시 발생되는 에너지의 양에 내부 표시기가 축에 전송하는 전송량을 곱한 것을 말한다. 이 기계식 출력

은 보조장치를 작동하는 데 사용된다.

6. "연산부(calculator)"란 가스미터 내의 한 부분으로써, 측정 변환기와 기타 관련 가스미터에서 출력 신호를 받은 뒤 연산하는 부분을 말한다. 연산부는 사용되기 전까지 메모리에 결과를 저장하고, 추가 기능으로 보조 장치와의 통신으로 입·출력을 나타낸다.

7. "지시장치(indicating device)"란 가스미터의 측정결과를 표시하는 부분을 말한다. 연속적으로 표시하는 방식과 요구 시에만 표시하는 방식이 있다.

8. "조정장치(adjustment device)"란 가스미터 내에 부착되어 성능 곡선이 최대허용오차 내에 놓이도록 조정하는 장치를 말한다.

9. "보정장치(correction device)"란 유량, 레이놀즈수(곡선 선형화), 압력, 온도 등의 영향으로 발생된 오차를 보정하는 장치를 말한다.

10. "부가장치(ancillary device)"란 특정한 기능을 수행하기 위해 측정 결과의 보정, 전송 및 표시에 관련되어 고안된 장치를 말하며, 주요 부가장치로는 순환 지시장치, 인쇄장치, 기억장치, 통신장치, 온도.압력 환산장치 등이 있다.

11. "관련 가스미터(연결된 측정 기구)(associated measuring instrument)"란 연산부에 연결된 미터와 가스 내의 특정 성분을 보정하고 표시하는 미터(기구)를 말한다.

12. "피 시험장치(EUT: equipment under test)"란 시험 중 표시되는 관련 장치 또는 가스미터를 말한다.

13. "가스미터 군(family of meters)"이란 서로 다른 크기 또는 다른 유량을 갖고 있지만(동시 충족 가능), 동일한 제작업자, 측정 부품의 기하학적 유사성, 동일한 측정원리, 동일한 정확도 등급 등 같은 성질을 가지는 미터 집단을 말한다.

■ 계량 특성(metrological characteristics)

1. "가스 양(quantity of gas)"이란 시간당 흘러간 가스를 합한 양을 말하며, 소요된 시간에 관계없이 부피(V), 질량(m), 에너지(E)로 표시한 것이 측정량(measurand)이다.

2. "지시 값(indicated value)"이란 가스미터에 의해 지시된 값을 말한다.

3. "가스미터의 주기체적(cyclic volume)"이란 가스미터 내부의 움직이는 부분이 한 차례 완전 1회전(작업 사이클)을 했을 때의 가스 양을 말한다(체적식 가스미터에만 해당).

4. "참값(true value)"이란 주어진 특정량의 정의와 일치하는 값을 말한다.

5. "협정 참값(conventional true value)"이란 어떤 특정량에 부여된 값으로서, 주어진 목적에 적합한 불확도를 가지는 것으로(때로는 협약에 의하여) 인정된 값을 말한다.

6. "절대오차(absolute error)"란 지시 값에서 참값을 뺀 양의 값을 말한다.

7. "상대오차 또는 오차(relative error or error)"란 측정오차를 측정량의 참값으로 나눈 값을 말하며, 이 값은 백분율로 표기하여 다음과 같이 계산한다.

$$e = \frac{\left(Y_i - Y_{ref}\right)}{Y_{ref}} \times 100 \ \%$$

여기서, Y_i : 지시 값, Y_{ref} : 협정 참값

8. "가중평균오차(WME: weighted mean error)"란 측정조건의 설정에서 가스미터의 측정 값에 조정 및 최대허용오차의 허용범위 내에서 가중평균 오차 값(WME : weighted mean error)을 거의 영이 되도록 조정하여 산출한 값을 말하며, 가중평균 오차 값

은 다음과 같이 산출한다.

$$WME = \frac{\sum_{i=1}^{n}(Q_i/Q_{\max}) \times E_i}{\sum_{i=1}^{n}(Q_i/Q_{\max})}$$

여기서, $Q_i/Q_{\max}$: 가중 값, E_i : 유량 Q_i에서의 오차 (%)

9. "고유오차(intrinsic error)"란 기준조건(reference conditions)에서 결정되는 가스미터의 오차를 말한다.

10. "결함(fault)($\varDelta e$)"이란 가스미터의 지시오차와 고유오차와의 차를 말하며, 실제 상황에서 이 값은 기준조건에서 시험 중, 또는 시험 후의 오차와 시험 전 오차와의 차이를 말한다.

11. "최대허용오차(MPE: maximum permissible error)"란 이 기준에서 오차로 허용된 최대값을 말한다.

12. "정확도 등급(accuracy class)"이란 오차를 지정된 한계 안에 유지하기 위한 일정한 측정학적 요건을 만족하는 가스미터의 등급을 말한다.

13. "내구성 (durability)"이란 사용기간 동안 성능 특성을 유지하기 위한 가스미터의 능력을 말한다.

14. "작동조건(operating conditions)"이란 가스의 양이 측정되는 상황에서의 가스의 조건(온도, 압력, 가스의 구성)을 말한다.

15. "정격 작동조건(rated operating conditions)"이란 계량 특성이 규정된 최대허용오차 내에 있도록 의도된 영향량 값의 범위를 주는 사용조건을 말한다.

16. "기준조건(reference conditions)"이란 측정 결과 값의 타당한 상호비교를 보증하기 위해 설정된 일련의 영향인자의 규정 값을 말한다.

17. "기본조건(base condition)"이란 측정된 가스 체적이 변환되는 조건(예: 기준온도 및 기준압력)을 말하며, 작동조건과 기본조건은 측정되거나 단지 지시되는 가스의 체적에만 관련이 있으므로 양의 변화에 관련된 정격 작동조건(rated operating condition) 및 기준조건(reference condition)과 혼동되어서는 안 된다.

18. "지시장치의 시험요소(test element of an indicating device)"란 측정된 가스량을 정확하게 읽을 수 있는 장치를 말한다.

19. "(지시장치의) 분해능(resolution)"이란 구분될 수 있는 지시장치의 지시 값들 사이의 최소 편차를 말한다.

20. "드리프트(drift)"란 가스미터의 계량 특성에 나타나는 느린 변화를 말한다.

■ 작동조건 (operating conditions)

1. "유량(flowrate, Q)"이란 가스미터를 통과하는 가스의 실제량과 그 시간의 비율(quotient)을 말한다.

2. "최대유량(maximum flowrate, Q_{max})"이란 정격 작동조건에서 최대허용오차 범위 내에서 동작 될 수 가장 높은 유량을 말한다.

3. "최소유량(minimum flowrate, Q_{min})"이란 정격 작동조건에서 최대허용오차 범위 내에서 동작 될 수 있는 가장 낮은 유량을 말한다.

4. "전이유량(transitional flowrate, Q_t)"이란 최대유량과 최소유량 사이의 유량을 말하며, 유량 범위를 "상한구역(upper zone)"과 "하한구역(lower zone)" 두 개로 나누고, 각 구역 범위에서 최대허용오차를 갖는다.

5. "작동온도(working temperature, t_w)"란 가스미터에서 측정되는

가스의 온도를 말한다.

6. "최대·최소 작동온도(maximum and minimum working temperatures, t_{min}, t_{max})"란 정격 작동조건에서 가스미터가 계량적 성능 저하 없이 수용할 수 있는 최대·최소 가스 온도를 말한다.

7. "작동압력(working pressure, p_w)"이란 가스미터에서 측정되는 가스의 게이지 압력(gauge pressure)을 말하며, 게이지 압력은 가스의 절대압력(absolute pressure)과 대기압력(atmospheric pressure)의 차이를 말한다.

8. "최대·최소 작동압력(maximum and minimum working pressure, p_{min}, p_{max})"이란 정격 작동조건에서 가스미터가 측정학적 성능 저하 없이 수용할 수 있는 최대·최소 내부 게이지 압력을 말한다.

9. "정압손실(static pressure loss) 또는 압력차(pressure differential, ΔP)"란 가스 공급 시 가스미터 입구와 출구 사이에서 압력의 평균 차(mean difference)를 말한다.

10. "작동밀도(working density, ρ_w)"란 t_w와 p_w에 해당하는 가스미터를 통과하는 가스의 밀도를 말한다.

■ 검사 조건 (test conditions)

1. "영향량(influence quantity)"이란 측정량에 해당하지는 않으나 측정 결과에 영향을 주는 양을 말한다.

2. "영향요소(influence factor)"란 이 기준에서 명시된 가스미터의 정격 작동조건 내에서의 영향량을 말한다.

3. "교란(disturbance)"이란 이 기준에서 규정한 영향량의 한계 값

을 말하며, 가스미터의 규정된 정격 작동조건을 벗어난다. 정격 작동조건이 아니라는 조건이 주어지면 영향량은 곧 교란이 된다

4. "과부하조건(overload conditions)"이란 유량, 온도, 압력, 습도, 전자기 방해 등 가스미터가 손상 없이 견딜 수 있어야 하는 극한 조건을 말하며, 가스미터가 지속적으로 정격 작동조건 하에서 작동된다면 최대허용오차 한도 안의 결과를 낼 수 있어야 한다.

5. "시험(test)"이란 피 시험장치(EUT)가 특정 기준조건에 적합한지를 검증하는 일련의 과정을 말한다.

6. "시험절차(test procedure)"란 시험의 과정에 대한 세부 절차를 말한다.

7. "시험과정(test program)"이란 특정 형식의 미터에 이뤄지는 일련의 시험 과정을 말한다.

8. "성능시험(performance test)"이란 피 시험장치(EUT)가 의도된 기능을 수행하는지의 여부를 검증하는 시험을 말한다.

■ 전자장치 (electronic equipment)

1. "전자 가스미터(electronic gas meter)"란 전자장치를 갖는 가스미터를 말하며, 이 기준의 목적상 가스미터 내의 보조장치는 계량적 영향을 받으면 가스미터의 일부분으로 간주된다. 보조장치가 독립적으로 형식승인·검정을 받은 경우는 제외한다.

2. "전자장치(elecronic device)"란 가스미터의 특정기능을 수행하기 위한 전자장치를 말하며, 전자장치가 있는 가스미터는 각각 분리하여 개별적으로 시험 할 수 있다.

3. "전자장치가 부착된 분리형 가스미터(elecronic sub-assembly)"란 독립적인 기능을 가지거나 전자부품을 포함하는 전자장치의 일부분을 말한다.

4. "전자부품(electronic component)"이란 미세한 전자부품(entity)
   으로서 반도체에서 전자의 전도 작용을 이용하거나 가스 혹은 진
   공상태 내에서 전자 또는 이온소자의 전도 작용을 이용한다.

■ 가스부피환산장치 (gas-volume conversion device)
   측정조건에서 작동되어질 경우 가스미터에 의해 계량되어질 때의
   측정조건에서의 입력된 부피와 가스온도, 가스압력 등과 같은 다
   른 파라미터를 사용하여 가스미터에 의해 계량된 부피의 증분(增
   分, increments)을 컴퓨터로 계산하고 적분하여 지시하는 장치
   를 말한다. 환산장치는 가스미터의 오차곡선 뿐만 아니라 연동하
   여 측정하는 변환기의 오차를 보정할 수 있으며, 이상기체법칙과
   의 편차는 압축인자로 보정할 수 있다.

1. "제1형식 가스부피 환산장치(완성형)[gas-volume conversion
   device type 1, (complete system)]"란 '온도 및 압력' 또는
   '온도'의 규정된 형식의 변환기로 구성된 환산장치를 말한다.

2. "연산부의 오차(error of the calculator unit)"란 장치의 제조
   자가 규정한 시방(specification)에 따라 압력과 온도가 신호에
   의해 가스 부피가 시뮬레이트 될 때 장치에 지시되는 기본조건에
   서의 부피의 오차를 말한다. 연산부의 오차는 온도 및 압력변환
   기의 오차를 제외한 모든 환산 오차를 포함한다(즉, 신호처리과
   정, 압축인자 계산(적용되는 경우) 및 기타 수식 계산에서 발생하
   는 오차 등).

3. "압력변환기의 오차(error of the pressure transducer)"란 압
   력변환기로부터 측정된 출력신호와 적용된 물리적 값에서의 명목
   신호(nominal signal)와의 차이를 말한다.

4. "온도변환기의 오차(error of the temperature transducer)"란

온도변환기로부터 측정된 출력신호와 적용된 물리적 값에서의 명목신호와의 차이를 말한다.

액화석유가스 배관망공급사업 등에 관한 운영요령

(산업통상자원부고시 제2020-197호)

1. "저장탱크"란 액화석유가스를 저장하기 위하여 지상 또는 지하에 고정 설치된 탱크(선박에 고정 설치된 탱크를 포함한다)로서 그 저장능력이 3톤 이상인 탱크를 말한다.

2. "소형저장탱크"란 액화석유가스를 저장하기 위하여 지상 또는 지하에 고정 설치된 탱크로서 그 저장능력이 3톤 미만인 탱크를 말한다.

3. "배관망사업"이란 액화석유가스의 안전성과 편리성 향상을 위하여 「도시가스사업법」 제2조제1호에 따른 도시가스가 공급되지 아니하는 지역에 액화석유가스 소형저장탱크 또는 저장탱크와 배관망을 설치하는 사업을 말한다. 배관망사업에는 다음 각 목의 사업을 포함한다.

   가. "마을단위 LPG배관망구축사업"이란 도시가스가 공급되지 아니하는 지역(150세대 미만의 밀집된 세대가 모여 있는 지역)에 소형저장탱크와 배관망을 설치하는 사업

   나. "중규모 LPG배관망구축사업"이란 도시가스가 공급되지 아니하는 지역(150세대 이상 1,000세대 미만의 밀집된 세대가 모여 있는 지역)에 액화석유가스 소형저장탱크 또는 저장탱크와 배관망을 설치하는 사업. 다만, 마을단위와 군단위는 제외한다.

다. "군단위 LPG배관망구축사업"이란 도시가스가 공급되지 아니하는 「지방자치법」 제2조제1항제2호에 따른 군단위 지역 (1,000세대 이상 8,000세대 미만의 밀집된 세대가 모여 있는 지역)에 액화석유가스 소형저장탱크 또는 저장탱크와 배관망을 설치하는 사업

라. 그 밖에 도시가스가 공급되지 아니하는 지역에 액화석유가스 소형저장탱크 또는 저장탱크와 배관망 등을 설치하는 사업으로 산업통상자원부장관이 정하는 사업

4. "사회복지시설 지원사업"이란 「사회복지사업법」 제2조제4호에 따른 사회복지시설에 액화석유가스 소형저장탱크를 설치하는 사업을 말한다.

5. "원격검침시스템 지원사업"이란 통신 회선을 이용하여 원격지 계측기의 값을 무선으로 수집하고 분석하는 시스템을 보급하는 사업을 말한다.

6. "사업자단체"란 법 제50조에 따른 사업자단체를 말한다.

7. "사전기획"이란 에너지 관련 기관, 액화석유가스 수입사, 사업자단체, 지방자치단체, 교육청, 산업체, 학계, 연구소 등 관련 국내·외 기관, 기업, 또는 단체 등을 대상으로 해당 사업의 발굴, 기획에 필요한 수요조사 및 협의 등 사업발굴에 필요한 제반활동을 말한다.

8. "사업타당성조사"란 사전기획을 통해 발굴된 후보사업을 대상으로 사업추진 여건 확인, 기초자료 수집 및 사업추진 여부와 방식 결정에 필요한 제반사항 확인을 위하여 실시하는 상세기획 활동을 말한다.

9. "주관기관"이란 「보조금 관리에 관한 법률」 제2조에 따라 보조사업을 주관하여 수행하는 보조사업자로서 지방자치단체, 기관, 기업 또는 단체를 말한다.

10. "지원기관"이란 법 시행령 제19조의2에 따라 장관이 배관망사업을 지원하기 위하여 지정한 기관 또는 단체를 말한다.

11. "참여기관"이란 주관기관과 공동으로 사업을 수행하는 기관으로 기관, 기업 또는 단체를 말한다.

12. "전문기관"이란 사업의 추진에 필요한 사전기획, 정산, 사후관리 등을 수행하는 기관, 기업 또는 단체를 말한다.

13. "수행기관"이란 주관기관과 참여기관을 말한다.

14. "사업자"란 사업 추진에 따라 선정되는 다음 각목의 사업자인 기업, 기관, 단체 또는 개인을 말한다.
    가. 액화석유가스 소형저장탱크 또는 저장탱크에 액화석유가스를 공급하는 액화석유가스 집단공급사업자 액화석유가스 충전사업자 또는 액화석유가스 판매사업자 등 공급사업자
    나. 액화석유가스 소형저장탱크 또는 저장탱크와 배관망 등 관련 가스공급시설을 설치하는 시공사업자
    다. 시설 시공을 위한 설계자 또는 감리자
    라. 기타 사업에 필요한 용역, 물품구매를 위해 선정되는 사업자

15. "사용자"란 해당 사업에 따라 설치된 시설을 이용하여 액화석유가스를 공급받아 사용하는 자를 말한다.

16. "수행기간"이란 사업 시작일로부터 사업 종료일까지의 사업 수행 전체기간을 말한다. 다만, 사업 중단 등으로 인해 사업 수행이 정상적으로 완료되지 못한 경우는 그 기간을 제외한다.

17. "사후관리"란 사업 종료 후 일정 기간 동안 완료사업의 시설 유지·보수 및 관리, 안전관리, 만족도조사, 성과분석 등을 실시하는 것을 말한다.

18. "사업비"란 사업을 수행하는데 소요되는 비용으로, 국고보조금, 지방비, 민간부담금으로 구성되며, "총사업비"는 수행기간 동안

소요되는 국고보조금, 지방비, 민간부담금의 합계를 말한다.

19. "국고보조금"(또는 "보조금")이란 사업의 목적을 달성하기 위하여 국가 예산이나 기금 등에서 수행기관 등에게 교부하는 보조금을 말한다.

20. "지방비"란 지방자치단체가 지방 예산 등으로 부담하는 비용을 말한다.

21. "민간부담금"이란 민간인 주관기관이나 사업자, 사용자 등이 현금과 현물로 부담하는 비용을 말한다.

22. "보조금시스템"이란 보조금법 제26조의2에 따라 구축된 보조금 통합관리망을 말한다.

23. "지원대상"이란 해당 사업에 따라 지원을 받게 되는 지역이나 시설 등을 말한다.

24. "계속사업"이란 수행기간이 1년을 초과하는 사업 중 연차 평가 등을 통해 계속 수행하기로 확정된 사업을 말한다.

25. "문제사업"이란 평가 결과가 중단 또는 불성실수행인 사업, 규정 위반 또는 계약 위배 등의 사유에 해당하는 사업을 말한다.

8 액화석유가스 비축의무자의 의무이행에 관한 고시

(산업통상자원부고시 제2017-46호)

1. "액화석유가스 비축의무자"는 법 제20조에 따라 액화석유가스(프로판 및 부탄)를 수입하는 액화석유가스 수출입업자를 말한다.

액화석유가스의 안전관리 및 사업법 제20조(액화석유가스 비축의무)

① 액화석유가스 수출입업자는 액화석유가스의 수급과 가격의 안
  정을 위하여 대통령령으로 정하는 바에 따라 액화석유가스를
  비축하여야 한다.
② 액화석유가스 수출입업자는 시설기준 등 대통령령으로 정하
  는 요건을 갖춘 자에게 제1항에 따른 액화석유가스 비축의
  무를 대행하게 할 수 있다.

시행령 제11조(액화석유가스 비축의무량)

① 법 제20조제1항에 따라 액화석유가스 수출입업자가 비축
  하여야 하는 액화석유가스의 양은 연간 내수판매량의 일평
  균 판매량의 60일분의 범위에서 산업통상자원부장관이 정
  하여 고시하는 양("액화석유가스 비축의무량")으로 한다. 이
  경우 액화석유가스 비축의무량 중 액화석유가스 수출입업자
  가 정상적인 영업을 위하여 통상적으로 보유한다고 인정되
  는 양을 함께 고시하여야 한다.

시행령 제12조(액화석유가스 비축의무의 이행방법 등)

② 제1항에 따른 평균재고량은 다음 어느 하나의 시설 또는
  선박 내에 있는 물량(통관되지 아니한 물량을 포함한다)을
  합산하여 계산한다.
  1. 공장, 수입기지의 저장탱크(지하저장시설을 포함한다)
  2. 저유소(위탁저유소를 포함한다)
  3. 가스배관 부속 저장시설(가스배관으로 이송 중인 물량을
    포함한다)
  4. 국내의 전용항구에서 하역 중이거나 하역대기 중인 액화
    석유가스 운반선
  5. 해상구축물(12개월 이상 액화석유가스를 저장할 목적으
    로 해상에 설치한 액화석유가스 저장시설을 말한다)
  6. 연안선박

2. 액화석유가스 수출입업자가 비축하여야 하는 것은 프로판 및 부탄을 말한다.

3. "연간내수판매량"은 영 제11조제2항 및 규칙 제29조제1항에 따라 액화석유가스 비축의무자가 규칙[별표 11]에 따라 산정한 양을 말한다.

액화천연가스의 인수기지 및 액화천연가스저장탱크 정밀안전진단의 절차·방법 등 고시

(산업통상자원부고시 제2019-226호)

1. "정밀안전진단"이라 함은 가스사고를 예방하기 위하여 장비와 기술을 이용하여 잠재된 위험요소와 원인을 찾아내고 적절한 조치방안 등을 제시하는 것을 말한다.

2. "자료수집 및 분석"이라 함은 안전관리 상태를 서류, 기록 및 자료를 통해 확인 및 분석하고, 안전관리에 위해요소가 없는지 확인하는 것을 말한다.

3. "현장조사"라 함은 위험요소를 전문기술 및 직접 장비를 이용하여 찾아내고 진단하는 것을 말한다.

4. "정밀안전진단기관"이라 함은 「고압가스 안전관리법」제28조에 따른 한국가스안전공사를 말한다.

5. "액화천연가스의인수기지관리주체 또는 액화천연가스저장탱크관리주체('시설관리주체')"라 함은 법 제2조제3호에 따른 가스도매사업자와 법 제39조의2제1항에 따른 도시가스사업자 외의 가스

공급시설설치자를 말한다.

6. "레이저메탄가스디텍터 등 가스누출 정밀 감시장비"라 함은 최대 150m의 거리에서 300ppm·m의 메탄가스를 0.2초 이내에 검출해 낼 수 있으며, 진단 기간 동안 가스 누출여부를 자동으로 상시 감시할 수 있는 장비를 말한다.

10 사업장 위험성평가에 관한 지침

(고용노동부고시 제2020-53호)

1. "위험성평가"란 유해·위험요인을 파악하고 해당 유해·위험요인에 의한 부상 또는 질병의 발생 가능성(빈도)과 중대성(강도)을 추정·결정하고 감소대책을 수립하여 실행하는 일련의 과정을 말한다.

2. "유해·위험요인"이란 유해·위험을 일으킬 잠재적 가능성이 있는 것의 고유한 특징이나 속성을 말한다.

3. "유해·위험요인 파악"이란 유해요인과 위험요인을 찾아내는 과정을 말한다.

4. "위험성"이란 유해·위험요인이 부상 또는 질병으로 이어질 수 있는 가능성(빈도)과 중대성(강도)을 조합한 것을 의미한다.

5. "위험성 추정"이란 유해·위험요인별로 부상 또는 질병으로 이어질 수 있는 가능성과 중대성의 크기를 각각 추정하여 위험성의 크기를 산출하는 것을 말한다.

6. "위험성 결정"이란 유해·위험요인별로 추정한 위험성의 크기가 허

용 가능한 범위인지 여부를 판단하는 것을 말한다.

7. "위험성 감소대책 수립 및 실행"이란 위험성 결정 결과 허용 불
가능한 위험성을 합리적으로 실천 가능한 범위에서 가능한 한 낮
은 수준으로 감소시키기 위한 대책을 수립하고 실행하는 것을 말
한다.

8. "기록"이란 사업장에서 위험성평가 활동을 수행한 근거와 그 결
과를 문서로 작성하여 보존하는 것을 말한다.

11 고효율에너지기자재 보급촉진에 관한 규정

(산업통상자원부고시 제2020-10호)

1. "고효율에너지인증대상기자재"란 에너지이용의 효율성이 높아 보
급을 촉진할 필요가 있는 에너지사용기자재를 말한다.

> **고효율에너지인증대상기자재 및 적용범위 [별표 1]**
>
> 1. 산업.건물용 가스보일러
>   발생열매구분에 따라 증기보일러는 정격용량 20T/h 이하,
>   최고사용압력 0.98MPa{10.0 kg/㎠} 이하의 것 또한 온수보
>   일러는 2,000,000 kcal/h 이하 최고사용압력 0.98MPa{10.0 kg
>   /㎠} 이하의 것으로 연료는 가스를 사용하는 것.
>
> 2. 펌프
>   토출구경의 호칭지름이 2,200mm 이하인 터보형 펌프
>
> 3. 스크류 냉동기

응축기, 부속냉매배관 및 제어장치 등으로 냉동 사이클을 구성하는 스크류 냉동기로서 KS B 6275에 따라 측정한 냉동능력이 1,512,000 ㎉/h{1,758.1 ㎾, 500USRT} 이하인 것

4. 무정전전원장치
① 단상 : 단상 50 kVA이하는 KS C 4310 규정에서 정한 교류 무정전전원장치 중 온라인 방식인 것으로 부하감소에 따라 인버터 작동이 정지되는 것
② 삼상 : 삼상 300 kVA이하는 KS C 4310 규정에서 정한 교류 무정전전원장치 중 온라인 방식인 것. 단, 부하감소에 따라 인버터 작동이 정지되지 않아도 됨

5. 인버터
전동기 부하조건에 따라 가변속 운전이 가능하여 에너지를 절감하기 위한 인버터로 최대용량 220 ㎾ 이하의 것

6. 직화흡수식 냉온수기
가스, 기름을 연소하여 냉수 및 온수를 발생시키는 직화흡수식 냉온수기로서 정격난방능력 2,466 ㎾ (2,121,000 ㎉/h), 정격냉방능력 2,813 ㎾ (800 USRT) 이하의 것

7. 원심식 송풍기
압력비가 1.3 이하 또는 송출압력이 30kPa 이하인 직동·직결 및 벨트 구동의 원심식 송풍기(이하, 송풍기 또는 팬이라 한다)로서, 그 크기는 임펠러의 깃 바깥지름이 160mm에서 1,800mm까지에 적용하며, 건축물과 일반공장의 급기·배기·환기 및 공기조화용 등으로 사용하는 것

8. 터보압축기
압력비가 1.3 초과 또는 송출압력이 30 kPa를 초과하는 전동기 구동방식의 터보형압축기

9. LED 유도등
LED(Light Emitting Diode)를 광원으로 사용하는 유도등

10. 항온항습기
항온항습기 중 정격냉방능력이 6kW{5160kcal/h} 이상 35k

W{30100kcal/h} 이하인 것

11. 고기밀성단열문
건축물 중 외기와 접하는 곳에 사용되는 문으로서 KS F 2297 규정에 의한 열관류율이 1.2W/(㎡.K)이하이며, 기밀성 등급의 통기량이 1 등급(1 ㎥/h·㎡) 이하인 것

12. 가스히트펌프
도시가스 또는 액화석유가스를 연료로 사용하는 가스 엔진에 의해서 증기 압축 냉동 사이클의 압축기를 구동하는 히트 펌프식 냉·난방 기기이며, 실외기 기준 정격 냉방 능력이 23 kW 이상인 것

13. 전력저장장치(ESS)
전지협회의 배터리에너지저장장치용 이차전지 인증을 취득한 '이차전지'를 이용하고, 스마트그리드협회 표준 'SPS-SGSF-025-4 전기저장 시스템용 전력변환장치의 성능시험 요구사항'에 따른 안전성능시험을 완료한 PCS(Power conditioning system)로 제작한 전력저장장치. 단, 절연변압기는 포함하지 않음. 이 기준에서 정한 전력저장장치의 정격 및 적용 범위는 정격 출력(kW)으로 연속하여 부하에 공급할 수 있는 시간은 2 시간 이상인 것

14. 최대수요전력 제어장치
최대수요전력제어에 시용되는 최대수요전력제어장치와 이와 함께 사용되는 주변 장치(전력량 인출 장치, 동기 접속 장치, 외부 릴레이 장치, 원격 제어 장치, 모니터링 소프트웨어)에 대하여 규정하며, 제어전원은 AC 110 V ~ 220 V 및 DC 110 V ~125 V를 포함하는 Free volt, 통신방식은 RS232C, RS485, 및 Ethernet 통신이 모두 가능해야 하고, 직접 제어하는 접점(10 A, 250 V)이 8 개 이상이고, 사용소비전력은 20 W 이하인 것

15. 문자간판용 LED 모듈
문자 간판에 사용되는 DC 50 V 이하의 LED 모듈(광원)

16. 냉방용 창유리필름

건축물의 창유리에 붙여 건물 냉방효과를 높이기 위한 태양열 차폐용 필름으로서 KS L 2514 규정에 의한 가시광선 투과율이 50% 이상이며, KS L 2514 규정에 의한 태양열 취득률이 0.5 이하인 것. 단, KS F 2274 의 WX-A 시험조건에서 500 시간 경과 후 KS A 0063 에서 정하는 색차에서 3 이상의 색 변화가 없는 것

17. 가스진공 온수보일러

보일러 내부가 진공상태를 유지하며 온수를 발생하는 보일러로서, 연료는 가스를 사용하며 정격난방용량 200 만 Kcal/Hr 이하, 급탕용량 200 만 Kcal/Hr 이하인 것

18. 중온수 흡수식 냉동기

중저온의 가열용 온수를 1 중 효용형의 가열원으로 사용하는 정격 냉동능력이 2,813 kW (800 USRT) 이하인 중온수 흡수식냉동기로 중온수 1 단 흡수식냉동기와 보조사이클을 추가한 중온수 2 단 흡수식냉동기를 포함

19. 전기자동차 충전장치

KS C IEC 61851-23 또는 KC 61851-23 에서 규정하는 전기자동차 전도성(Conductive) 직류 충전장치로서, 전기용품 및 생활용품 안전관리법에 따라 KC 인증을 득한 것

20. 등기구

① 실내용 LED등기구 : AC 220 V, 60 Hz에서 일체형 또는 내장형 광원으로 사용하는 등기구

② 실외용 LED등기구 : AC 220 V, 60 Hz에서 일체형 또는 내장형 광원으로 사용하는 등기구

③ PLS등기구 : 1000 V 이하의 ISM 대역의 마이크로파 에너지를 이용하는 700 W 또는 1000 W 등기구

④ 초정압방전램프용등기구 : AC 220 V, 60 Hz에서 사용하는 150W 이하의 등기구

⑤ 무전극 형광램프용 등기구 : AC 220 V, 60 Hz에서 사용하는 무전극 형광램프용 등기구

21. LED 램프
① 직관형 LED램프(컨버터외장형) : 램프전력이 22 W 이하이고 KC60061-1에 규정된 G13 캡과 KC20001에 규정된 D12 캡을 사용하는 직관형 LED램프(컨버터 외장형)와 이 램프를 구동시키는 LED컨버터를 포함
② 형광램프 대체형 LED 램프(컨버터내장형) : 이중 캡 및 단일 캡 형광램프를 대체하여 호환사용이 가능한 컨버터 내장형 LED램프(G13캡을 사용하는 형광램프 20W, 32W, 40W 대체형 LED램프, 2G11캡을 사용하는 형광램프 36W, 55W 대체형 LED램프)

22. 스마트 LED 조명시스템
스마트 LED 조명시스템은 LED 램프/등기구를 스마트 센서와 스마트제어장치를 통하여 다양한 기능의 제어를 할 수 있도록 하나의 시스템으로 구성되어야하며, 각 기능별 최소 1개 이상의 기능이 복합적으로 구현되어야 한다.

2. "고효율에너지기자재"란 고효율에너지인증대상기자재로서 이 규정에 따른 인증기준에 적합하여 한국에너지공단 이사장이 인증한 기자재를 말한다.

3. "고효율인증업자"란 고효율에너지기자재의 제조업자 또는 수입업자를 말한다.

4. "고효율시험기관"이란 고효율에너지인증대상기자재에 대하여 에너지효율을 측정할 수 있도록 산업통상자원부장관으로부터 지정받은 시험기관을 말한다.

5. "모델"이란 고효율에너지기자재를 구별하기 위하여 그 설계, 부품, 성능 등이 서로 다른 제품별로 각각의 고유한 명칭을 부여한 하나의 제품을 말한다.

6. "기본모델"이란 [별표 2]의 고효율에너지기자재 인증 기술기준 및 측정방법에 따른 전 항목 시험 후 인증을 득한 최초의 모델을

말한다.

7. "파생모델"이란 기본모델에서 일부 부품 등의 변경으로 인해 고효율에너지기자재 인증 기술기준 및 측정방법에 따라 인정된 추가 모델을 말한다.

12 온실가스 목표관리 운영 등에 관한 지침

(환경부고시 제2022-54호)

1. "검증"이란 온실가스 배출량의 산정이 이 지침에서 정하는 절차와 기준 등("검증기준")에 적합하게 이루어졌는지를 검토·확인하는 체계적이고 문서화된 일련의 활동을 말한다.

2. "검증기관"이란 검증을 전문적으로 할 수 있는 인적·물적 능력을 갖춘 기관으로서 환경부장관이 부문별 관장기관과의 협의를 거쳐 지정·고시하는 기관을 말한다.

3. "검증심사원"이란 검증 업무를 수행할 수 있는 능력을 갖춘 자로서 일정기간 해당분야 실무경력 등을 갖춘 사람을 말한다.

4. "검증심사원보"란 검증심사원이 되기 위해 일정한 자격을 갖추고 교육과정을 이수한 사람을 말한다.

5. "공정배출"이란 제품의 생산 공정에서 원료의 물리·화학적 반응 등에 따라 발생하는 온실가스의 배출을 말한다.

6. "관리업체"란 온실가스배출관리업체로 해당 연도 1월 1일을 기준으로 최근 3년간 업체의 모든 사업장에서 배출한 온실가스의 연

평균 총량이 5만 이산화탄소상당량톤(tCO2eq) 이상인 업체 또는 사업장에서 배출한 온실가스의 연평균 총량이 1만5천 이산화탄소상당량톤(tCO2eq) 이상인 사업장을 보유하고 있는 업체를 말한다.

7. "구분 소유자"란 「집합건물의 소유 및 관리에 관한 법률」 제1조 또는 제1조의2에 규정된 건물부분(「집합건물의 소유 및 관리에 관한 법률」 제3조제2항 및 제3항에 따라 공용부분(共用部分)으로 된 것은 제외한다)을 목적으로 하는 소유권을 가지는 자를 말한다.

8. "기준연도"란 온실가스 배출량 등의 관련정보를 비교하기 위해 지정한 과거의 특정기간에 해당하는 연도를 말한다.

9. "매개변수"란 두 개 이상 변수 사이의 상관관계를 나타내는 변수로 온실가스 배출량을 산정하는 데 필요한 활동자료, 배출계수, 발열량, 산화율, 탄소함량 등을 말한다.

10. "심사위원회"라 함은 법 제27조제5항 및 시행령 제23조제2항에 따라 관리업체가 제출한 비공개 신청서를 심사하여 공개 여부를 결정하기 위해 센터에 두는 온실가스정보공개심사위원회를 말한다.

11. "목표 설정"이란 부문별 관장기관이 이 지침에서 정한 원칙과 절차 등에 따라 관리업체와 협의하여 온실가스 감축에 관한 목표를 정하는 것을 말한다.

12. "배출계수"란 해당 배출시설의 단위 연료 사용량, 단위 제품 생산량, 단위 원료 사용량, 단위 폐기물 소각량 또는 처리량 등 단위 활동자료당 발생하는 온실가스 배출량을 나타내는 계수(係數)를 말한다.

13. "배출시설"이란 온실가스를 대기에 배출하는 시설물, 기계, 기구, 그 밖의 유형물로써 각각의 원료(부원료와 첨가제를 포함한다)나 연료가 투입되는 지점 및 전기·열(스팀)이 사용되는 지점부터의 해당 공정 전체를 말한다. 이때 해당 공정이란 연료 혹은 원료가

투입 또는 전기·열(스팀)이 사용되는 설비군을 말하며, 설비군은 동일한 목적을 가지고 동일한 연료·원료·전기·열(스팀)을 사용하여 유사한 역할 및 기능을 가지고 있는 설비들을 묶은 단위를 말한다.

14. "배출허용량"이란 연간 배출 가능한 온실가스의 양을 이산화탄소 무게로 환산하여 나타낸 것으로서 부문별, 업종별, 관리업체별로 구분하여 설정한 배출상한치를 말한다.

15. "배출활동"이란 온실가스를 배출하거나 에너지를 소비하는 일련의 활동을 말한다.

16. "법인"이란 민법상의 법인과 상법상의 회사를 말한다.

17. "벤치마크"란 온실가스 배출과 관련하여 제품생산량 등 단위 활동자료 당 온실가스 배출량(이하 "배출집약도"라 한다)의 실적·성과를 국내·외 동종 배출시설 또는 공정과 비교하는 것을 말한다.

18. "보고"란 관리업체가 법 제27조제3항 및 시행령 제21조에 따라 온실가스 배출량을 전자적 방식으로 부문별 관장기관에 제출하는 것을 말한다.

19. "불확도"란 온실가스 배출량의 산정결과와 관련하여 정량화된 양을 합리적으로 추정한 값의 분산특성을 나타내는 정도를 말한다.

20. "사업장"이란 동일한 법인, 공공기관 또는 개인(이하 "동일법인 등"이라 한다) 등이 지배적인 영향력을 가지고 재화의 생산, 서비스의 제공 등 일련의 활동을 행하는 일정한 경계를 가진 장소, 건물 및 부대시설 등을 말한다.

21. "산정"이란 법 제27조제3항 및 시행령 제21조에 따라 관리업체가 온실가스 배출량을 계산하거나 측정하여 이를 정량화하는 것을 말한다.

22. "산정등급(Tier)"이란 활동자료, 배출계수, 산화율, 전환율, 배출

량 및 온실가스 배출량의 산정방법의 복잡성을 나타내는 수준을
말한다.

23. "산화율"이란 단위 물질당 산화되는 물질량의 비율을 말한다.

24. "순발열량"이란 일정 단위의 연료가 완전 연소되어 생기는 열량
에서 연료 중 수증기의 잠열을 뺀 열량으로써 온실가스 배출량
산정에 활용되는 발열량을 말한다.

25. "업체"란 동일 법인 등이 지배적인 영향력을 미치는 모든 사업
장의 집단을 말한다.

26. "업체 내 사업장"이란 업체에 포함된 각각의 사업장을 말한다.

27. "에너지"란 연료(석유, 가스, 석탄 및 그밖에 열을 발생하는 열원
으로써 제품의 원료로 사용되는 것은 제외)·열 및 전기를 말한다.

28. "에너지 관리의 연계성(連繫性)"이란 연료, 열 또는 전기의 공급
점을 공유하고 있는 상태, 즉, 건물 등에 타인으로부터 공급된
에너지를 변환하지 않고 다른 건물 등에 공급하고 있는 상태를
말한다.

29. "연소배출"이란 연료 또는 물질을 연소함으로써 발생하는 온실가
스 배출을 말한다.

30. "연속측정방법(Continuous Emission Monitoring)"이란 일정
지점에 고정되어 배출가스 성분을 연속적으로 측정·분석할 수 있
도록 설치된 측정 장비를 통해 모니터링 하는 방법을 의미한다.

31. "예비관리업체"란 관리업체에 해당될 것으로 예상되는 업체를 말
한다.

32. "온실가스"란 적외선 복사열을 흡수하거나 재방출하여 온실효과
를 유발하는 가스 상태의 물질로서 법 제2조제5호에서 정하고
있는 이산화탄소(CO_2), 메탄(CH_4), 아산화질소(N_2O), 수소불화
탄소(HFCs), 과불화탄소(PFCs) 또는 육불화황(SF_6)을 말한다.

33. "온실가스 배출"이란 사람의 활동에 수반하여 발생하는 온실가스를 대기 중에 배출·방출 또는 누출시키는 직접 배출과 외부로부터 공급된 전기 또는 열(연료 또는 전기를 열원으로 하는 것만 해당한다)을 사용함으로써 온실가스가 배출되도록 하는 간접 배출을 말한다.

34. "온실가스 간접배출"이란 관리업체가 외부로부터 공급된 전기 또는 열(연료 또는 전기를 열원으로 하는 것만 해당한다)을 사용함으로써 발생하는 온실가스 배출을 말한다.

35. "운영통제 범위"란 조직의 온실가스 배출과 관련하여 지배적인 영향력을 행사할 수 있는 지리적 경계, 물리적 경계, 업무활동 경계 등을 의미한다.

36. "이산화탄소 상당량"이란 이산화탄소에 대한 온실가스의 복사 강제력을 비교하는 단위로서 해당 온실가스의 양에 지구 온난화지수를 곱하여 산출한 값을 말한다.

37. "이행계획"이란 시행령 제21조제3항에 따라 관리업체가 온실가스 감축 목표를 달성하기 위하여 작성·제출하는 모니터링을 포함한 세부적인 계획을 말한다.

38. "전환율"이란 단위 물질당 변화되는 물질량의 비율을 말한다.

39. "조직경계"란 업체의 지배적인 영향력 아래에서 발생되는 활동에 의한 인위적인 온실가스 배출량의 산정 및 보고의 기준이 되는 조직의 범위를 말한다.

40. "종합적인 점검·평가"란 환경부장관이 법 제27조 및 시행령 제18조에서 정하고 있는 부문별 관장기관의 소관 사무에 대하여 서면 등의 방법으로 온실가스 목표관리제의 전반적인 제도 운영 또는 집행과정에서의 문제점을 발굴·시정·개선하는 것을 말한다.

41. "주요정보 공개"란 법 제27조제4항에 따라 관리업체 명세서의

주요 정보를 전자적 방식 등으로 국민에게 공개하는 것을 말한다.

42. "중앙행정기관 등"이란 중앙행정기관, 지방자치단체 및 다음 각 목의 공공기관을 말한다.

　가. 「공공기관의 운영에 관한 법률」제4조에 따른 공공기관

　나. 「지방공기업법」제49조에 따른 지방공사 및 같은 법 제76조에 따른 지방공단

　다. 「국립대학병원 설치법」,「국립대학치과병원 설치법」,「서울대학교병원 설치법」및「서울대학교치과병원 설치법」에 따른 병원

　라. 「고등교육법」제3조 국립학교 및 공립학교

43. "지배적인 영향력"이란 동일 법인 등이 해당 사업장의 조직 변경, 신규 사업에의 투자, 인사, 회계, 녹색경영 등 사회통념상 경제적 일체로서의 주요 의사결정이나 온실가스 감축의 업무집행에 필요한 영향력을 행사하는 것을 말한다.

44. "총발열량"이란 일정 단위의 연료가 완전 연소되어 생기는 열량(연료 중 수증기의 잠열까지 포함한다)으로서 에너지사용량 산정에 활용되는 것을 말한다.

45. "최적가용기법(Best Available Technology)"이란 온실가스 감축과 관련하여 경제적·기술적으로 사용이 가능하면서 가장 최신이고 효율적인 기술, 활동 및 운전방법을 말한다.

46. "추가성"이란 인위적으로 온실가스를 저감하기 위하여 일반적인 경영여건에서 실시할 수 있는 활동 이상의 추가적인 노력을 말한다.

47. "활동자료"란 사용된 에너지 및 원료의 양, 생산·제공된 제품 및 서비스의 양, 폐기물 처리량 등 온실가스 배출량의 산정에 필요한 정량적인 측정결과를 말한다.

48. "바이오매스"란 「신에너지 및 재생에너지 개발·이용·보급 촉진법」 제2조제2호바목에 따른 재생 가능한 에너지로 변환될 수 있는 생물자원 및 생물자원을 이용해 생산한 연료를 의미한다.

49. "배출원"이란 온실가스를 대기로 배출하는 물리적 단위 또는 프로세스를 말한다.

50. "흡수원"이란 대기로부터 온실가스를 제거하는 물리적 단위 또는 프로세스를 말한다.

51. "명세서"란 관리업체가 해당연도에 실제 배출한 온실가스 배출량을 이 지침 제2편 제2장에 따라 작성한 배출량 보고서를 말한다.

52. "이산화탄소 포집 및 이동"이란 관리업체 조직경계 내부의 이산화탄소가 배출되는 시설에서 관리업체의 조직경계 내부 및 외부로의 이동을 목적으로 이산화탄소를 대기로부터 격리한 후 포집하여 이동시키는 활동을 말한다.

13 공공부문 온실가스 목표관리 운영 등에 관한 지침

(환경부고시 제2022-59호)

1. "온실가스 목표관리(이하 "목표관리"라 한다)"란 온실가스 배출량을 줄이기 위해 매년 일정수준의 감축 목표를 세우고 이를 달성하기 위하여 지속적으로 온실가스 감축 활동을 하는 것을 말한다.

2. "공공부문"이란 법 제26조제1항에 따른 공공기관등과 법 제26조제5항에 따른 헌법기관등을 말한다.

3. "온실가스"란 적외선 복사열을 흡수하거나 재방출하여 온실효과를 유발하는 대기 중의 가스 상태의 물질로서 법 제2조제5호에서 정하는 물질을 말한다.

4. "온실가스 배출"이란 사람의 활동에 수반하여 발생하는 온실가스를 대기 중에 배출·방출 또는 누출시키는 직접배출과 외부로부터 공급된 전기 또는 열(연료 또는 전기를 열원으로 하는 것만 해당한다)을 사용함으로써 온실가스가 배출되도록 하는 간접배출을 말한다.

5. "배출활동"이란 온실가스를 배출하거나 에너지를 사용하는 일련의 활동을 말한다.

6. "온실가스 배출시설(이하 "시설"이라 한다)"이란 온실가스를 대기에 배출하는 건축물, 시설물, 기계, 기구, 그 밖의 물체 등을 말한다.

7. "에너지관리의 연계성(連繫性)"이란 전력, 열 또는 연료의 공급점을 공유하고 있는 상태, 즉 건물에서 타인으로부터 공급된 에너지를 변환하지 않고 다른 건물 등에 공급하고 있는 상태를 말한다.

8. "기준배출량"이란 공공부문의 온실가스 감축 목표 등을 산정할 때 기준이 되는 온실가스 배출량을 말한다.

9. "이행연도"란 공공부문이 목표관리를 위하여 온실가스 감축 활동을 실시하는 1년 단위의 기간으로서 매년 1월 1일부터 12월 31일까지를 말한다.

10. "공공부문 공동이행"이란 시행령 제17조제3항제1호에 따라 공공부문 기관 간 상호협약 등을 통하여 공동으로 온실가스 감축활동을 수행하는 것을 말한다.

11. "비규제 부문 외부감축사업"이란 공공부문이 시행령 제17조제3항제2호에 따라 외부에서 추진하는 온실가스 감축 사업 중 공공목적의 사업을 말한다.

12. "감축사업등록부"란 비규제 부문 외부감축사업의 등록, 감축실적 검·인증 및 사용 등의 이력을 관리하기 위하여 구축·운영되는 전산

관리시스템을 말한다.

13. "사업시작일"이란 외부에서 추진하는 온실가스 감축 활동을 통해 감축량이 발생하기 시작하는 날을 말한다.

14. "사업기간"이란 외부감축사업에 대한 실적인증이 유효한 기간을 말한다.

15. "수행기간"이란 외부감축사업을 통한 실제 감축량이 발생한 기간을 의미한다.

16. "감축실적 사용"이란 공공부문의 장이 외부감축 인증실적을 이행실적에 반영하기 위하여 인증된 감축실적 누적량에서 일부 또는 전부를 차감하는 것을 말한다.

17. "재생에너지"란 「신에너지 및 재생에너지 개발·이용·보급 촉진법」 제2항제2호에 따른 재생에너지를 말한다.

14 온실가스 배출권의 거래에 관한 고시

(환경부고시 제2018-67호)

1. "배출권 거래소시장"이란 배출권 거래소가 개설한 배출권 거래시장을 말한다.

2. "배출권 장내거래"란 배출권 거래소시장에서 이루어지는 배출권, 상쇄배출권의 거래를 말한다.

3. "배출권 장외거래"란 배출권 거래소시장 외에서 이루어지는 배출권, 상쇄배출권의 거래를 말한다.

제7장
관련 지침/표준

가스용 폴리에틸렌(PE)관 I 한국산업표준(KS규격)

(KS E 3514)

1. "공칭 외경(nominal outside diameter, d_n)"이란 나사 치수에 의해 표시되는 연결부와 각 구성 요소를 포함하는 열가소성 배관 계의 모든 요소에 대한 공통의 수치적 호칭을 말한다. KS M ISO 161-1에 따라 미터법을 따르는 관에 대해서는 밀리미터로 표시한 공칭 외경은 최소 평균 외경과 같다.

2. "평균 외경(mean outside diameter, d_{em})"이란 관의 외부 원주 길이를 π(3.14)로 나눈 값을 말한다.

3. "정원도(out of roundness)"란 관의 단면에서 측정된 최대 외경 과 최소 외경의 차를 말한다.

4. "공칭 관벽 두께(nominal thickness, e_n)"란 "열가소성 플라스 틱 관-관벽 두께(KS M ISO 4065)"에 표로 제시한 밀리미터 단 위로 나타내는 임의 지점에서의 최소 두께를 말한다.

5. "표준 치수비(SDR, standard dimension ratio)"란 관의 공칭 외경과 공칭 두께의 비를 말한다.

$$SDR = \frac{d_n}{e_n}$$

6. "관열(pipe series)"이란 공칭 외경 d_n과 공칭 관벽 두께 e_n에 관련된 무차원 수를 말하며, 관열 S는 다음 식으로 주어진다.

$$S = \frac{SDR - 1}{2}$$

2 화염방지기 설치 등에 관한 기술지침

(KOSHA GUIDE P-70-2019)

1. "화염방지기"라 함은 가연성가스 또는 인화성 액체를 저장하거나 수송하는 설비 내·외부에서 화재가 발생 시 폭연 및 폭굉화염이 인접설비로 전파되지 않도록 차단하는 장치를 말한다.

2. "폭연방지기"라 함은 폭연의 전파를 방지하기 위하여 설계된 화염방지기를 말한다.

3. "폭굉방지기"라 함은 폭굉의 전파를 방지하기 위하여 설계된 화염방지기를 말한다.

4. "폭연"이라 함은 연소에 의한 폭발 충격파가 미반응 매질 속에서 음속 이하의 속도로 이동하는 폭발현상을 말한다.

5. "폭굉"이라 함은 연소에 의한 폭발 충격파가 미반응 매질 속에서 음속보다 빠른 속도로 이동하는 폭발현상을 말한다.

6. "통기관"이라 함은 화학설비가 진공 또는 가압상태가 되지 않도록 대기로 개방된 배관을 말한다.

7. "소염소자"라 함은 화염방지기 내부에 설치되는 금망, 소결금속, 다공판, 주름리본, 기타 금속이나 무기재료를 이용한 것으로서 화염을 차단시키는 역할을 하는 것을 말한다.

8. "액봉식 화염방지기"라 함은 소염소자를 사용하지 않고 통기관 끝부분을 액체에 담금으로서 외부의 화염이 설비 내부로 전달

되지 않도록 한 것을 말한다.

9. "인화방지망"이라 함은 외부에서 발생한 화염의 전파를 억제하기 위하여 통기관 끝에 설치하는 40 메시(Mesh)(단위 인치면적 당 구멍수) 이상의 구리망 등으로 만들어진 인화방지장치를 말한다.

10. "최대 시험안전틈새"라 함은 가연성 증기나 가스의 모든 농도에 대하여 내부의 혼합가스에 점화하였을 때 25 mm의 틈새길이를 통하여 외부의 혼합가스에 점화를 일으키지 않는 최대 틈새크기를 말하며, 틈새가 0.9 mm 이상인 경우 ⅡA, 0.5 mm 이상 0.9 mm 미만인 경우 ⅡB, 0.5 mm 이하인 경우 ⅡC로 구분한다.

3 안전밸브 등의 배출용량 산정 및 설치 등에 관한 기술지침

(KOSHA GUIDE D-18-2020)

1. "안전밸브(Safety valve)"라 함은 밸브 입구쪽의 압력이 설정압력에 도달하면 자동적으로 스프링이 작동하면서 유체가 분출되고 일정압력 이하가 되면 정상상태로 복원되는 밸브를 말한다.

2. "파열판(Rupture disc)"이라 함은 "안전밸브에 대체할 수 있는 방호장치"로서, 판 입구측의 압력이 설정압력에 도달하면 판이 파열하면서 유체가 분출하도록 용기 등에 설치된 얇은 판을 말한다.

3. "설정압력(Set pressure)"이라 함은 용기 등에 이상 과압이 형성되는 경우, 안전밸브가 작동되도록 설정한 안전밸브 입구측에서의 게이지 압력을 말한다.

4. "소요 분출량(Required capacity)"이라 함은 발생 가능한 모든 압력상승 요인에 의하여 각각 분출될 수 있는 유체의 량을 말한다.

5. "배출용량(Relieving capacity)"이라 함은 각각의 소요 분출량 중 가장 큰 소요 분출량을 말한다.

6. "설계압력(Design pressure)"이라 함은 용기 등의 최소 허용두께 또는 용기의 여러 부분의 물리적인 특성을 결정하기 위하여 설계시에 사용되는 압력을 말한다.

7. "최고허용압력(Maximum allowable working pressure, MAWP)"이라 함은 용기의 제작에 사용된 재질의 두께(부식여유 제외)를 기준으로 하여 산출된 용기 상부에서의 허용 가능한 최고의 압력을 말한다.

8. "축적압력(Accumulated pressure)"이라 함은 안전밸브 등이 작동될 때 안전밸브에 의하여 축적되는 압력으로서 그 설비 내에서 순간적으로 허용될 수 있는 최대압력을 말한다.

9. "배압(Back pressure)"이라 함은 안전밸브 등의 토출측에 걸리는 압력을 말하는 것으로, 중첩배압과 누적배압의 합을 말한다.

10. "시건조치"라 함은 차단밸브를 함부로 열고 닫을 수 없도록 경고조치하는 것을 말하며, 방법으로는 CSO(Car sealed open : 밸브가 열려 시건조치 된 상태), CSC(Car sealed close : 밸브가 닫혀 시건조치 된 상태)가 있다.

11. "중첩배압(Superimposed back pressure)"이라 함은 안전밸브가 작동하기 직전에 토출측에 걸리는 정압(Static pressure)을 말한다.

12. "누적배압(Built-up back pressure)" 이라 함은 안전밸브가 작동한 후에 유체 방출로 인하여 발생하는 토출측에서의 압력증가량을 말한다.

13. "분출시험압력(Cold differential test pressure)" 안전밸브 분출시험설비에서 적용되어야 하는 시험용 압력으로 안전밸브 실제 설치위치에서의 배압 또는 운전온도와 시험설비에서의 조건차이로 인한 영향이 반영된 것을 말한다.

4 건설현장 용접·용단 작업 시 안전보건작업 기술지침

(KOSHA GUIDE C-108-2017)

1. "용접·용단"이라 함은 2개 이상의 고체금속을 하나로 접합시키는 금속 가공 기술수단과 전극봉과 모재금속 간에 아크열 등으로 용융시켜 금속을 자르거나 또는 제거하는 것을 말한다.

2. "용접절차서(WPS : Welding Procedure Specification)"라 함은 용접이음부에서 설계대로 용접하기 위하여 요구되는 제반 용접조건을 상세히 제시하는 서류를 말한다. 통상 모재, 용접법, 이음형상, 용접자세, 용가재, 전류, 전압, 속도, 보호가스, 열처리 등에 대한 정보가 필요에 따라 포함된다.

3. "화기작업"이라 함은 용접, 용단 등 화염 또는 스파크를 발생시키는 작업으로 또는 인화성.가연성 물질의 점화원이 될 수 있는 작업을 말한다.

4. "밀폐공간"이라 함은 환기가 불충분한 상태에서 산소결핍이나 유

해가스로 인한 중독.화재.폭발 등의 위험이 있는 장소로서 산업안전보건기준에 관한 규칙〈별표18〉에서 정한 장소를 말한다.

5. "역화"라 함은 노즐의 화염이 취관 쪽으로 되돌아오는 현상을 말한다.

6. "유해가스"라 함은 탄산가스, 일산화탄소, 황화수소 등 기체로서 인체에 유해한 영향을 미치는 물질을 말한다.

7. "용접 흄(Welding fume)"이라 함은 용접작업 시 발생하는 금속의 증기가 응축되거나 산화되는 등의 화학반응에 의하여 형성된 고체상 미립자를 말한다.

아크용접장치의 설치 및 사용에 관한 기술지침

(KOSHA GUIDE E-76-2013)

1. "아크용접(Arc process, gouging, cutting)"이라 함은 수동 금속아크용접 (MMA), 비활성가스 텅스텐 아크용접(TIG), 반자동 금속 아크용접 (MIG/MAG), 자동 금속 아크용접(submerged arc and open arc), 플라즈마 아크용접, 아크에어가우징 등을 말하며, 전원에 따라 직류아크용접과 교류아크용접으로 구분되어 진다.

2. "수동 금속 아크용접(Manual metal-arc welding, hand welding)" 이라 함은 자동 또는 반자동적인 대체수단 없이 소모성 용접봉을 사용하는 아크용접을 말한다.

3. "비활성가스 텅스텐 아크용접(Tungsten inert gas welding)"이

라 함은 비활성 가스 아크의 일종이며, 텅스텐 등 쉽게 소모되지 않는 금속을 전극으로 하는 용접으로 비활성가스에 의해 보호되는 아크와 용접부 내에 비소모성이고, 활성화된 텅스텐 전극을 사용하는 아크용접을 말한다.

4. "반자동 금속 아크용접(Semi-automatic metal-arc welding)"이라 함은 용접봉이 자동으로 제어되고, 용접봉의 위치는 수동으로 하는 금속 아크용접을 말한다.

5. "자동 금속 아크용접(Automatic metal-arc welding)"이라 함은 용접봉 및 전극, 용접대상물의 이동이 자동으로 제어되는 금속 아크용접을 말한다.

6. "플라즈마 아크용접(Plasma arc welding)"이라 함은 플라즈마에 의해 발생한 아크를 사용하는 용접을 말한다.

7. "아크에어 가우징(Air-arc gouging)"이라 함은 아크열로 녹인 금속표면에 연속해서 압축공기를 분사하여 홈을 파는 방법의 용접을 말한다.

8. "용접회로(Welding circuit)"이라 함은 용접을 하기위해 필요한 전원을 공급하는 회로로 용접공정의 모든 도전부를 포함한다.

9. "노출 도전부(Exposed conductive part)"라 함은 전류가 정상적인 상태에서는 흐르지 않고 고장 시에 흐를 수 있는 전기설비의 도전부를 말한다.

10. "기타 도전부(Extraneous conductive part)"라 함은 전기설비에 포함되지 않으나, 대지 전위를 가지기 쉬운 도전부를 말한다.

11. "등전위 본딩(Equipotential bonding)"이라 함은 노출 도전부와 기타 도전부를 전기적으로 연결하는 것을 말한다.

12. "공작물(Workpiece)"이라 함은 가공되는 재료를 말한다.

13. "이동 용접장비(Mobile welding equipment)"라 함은 고정배선

에 연결되지 않은 용접장비(전원, 와이어송급기, 용접건 등)로 운반장치 없이 쉽게 움직일 수 있는 용접장비를 말한다.

14. "고정 전원(Fixed power source)"이라 함은 다른 장소로 쉽게 이동하지 못하도록 고정 배선에 의하여 공급되는 전원을 말한다.

15. "보호복 및 부속품(Protective clothing and accessories)"이라 함은 감전재해 등 전기적인 위험성, 피부, 눈에 위협적인 방사선 및 칩 등으로부터 작업자를 보호하기 위한 보호복 및 부속품(장갑, 안면보호면, 용접마스크, 렌즈 필터 등) 을 말한다.

16. "전문가(Expert)"라 함은 작업에 대한 전문지식, 작업장소의 위험성 판단, 관련 경험, 장비의 지식 등을 겸비하고, 해당 업무에 대해 객관적으로 판단할 수 있는 사람을 말한다.

6 플랜지 및 개스킷 등의 접합부에 관한 기술지침

(KOSHA GUIDE D-9-2016)

1. "위험물질"이라 함은 안전보건규칙 별표 1(위험물질의 종류)에서 규정 하는 물질을 말한다.

2. "맞대기 용접식 플랜지 (Welding neck flange)"라 함은 플랜지와 관을 맞대기 용접에 의하여 연결할 수 있도록 제작된 것을 말한다.

3. "완전 삽입 용접식 플랜지 (Slip on welding flange)"라 함은 플랜지 내부에 관을 완전히 끼워 넣고 용접을 하여 연결할 수 있도록 제작된 것을 말한다.

4. "일부 삽입 용접식 플랜지 (Socket welding flange)"라 함은 플랜지 내부에 관을 일부만 끼워넣고 용접을 하여 연결할 수 있도록 제작된 것을 말한다.

5. "나삿니 연결식 플랜지 (Threaded flange)"라 함은 플랜지 내부와 관의 외부에 나삿니를 만들어 연결할 수 있도록 제작된 것을 말한다.

6. "랩 죠인트 플랜지 (Lap joint flange)"라 함은 플랜지 내부에 관을 완전히 끼워 넣고 관의 일부를 플랜지 면에 접하도록 하여 연결할 수 있도록 제작된 것을 말한다.

7. "개스킷 (Gasket)"이라 함은 플랜지와 플랜지를 체결할 때 접합부에서 유체가 누출되지 않도록 하기 위하여 사용되는 것을 말한다.

8. "호칭 압력"이라 함은 플랜지의 등급을 나타내기 위하여 사용하는 수치를 말한다.

9. "호칭 지름"이라 함은 플랜지의 크기를 나타내기 위하여 사용하는 수치를 말하며 표기방법은 다음 표와 같다.

DN[5]	NPS	DN	NPS	DN	NPS	DN	NPS
15	$\frac{1}{2}$	50	2	150	6	400	16
20	$\frac{3}{4}$	65	$2\frac{1}{2}$	200	8	450	18
25	1	80	3	250	10	500	20
32	$1\frac{1}{4}$	100	4	300	12	600	24
40	$1\frac{1}{2}$	125	5	350	14	1,000	40

비파괴검사 용어 |
한국산업표준(KS규격)

(KS B 0550)

■ 공통 일반

1. "터짐, 균열, 크랙(crack, cracking)"이란 열적 또는 기계적 응력 때문에 일어나는, 국부적인 파단에 의해 생기는 틈 또는 불연속을 말한다.

2. "담금질 균열(quenching crack)"이란 담금질 응력에 의해 생기는 터짐을 말한다.

3. "미세 균열(micro crack)"이란 광학 현미경(약 50배 이상)으로 확대해서 처음 검출되는 미세한 터짐을 말한다.

4. "금 균열, 금(crazing)"이란 금속 이외의 제품의 표면 또는 내부에 생긴 아주 미세한 균열을 말한다.

5. "단조 균열(forging crack)"이란 부적당한 단조 또는 압연 작업에 의해 중심부에 생긴 터짐을 발한다.

6. "연마 균열(gfinding crack)"이란 열처리한 강의 그라인더 가공에서, 연마 중에 열응력에 의해 발생하는 터짐을 말한다.

7. "헤어 크랙, 모터짐(hair crack)"이란 강재의 다듬질면에 나타나는 털 모양의 미세힌 터짐을 말한다.

---

5) "DN(Diameter Nominal)"은 밀리미터(mm)를 단위로 하는 유럽식 표기 방법이다.

  "NPS(Nominal Pipe Size)"는 인치(inch)를 단위로 하는 미국식 표기방법이다.

---

8. "입계 균열(intercryslalline crack, intergranular cracking)"이 란 결정 입계에 발생 또는 그곳을 통과한 터짐을 말하며, 고온 터 짐은 입계 균열이 많다.

9. "시즌 크랙, 자연 균열(season cracking)"이란 퀜칭 또는 템퍼 링한 금속 재료가 방치 중에 생기는 터짐을 말한다.

10. "수축 균열(shrinkage crack)"이란 가열 또는 용탕의 응고 과정 에서, 냉각 속도가 각 부에서 다를 때 일어나는 터짐을 말한다.

11. "건조 금균열(shrinkage crack)"이란 콘크리트 등의 건조 수축 에 따라 생기는 금 균열을 말한다.

12. "층 균열, 층간 박리(delamination)"이란 적층품의 층 사이가 박리되는 것을 말한다.

13. "응력 부식 균열(stress corrosion crack)"이란 부식과 인장 응력의 상승 작용에 따라 생기는 터짐을 말한다.

14. "황 균열(sulphur crack)"이란 황의 편석이 층 모양으로 존재 하는 강재를 용접한 경우, 저융점의 황화철 공정이 원인이 되어 용접 금속내에 생기는 1차 결정립 터짐을 말한다.

15. "템퍼링 균열(tempering crack)"이란 담금질한 철강을 재담금질 할 때, 급열·급랭 또는 조직 변화 때문에 생기는 터짐을 말한다.

16. "응력 균열(stress cracking)"이란 플라스틱의 표면 또는 내부 에 파괴 강도보다 작은 응력에 의해 생기는 균열을 말한다.

17. "잔류 응력(residual stress)"이란 외력 또는 온도 구배가 없는 상태에서, 재료 내부에 남아 있는 응력을 말한다.

18. "연성 파괴(ductile fracture)"란 재료가 외력에 의해 소성 변형 (영구 변형)을 일으켜서 파괴되는 것을 말한다.

19. "취성 파괴(brittle fracture)"란 재료가 외력에 의해 거의 소성

변형을 일으키지 않고 파괴되는 것을 말한다.

20. "피로 파괴(fatigue fracture)"란 재료가 반복해서 하중을 받아 발생한 터짐이 진전되어 파괴에 이르는 현상을 말한다.

21. "크리프 파괴(creep fracture)"란 재료가 장시간에 걸쳐 외력을 받아서, 시간이 지남에 따라 소성 변형이 증대해서 생기는 파괴 현상을 말한다.

22. "지연 파괴(delayed fracture)"란 인장 응력이 걸린 상태의 재료가 어느 정도 시간이 경과한 후에 거의 소성 변형을 일으키지 않고 파괴되는 현상을 말한다.

23. "열화(degradation)"란 재료나 제품이 응력·열·빛 등의 사용환경에 의해 점차 본래의 기능에 해로운 변화를 일으키는 것을 말한다.

24. "손상(deterioration, damage)"이란 사용환경에 의해 물리적 성질에 영구 변화가 일어나 성질이 저하되는 것을 말한다.

25. "프레팅 부식(fretting corrosion)"이란 밀착되어 있는 금속 또는 비금속이 반복 하중을 받고 서로 미끄러짐이 일어나는 표면 흠집, 부식을 말한다.

26. "점부식(pitting corrosion)"이란 국부 부식이 금속 내부를 향해서 구멍 모양으로 진행하는 부식을 말한다.

27. "청열 취성(blue shortness)"이란 200~300 ℃ 부근에서 강의 인장 강도나 경도가 상온의 경우보다 증가해, 신장·수축이 감소되어 약해지는 성질을 말한다.

28. "저온 취성(cold shortness)"이란 실온 부근 또는 그 이하의 저온에서 철강의 충격값이 급격히 저하되어 약해지는 성질을 말한다.

29. "수소 취화(hydrogen embrittlement)"란 강 중에 흡수된 수소에 의해 강재에 생기는 연성 또는 인성이 저하되는 현상, 또한

산소를 포함한 구리가 수소 등의 환원 분위기 속에서 고온 가열
되었을 때 산화구리의 환원에 의해 생기는 공동에 의해 연성 또
는 인성이 저하되는 현상을 말한다.

30. "수소 유기 균열(hydrogen induced cracking)"이란 대략 70 ℃
이하의 온도에서, 황화수소와 물이 존재할 때 생기는 수소 원자
가 강 중에 확산되어 수소 기포가 되어 발생하는 터짐을 말한다.

31. "수소 침식(hydrogen attack)"이란 200 ℃ 이상의 온도에서 수
소의 압력이 높을 때 강 중에 확산된 수소 원자가 탄화물과 반
응하여 탈탄을 일으키고, 메탄의 기포가 성장해서 터짐이 생기는
현상을 말한다.

32. "적열 취성(red shortness)"이란 열간 가공의 온도 범위에서 구
리가 약해지는 성질을 말한다.

33. "σ 취화(σ embrittlement)"란 σ 상의 석출 분리에 의해 일어나
는 취화 현상을 말한다. σ 상이란 크롬을 20 % 이상 포함한 고
크롬강, 고크롬니켈강 등에 나타나는 금속간 화합물이다.

34. "템퍼링 취성(temper brittleness)"이란 퀜칭한 철강을 일정 템
퍼링 온도로 유지한 경우 또는 템퍼링 온도에서 서서히 냉각시킨
경우 취성 파괴가 일어나기 쉬운 성질을 말한다.

35. "조사 취화(irradiation embrittlement)"란 방사선 등의 조사를
받음으로써 그 불질이 약해지는 현상을 말한다.

36. "방사선 손상, 조사 손상(radiation damage)"이란 방사선의 조사
를 받음으로써 그 물질의 모든 특성에 바람직하지 않은 변화가 일
어나는 현상을 말한다.

37. "표면 흠집, 주변 흠집(surface flaw)"이란 주변 기포에 의한 흠
집, 압연 또는 주조에 의한 흠집, 그 밖에 강재의 바깥 둘레변에
생기는 흠집을 말한다.

38. "그을림(burned)"이란 피막 표면에 색조가 열에 의해 눈에 띄게 변화하고 있는 현상을 말한다.

39. "스캐브(scab)"란 표면이 벗겨진 랩 모양의 흠집을 말한다.

40. "스케일 흠집(scale mark)"이란 표면에 스케일이 압착 혹은 맞물린 것 또는 탈락해서 마마 자국이 된 것을 말한다.

41. "스크래치(scratch)"란 취급 중에 표면에 생긴 연속 또는 단속된 선 모양의 흠집을 말한다.

42. "심(seam)"이란 압연, 그 밖의 가공에 의해 정도의 차는 있지만 닫혀있는 선 모양의 흠집을 말한다.

43. "거죽 흠집, 슬리버(sliver)"란 소재 중의 이물(가스를 포함) 또는 흠집 때문에 재료의 표면이 가죽을 씌운 것처럼 된 것 및 이 거죽이 벗겨진 것을 말한다.

44. "압입 자국(dent)"이란 기계적 충격에 의해 생기는 표면의 오목한 부분을 말한다.

45. "다이 마크(die mark)"란 압출(빼냄)재 표면의 압출 방향에 나타나는 선 모양의 가는 요철을 말한다.

46. "크레이터(crater)"란 플라스틱 제품의 표면에 기포가 분화구 같은 모양으로 남은 겉모양 상의 흠집을 말한다.

47. "핀홀(pin hole)"이란 제품에 생긴 관통한 미세한 구멍으로 용사 피막을 관통해서 바탕까지 도달하는 미세 구멍을 말한다.

48. "피팅/피트(pitting/pit)"란 제조 공정 또는 부식에 의해 표면에 생기는 작은 움푹 패인 구멍을 말한다.

49. "스플링(spalling)"이란 압연 롤 등의 겉표면에 생기는 벗겨짐, 양극 산화 피막의 밀착성이 국부적으로 없어져, 박리를 동반하는 현상을 말한다.

50. "부풀음, 팽창, 블리스터(blister)"란 금속 내부에 방추 모양으로 부푼 것으로 파막이 바탕, 언더코트에서 또는 파막 안에서 국부적으로 떠 있는 현상을 말한다.

51. "과열/버닝(over heating/burning)"이란 과열에 의해 내부까지 뚜렷한 입자 산화를 일으키고 있는 터짐을 말한다.

52. "내부 흠집(internal flaw)"이란 시험체의 내부에 존재하는 흠집을 말한다.

53. "이물질(foreign materials)"이란 본래의 재료 속에 혼합된 다른 물질을 말한다.

54. "구멍(porosity)"이란 용융 중에 발생한 가스에 의해 응고 후의 재료 속에 생긴 블로홀 및 기공 등을 총칭하여 말한다.

55. "블로홀, 기포(blow hole)"란 금속 안에 생기는 공 모양 또는 거의 공 모양의 공동을 말한다.

56. "공동(void)"이라 재료의 내부에 빈 곳으로서 생기는 흠집을 말한다.

57. "기공(gas cavity)"이란 용융 금속 안에 발생한 기포가 응고시에 이탈되지 못하고 용접부나 잉곳에 잔류한 것을 말한다.

58. "파이프(pipe)"란 재료의 응고 수축에 의한 공동 또는 기포가 완전하게 압착되지 않아 중심부에 그 흔적을 남긴 것을 말한다.

59. "수축 기공(shrinkage cavity)"이란 주형에 주입한 용탕이 응고될 때, 먼저 응고 수축된 부분에 의해 당겨져 로트 모양으로 함몰된 부분을 말한다.

60. "클러스터(inclusion cluster)"란 비금속 개재물이 모인 것을 말한다.

61. "피시 아이(fish eye)"란 금속의 파면에 나타내는 은백색을 띤

물고기 눈 모양의 흠집으로 주위의 재료(플라스틱)에 완전히 혼합되지 않아 생긴 작은 공 모양의 덩어리를 말한다.

62. "잉곳 패턴(ingot pattern)"이란 강의 응고 과정에서의 결정 상태의 변화 또는 성분의 차이 때문에 윤곽 모양으로 농도차가 나타난 것을 말한다.

63. "편석(segregation)"이란 합금 원소나 불순물이 불균일하게 편재해 있는 현상 또는 그 상태를 말한다.

64. "중심부 편석(centre segregation)"이란 용융 금속의 응고에서 마지막으로 응고되는 중앙부에 어떤 종류의 금속 성분이나 불순물이 진해져 편재하고 있는 현상 또는 그 상태를 말한다.

65. "콜드셧(cold shut)"이란 주조 조건이 부적당할 때, 주형 안에서 2개의 용융 금속(탕)의 흐름이 합류하는 곳에 생기는, 완전히 융합되지 않은 경계면을 말한다.

66. "미스런(misrun)"이란 주입 온도가 낮거나 그 밖의 원인에 의해, 주형을 완전히 채우기 전에 용탕이 응고되어 불완전한 주물을 만드는 불량 현상을 말한다.

67. "모래 개재물(sand inclusion)"이란 주조시에 주형에서 혼입된 모래를 말한다.

68. "흰점, 백점(flake, white spot, shatter crack)"이란 강재의 파면에 나타나는 백색의 광택을 띤 반점을 말한다.

69. "연점(soft spot)"이란 담금질에서 국부적으로 생기는 완전하게는 경화하지 않은 부분을 말한다.

70. "하드 스폿(hard spot)"이란 국소적인 담금질 등에 의해 주위의 경도보다 상당히 높은 경도를 가진 부분을 말한다.

71. "강의 청정도(index of cleanliness of steel)"란 강 중에서 비금속 개재물이 포함되는 비율, 현미경 시야 안에서 비금속 개재

물이 차지하는 면적 백분율로 나타낸다.

72. "비금속 개재물(non-metallic inclusion)"이란 금속 응고 과정에서 강 중에 석출 또는 함유된 비금속 개재물을 말한다.

73. "소재 홈(streak fissure, macro-streak-flaw)"이란 강의 다듬질면에서 그대로 육안으로 알 수 있는 핀홀·블로홀 등에 의한 선 모양의 흠집, 비금속 개재물에 의한 선 모양의 흠집, 모래 등의 이물의 개재에 의한 선모양의 흠집 등을 말한다.

74. "줄무늬 조직, 층 모양 조직(banded structure)"이란 압연 또는 단신 방향에 평행하게 늘어선 편절 조직을 말한다.

75. "설퍼 밴드(sulphur band)"란 강재에서 황을 다량으로 함유하는 부분이 띠 모양으로 편절한 층을 말한다.

76. "라미네이션(lamination)"이란 압연 강재에서 내부 흠집, 비금속 개재물, 기포 또는 불순물 등이 압연 방향에 따라 평행으로 늘어나 층 모양이 된 것을 말한다.

77. "박리(peeling, flaking)"란 피막 또는 도금층이 마탕 또는 언더코트에서 벗겨지는 것을 말한다.

78. "탈탄층(decarvurized layer)"이란 강의 열간 가공 또는 열처리에 의해 강 표층부의 탄소 농도가 감소한 부분을 말한다.

79. "경화층 깊이(depth of hardening)"란 경화층의 표면에서 경화층과 원바탕의 물리적 또는 화학적 성질의 차이가 이미 구별할 수 없는 위치까지의 거리를 말한다.

80. "용접부(weld, weld zone, weldment)"란 용접 금속 및 열영향부를 포함한 부분의 총칭이다.

81. "열영향부(HAZ, heat-affected zone)"란 용접, 절단 등의 열로, 조직·야금적 성질 등이 변화를 일으킨 용융되어 있지 않은 모재의 부분을 말한다.

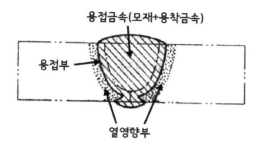

용접금속(모재+용착금속)

용접부

열영향부

82. "너깃(nugget)"이란 겹치기 저항 용접에서 용접부에 생기는 용융 응고한 부분을 말한다.

83. "덧대기/보강(backing metal, backing)"이란 그루브의 바닥부에 뒤에서 대는 것으로 금속판, 알갱이 모양 플라스틱 등(금속판으로 모재와 함께 용접되는 경우는 보강쇠라 한다)이 있다.

84. "뒷면깎기(back chipping, back gouging)"란 맞대기 용접에서 그루브 바닥부의 침투 불량 부분 또는 제1층부 등을 뒷면에서 깎는 것을 말한다.

85. "용접덧살(weld reinforcement, excess weld metal)"이란 그루브 또는 필릿 용접의 필요 치수 이상으로 표면에서 올라온 용접 금속을 말한다.

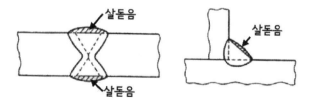

살돋음

살돋음

살돋음

86. "그루브(groove)"란 용접하는 모재 사이에 만드는 홈으로 I형, V형, X형, V형, K형, J형, U형, H형 그루브 등의 명칭이 있다.

87. "용접 균열(weld crack)"이란 용접부에 생기는 터짐 모양의 결

함을 말한다.

88. "저온 균열(cold crack)"이란 용접 후, 용접부의 온도가 상온 부근으로 저하되고 나서 발생하는 터짐의 총칭. 비드 아래 터짐, 끝터짐 등은 이 터짐에 속한다.

89. "크레이터 균열(crater crack)"이란 용접 비드의 크레이터 부분에 생기는 터짐을 말한다.

90. "끝 균열(toe crack)"이란 용접부의 끝에서 발생하는 터짐을 말한다.

91. "고온 균열(hot crack)"이란 용접부의 응고온도 범위 또는 그 바로 아래의 고온에서 발생하는 터짐을 말한다.

92. "재열 균열(reheat crack)"이란 용접부의 재가열에서 발생하는 터짐을 말한다.

93. "루트 균열(root crack)"이란 용접 루트의 노치에 의한 응력 집중부에 생기는 터짐을 말한다.

94. "세로 균열(longitudinal crack)"이란 비드 또는 열영향부에서 용접선에 평행하게 생기는 터짐을 말한다.

95. "가로 균열(transverse crack)"이란 비드 또는 열영향부에서 용접선에 직각 방향으로 생기는 터짐을 말한다.

96. "비드 밑 균열(underbead crack)"이란 비드의 아래쪽에서 발생하는 터짐을 말한다.

세로 균열   가로 균열

비드 밑 균열

97. "훅 크랙(hook crack)"이란 전기 저항 용접관에서 강대 중의 표면에 평행한 비금속 개재물, 편석 등이 용접부에서 커져서 흠집이 된 것을 말한다.

98. "라멜러 티어(laimeller tear)"란 +자형 맞대기 이음 및 필릿 다층 이음과 같이, 모재 표면에 직각 방향의 강한 인장 구속 응력이 생기는 이음에서 열영향부 및 그 인접부에 모재 표면과 평행하게 생기는 터짐을 말한다.

99. "녹아 떨어짐, 용락(burn through)"이란 용융 금속이 그루브 반대쪽으로 녹아 떨어지는 것을 말한다.

100. "과다 침투(excessive penetration)"란 한면 용접인 경우 그루브를 만들고, 또한 양면 용접인 경우 이미 덧살이 붙여진 쪽의 용접 금속을 뚫고 튀어나온 여분의 용접 금속을 말한다.

101. "픽업(pick up)"이란 겹치기 저항 용접에서 전극과 모재의 접촉부가 과열되어, 그 결과 전극재와 모재가 서로 부착하거나, 합금층을 만들어서 생기는 전극 맨 끝면 또는 모재 표면의 오염 손실을 말한다.

102. "스패터(spatter)"란 아크 용접, 가스 용접, 납 용접 등에서 용접 중에 흩어지는 슬래그 및 금속 알갱이를 말한다.

103. "크레이터 파이프(crater pipe)"란 아크 용접 비드 끝의 패인 곳을 크레이터라고 칭하고, 여기서 발생하는 파이프 모양의 흠집을 말한다.

104. "웜홀(worm hole, piping porosity)"이란 가스가 해방되어 생

긴 용접 금속 중의 원통 보양의 공동을 말한다.

105. "융합 불량(lack of bond)"이란 용접 경계면이 서로 충분히
녹지 않은 것을 말한다.

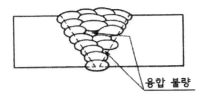

융합 불량

106. "용입 불량(lack of penetration, incomplete penetration)"
이란 완전 용입 용접 이음의 경우, 녹지 않은 부분이 있는 것을
말한다.

107. "페니트레이터, 플랫 스폿(penetrator, flat spot)"이란 플래시
용접 및 전기 저항 용접관 등의 압접에서 부적당한 용접 조건
때문에 접합 끝면이 산화된 상태에서 압접됨으로써 생긴 내부 흠
집을 말한다.

108. "콜드 랩, 콜드 웰드, 냉접(cold lap, cold weld)"이란 융합 불
량의 일종으로 양 금속면은 접촉되어 있지만 완전히 융합되어 있
지 않은 상태를 말한다.

109. "슬래그 혼입(slag inclusion)"이란 용착 금속 중 또는 모재와
의 융합부에 슬래그가 남는 것을 말한다.

110. "텅스텐 혼입(tungsten inclusion)"이란 티그 용접에서 용접
시작시, 과대 용접 전류를 사용하는 등의 이유로 텅스텐 전극의
일부가 녹아 비드 속에 혼입되는 것을 말한다.

111. "산화물의 혼입(oxide inclusion)"이란 응고 중인 용접 금속
속에 갇힌 금속 산화물을 말한다.

112. "구리의 혼입(copper inclusion)"이란 알루미늄의 미그 용접에

서 용접 금속 안에 함유된 구리의 분말의 혼입을 말한다.

113. "언더컷(undercut)"이란 용접의 끝을 따라 모재가 패여, 용접 금속이 채워지지 않아 흠으로 남아 있는 부분을 말한다.

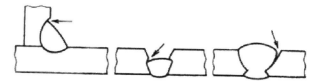

114. "오버랩(overlap)"이란 용착 금속이 끝에서 모재에 융합되지 않고 겹치는 부분을 말한다.

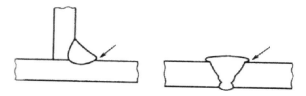

■ 검사 방법

1. "비파괴검사(NDT, nondestructive testing, nondestructive examination)"란 소재나 제품을 파괴하지 않고 흠집의 유무나 그 존재위치, 크기, 모양, 분포 상태 등을 조사하는 검사를 말하며, 재질검사 등으로 응용될 수도 있다. 방사선투과검사, 초음파탐상검사, 자분탐상검사, 침투탐상검사, 와류탐상검사 등이 있다.

2. "비파괴검정(NDI, nondestrucive inspection)"이란 비파괴검사의 결과로부터 규격 등에 의한 기준에 따라 합격 여부를 판정하는 방법을 말한다.

3. "비파괴평가(NDE, nondestructive evaluation)"란 비파괴검사에서 얻어진 지시를 시험체의 성질 또는 사용 성능면에서 종합적으

로 해석, 평가하는 것을 말한다.

4. "자격 인정(qualification and certification)"이란 비파괴검사 업무를 적절하게 수행하기 위해서 필요한 지식, 기량, 훈련, 경험이 있다는 것을 공식적으로 인정하는 것을 말한다.

5. "기술 검정(performance inspection)"이란 검사 기술이 규정된 수준에 도달했는지 아닌지를 확인하는 것을 말한다.

6. "가동 전 검사(PSI, pre-service inspection)"란 제작 후 운전을 개시하기 전에 장치류의 안전을 확인하기 위해서 실시하는 검사를 말한다.

7. "보수 검사(maintenance inspection)"란 기기, 구조물을 원활하게 사용하고, 아울러 안전성을 확인하기 위해서 실시하는 검사를 말한다.

8. "운전 중 검사(OSI, on-stream inspection)"란 운전을 정지하지 않고 실시하는 검사를 말한다.

9. "개방 검사(SDI, shut down inspection)"란 운전을 정지하고 실시하는 검사를 말한다.

10. "정기 검사(periodic inspection)"란 기기, 구조물 등에 대하여 정기적으로 실시하는 검사를 말한다.

11. "가동 중 검사(ISI, inservice inspection)"란 운전을 정지하고 기기 구조물 등에 대해서 실시하는 검사를 말한다.

12. "체적 검사(volumetric examination)"란 탐상의 대상으로 하는 대상체 내부의 금속 전체를 검사하는 방법을 말한다.

13. "내압 시험(pressure test)"이란 봄베, 보일러 등의 압력용기 및 배관이 사용 중의 압력에 충분히 견딜 수 있는지 아닌지를 알기 위한 목적으로 실시되는 시험을 말한다.

14. "재질 시험(identification of materials)"이란 재료의 종류, 불순물 또는 합금 성분, 열처리 등에 의해 물리적 특성이 변화하는 것을 이용해서 재료의 성질을 조사하는 시험을 말한다.

15. "이물질 판별, 이물질의 감별(sorting of materials, discrimination of foreign materials)"이란 다른 재료 혼입의 우려가 있는 시험체를 시험하여 이물질을 판별하는 것 또는 이물질이 혼입되어 있지 않다는 것을 확인하는 것을 말한다.

16. "육안 시험(appearance test, visual test)"이란 겉모양의 상태를 육안으로 실시하는 시험을 말한다.

17. "도막 두께 시험(coating thickness test)"이란 도금, 도장, 산화 피막 등의 피막 두께를 측정하는 시험으로 직접 마이크로미터나 현미경으로 측정하는 방법, 전기 자기적 방법, 방사선 이용 방법 및 화학적 방법 등이 있다.

18. "단면 시험(section test)"이란 시험체를 절단하여, 단면에 대하여 내부 흠집, 금속조직, 모양 등을 조사하는 시험을 말한다.

19. "파면 시험(fracture test)"이란 시험체를 외력에 의해 잘라진 파면을 관찰하여 내부 흠집 등을 조사하는 시험을 말한다.

20. "매크로 조직 시험(macroscopic test, macro structure examination)"이란 단면 또는 표면의 흠집이나 모양 및 조직을 검사할 목적으로, 연마된 단면 또는 표면을 염산, 염화구리암모늄, 왕수 등을 사용하여 부식시키고, 육안으로 판정하는 시험을 말한다.

21. "레플리커법(replica method)"이란 추종성이 좋은 유기 재료 피막을 시험부의 표면에 붙이고, 표면의 요철을 충실하게 피막 위에 재현하고, 이것을 관찰하는 방법을 말한다.

22. "섬프 시험(SUMP examination)"이란 강의 표면을 다듬질 연마

하고, 그 위에 아세트산 에틸을 떨어뜨리고, 아세틸 셀룰로오스 막을 바르고 건조한 후 이것을 벗겨 내고, 그 막을 투과형 광학 현미경으로 관찰하여 강의 모양을 판정하는 시험을 말한다.

23. "[강의] 불꽃 시험(spark test [for steel])"이란 강괴·강편, 강재 및 그 밖의 강제품을 그라인더를 사용하여 연삭하고, 발생하는 불꽃의 특징을 관찰함으로써 강종의 추정하는 시험을 말한다.

24. "설퍼 프린트 시험(sulphur print examination)"이란 강의 단면에 황산으로 적신 사진용 인화지를 밀착시킴으로써 설퍼 프린트를 얻어, 강에서의 황의 분포 상황을 조사하는 시험을 말한다.

25. "회송 시험(round robin test)"이란 표준 시험법이나 표준 시험편의 결정 등을 할 때 미리 시험법안을 정해서 특정한 시험편을 워킹그룹의 구성원 사이에서 차례로 회송사여 실시하는 시험을 말한다.

26. "검출능, 검출 한계(detectability)"란 어느 정도 작은 흠집까지 검출할 수 있는가를 나타내는 능력의 척도를 말한다.

■ 판정, 평가

1. "판정 기준(acceptance criteria, acceptance standard)"이란 비파괴검사에 의해 검출한 흠집의 치수, 위치 또는 종류 등을 고려해서 사용상 해로운지 여부를 결정하는 기준을 말한다.

2. "지시(indication)"란 비파괴검사에서 장치 위에 표시된 도형이나 수치 또는 시험체 위에 나타난 모양을 말한다.

3. "정상부(sound area)"란 시험체가 비파괴검사의 지시에서는 이상이 없다고 판단되는 부분을 말한다.

4. "불완전부(imperfection)"란 비파괴검사에서의 지시가 흠집·조직·모양 등의 영향에 따라 정상부와 다르게 나타나는 부분을 말한다.

5. "흠집(flaw)"이란 비파괴검사의 결과로부터 판단할 수 있는 불연속부를 말한다.

6. "결함(defect)"이란 규격, 시방서 등에서 규정된 판정 기준을 넘어 불합격되는 흠집을 말한다.

7. "흠집 높이(flaw height, defect height)"란 흠집의 판두께 방향의 치수를 말한다.

8. "등급 분류(classification of indications)"란 규격 중에서 비파괴 시험의 지시 정도로 흠즙을 분류하는 것을 말한다.

■ 방사선투과 검사

1. "방사선(radiation)"이란 파동 또는 입자의 운동 에너지의 형태로 공간 또는 물리적 매체를 통해서 방사되는 에너지의 전파를 말하며, 전자 방사선과 입자 방사선이 있다.

2. "전리 방사선(ionizing radiation)"이란 직접 전리 입자 또는 간접 전리 입자 또는 양자의 혼합으로 이루어지는 방사선을 말하며, 자외선은 제외한다.

3. "엑스선, X선(X-rays)"이란 고속 전자가 금속 표적에 충돌할 때 발생되며, 파장이 약 0.0001 nm ~ 1 nm인 투과 전자 방사선을 말한다.

4. "감사선, γ선(gamma rays)"이란 특정 방사성 물질에 의해 방출되는 전자기적 이온화 방사선을 말한다.

5. "1차 방사선(primary radiation, direct radiation)"이란 선원으로부터 검출기까지 방향을 바꾸지 않고 곧바로 직선 궤도를 따라 이동하는 방사선을 말한다.

6. "2차 방사선(secondary radiation)"이란 1차 방사선이 조사된 물

질로부터 방사하는 방사선을 말한다.

7. "백선 X선(white X-rays)"이란 연속 스켁트럼을 가진 X선을 말한다.

8. "특성 X선(characteristic X-rays)"이란 원소고유의 선스펙트럼을 가진 X선을 말한다.

9. "연 X선(soft X-rays)"이란 장파장의 성분을 많이 포함하는 X선의 속칭이다.

10. "방사성 동위원소(radioisotope)"란 입자 또는 감마선을 자발적으로 방출하는 성질을 가진 동위원소를 말한다.

11. "방사능(radioactivity)"이란 방사성 붕괴를 일으키는 성질을 말하며, 방사성선원에서 일어나는 단위 시간당 핵 붕괴의 수를 나타낸다.

12. "조사선(irradiated radiation)"이란 시험체에 조사되는 방사선을 말한다.

13. "투과선(penetrated radiation, transmitted radiation)"이란 시험체에 조사된 방사선이 상호 작용을 일으키지 않고, 직접 투과되는 방사선을 말한다.

14. "산란선, 산란 방사선(scattered radiation)"이란 물질을 통과하는 동안 방향이 변화한 방사선을 말하며, 에너지 변화를 수반하는 경우와 그렇지 않은 경우가 있다.

15. "전방 산란선(forward scattered radiation)"이란 입사 방사선의 방향에 대해 90° 미만의 각도로 방사되는 산란된 X선 또는 감마선을 말한다.

16. "후방 산란선(back scattered radiation)"이란 입사 방사선의 방향에 대해 90° 이상의 각도로 방사되는 산란된 X선 또는 감마선을 말한다.

17. "누출 방사선(leakage radiation)"이란 X선관 용기, X선 발생

기, 감마선원 용기 등으로부터 누출되고 있는 방사선을 말한다.

18. "방사선원(radiation source)"이란 이온화 방사선을 방출하는 장치를 말한다. 예를 들면 X선관이나 감마선원 등이 있다.

19. "방사선질(quality of a beam of radiation)"이란 방사선 에너지 및 파장의 총칭이다. 방사선의 투과력을 말하며, 반가층 두께로 측정되는 경우가 많다.

20. "조사 선량(radiation dose)"이란 전리 방사선에 의해 공기 중에서 생성되는 전하를 말한다. 조사 선량의 단위는 1 kg당 C(쿨롱)으로 나타낸다.

21. "흡수 선량(absorbed dose)"이란 전리 방사선에 의해 물질에 부여되는 평균 부여에너지를 말하며, 흡수 선량의 단위는 Gy(그레이) 1 kg당 1 J의 에너지와 같다.

22. "방사선 에너지(energy of radiation)"란 X선, 감마선 등의 전자파인 경우 광자 에너지, 알파선, 베타선 등의 입자선인 경우 입자 에너지를 말한다. 단위는 전자 볼트를 사용한다.

23. "실효 에너지(effective energy)"란 백색 X선의 선질을 백색 X선의 반가층과 같은 반가층을 가진 단일 파장의 X선의 에너지로 나타낸 것을 말한다.

24. "흡수 계수, 감쇠 계수(absorption coefficient)"란 방사선이 물체를 통과할 때 물체와의 상호작용에 의해 흡수되는 비율을 말하며, 선 흡수 계수와 질량 흡수 계수가 있다.

25. "축적 인자(build-up factor)"란 동일 지점에 도달하는 1차 방사선 강도에 대한 총 방사선(산란선 포함) 강도의 비를 말한다.

26. "산란비(intensity ratio of scattered of penetrated radiation)"란 방사선이 시험체를 투과했을 때 임의 점에서 산란선과 투과선의 비를 말한다.

27. "반가층(HVT, half value thickness)"이란 X선 또는 감마선이 어떤 물질을 통과하여 방사능의 강도가 반으로 줄어들 때의 물질의 두께를 말한다.

28. "$\frac{1}{10}$가층(TVT, tenth value thickness)"이란 방사선의 양을 처음 값의 $\frac{1}{10}$로 줄이는데 필요한 물질의 두께를 말한다.

29. "반감기(half life)"란 방사성 선원이 붕괴하여 방사능의 강도가 반으로 감소하는 데 걸리는 시간을 말한다.

30. "흡수 곡선, 감쇠 곡선(absorption curve)"이란 흡수체를 투과하는 방사선의 투과 비율을 투과 두께의 함수로서 도시한 것을 말한다.

31. "중성자(neutron)"란 전하를 갖지 않고, 1.67495×10^{-27} kg의 정지 질량을 갖는 입자를 말한다.

32. "고속 중성자(fast neutron)"란 어떤 특정한 값보다 큰 운동 에너지를 갖는 중성자를 말하며, 통상 에너지가 10 keV에서 20 MeV의 범위인 것을 말한다.

33. "열 중성자(thermal neutron)"란 주위의 매질과 열평형에 있거나, 또는 열평형에 가까운 상태에 있는 중성자를 말하며 통상 에너지가 0.01 eV에서 0.5 eV의 범위인 것을 말한다.

34. "냉 중성자(cold neutron)"란 열중성자보다 낮은 운동에너지를 갖는 중성자를 말하며, 통상 에너지가 0.01 eV 미만인 것을 말한다.

35. "중성자 포획 단면적(neutron capture cross section)"이란 중성자와 원자핵의 상호작용 중 원자핵이 중성자를 포획하여 감마선을 방출하고 원자핵이 기저 상태로 돌아가는 반응의 확률을 말한다.

36. "베크렐(becquerel)"이란 방사능의 단위이다. 매초 1개의 붕괴를 실시하는 방사능의 강도를 나타내며, 단위의 기호는 Bq를 사용한다.

37. "쿨롱 퍼 킬로그램(coulomb per kilogram)"이란 조사 선량의 단위를 말한다. 단위 기호는 C/kg 으로 나타낸다.

38. "그레이(gray)"란 흡수 선량의 단위를 말한다. 1 kg당 1 J의 에너지 흡수와 같으며, 단위 기호는 Gy(1 Gy = 1 J/kg) 를 사용한다.

39. "시버트(sievert)"란 선량 당량의 단위를 말한다. 단위 기호는 Sv(1 Sv = 1 J/kg) 을 사용한다.

40. "공기 커마(air kerma)"란 X선 또는 감마선을 공기에 조사했을 때 유리된 하전 입자의 초기 에너지를 공기 1 kg에 대하여 나타낸 X선 또는 감마선의 조사량을 말한다.

41. "공업용 X선 장치(industrial X-ray apparatus for radiography)"란 X선 투과 시험에 사용하는 X선 장치의 총칭이다.

42. "연 X선 장치(soft X-ray apparatus)"란 연 X선을 사용하는 것을 목적으로 한 X선 장치를 말한다.

43. "분리형 X선 장치, 거치식 X선 장치(separate type X-ray apparatus)"란 X선관 장치, X선관 냉각기, 고전압 발생기, X선 제어기, 고전압 케이블 및 저잔압 케이블 등에 의해 구성되는 X선 장치를 말한다.

44. "일체형 X선 장치, 휴대식 X선 장치(mono-tank type X-ray apparatus, portable type X-ray apparatus)"란 고전압 발생기 및 X선관을 하나로 한 X선 발생기와 제어기를 저잔압 케이블로 접속하는 X선 장치를 말한다.

45. "연속 정격 X선 장치(continuous rating X-ray apparatus)"란 30분 이상 연속해서 부하할 수 있는 X선 장치를 말한다.

46. "간헐 정격 X선 장치(intermittent rating X-ray apparatus)"
란 부하 시간과 무부하 시간을 교대로 반복해서 부하 할 수 있
는 X선 장치를 말한다.

47. "파노라마 장치(360° type X-ray apparatus)"란 X선관의 관축
에 대하여 전 둘레(360°) 방향으로 X선을 방사할 수 있는 X선
장치를 말한다.

48. "X선관 장치(X-ray tube apparatus)"란 X선관을 내장한 X선
관 용기를 말한다.

49. "차폐 박스(X-ray shield box)"란 내부에 X선관 장치 또는 X
선 발생기를 설치하는 X선 방호용 상자를 말한다.

50. "고전압 케이블(high tension cable)"이란 분리형 X선 장치에
서, 고전압 발생기에서 발생시킨 고전압을 발생기와 떨어져 있는
X선관의 양극에 인가하기 위해서 접속하는 케이블을 말한다.

51. "제어기(controller)"란 X선 장치에서는 X선의 발생, 조정 등의
제어를 하는 장치를 말하며, 감마선 장치에서는 선원의 이동 등
조사에 필요한 조작을 하는 장치를 말한다.

52. "X선관(X-ray tube)"이란 전자를 발생하는 필라멘트와 가속 전
자가 충돌하여 표면에서 X선이 발생하는 양극으로 구성된 진공
관을 말한다.

53. "이중 초점관(dual focus tube)"이란 두 개의 다르 크기의 초
점을 가진 X선관을 말한다.

54. "막대 양극관(rod anode tube)"이란 파노라마 방사선 빔을 발
생시키는 관 모양 양극의 선단에 표적이 위치한 형태의 X선관을
말한다.

55. "표적, 타겟(target)"이란 전자 빔이 충돌하여 1차 X선 빔이 발
생되는 X선 관의 양극 표면 부위를 말한다.

56. "조사통(tubular diaphragm)"이란 방사선원의 방사구에 설치하는 통모양의 조사 필드 한정기를 말한다.

57. "X선관 조리개(tube diaphragm)"란 X선 빔의 방출 범위를 제한하기 위해 X선관 차폐체 또는 X선관 헤드에 고정된 기구를 말한다.

58. "필터(filter)"란 선원과 필름 사이에 위치시켜 연질의 방사선을 우선적으로 흡수시킬 목적으로 사용하며, 일반적으로 시험체보다 높은 원자 번호를 갖는 균일한 두께의 물질을 말한다.

59. "방사구(radiation aperture)"란 방사선 빔을 통과시키는 것을 목적으로 한 방사선원의 방호 차폐체의 개구부를 말한다.

60. "관전압(tube voltage)"이란 X선관의 양극과 음극 사이에 적용되는 고전압을 말한다.

61. "관전류(tube current)"란 X선관의 양극에서 음극을 향해서 흐르는 전류 평균값을 말한다.

62. "정격 출력(rated output)"이란 X선 장치에서 X선관에 가해지는 최대 단자 전압 kV(정격 전압)과 그 전압에서의 최대 관전류 mA(정격 관 전류)로 나타낸다.

63. "초점(focal spot)"이란 X선관의 양극에서 X선이 방출되는 영역을 말하며, 실 초점(물리적 크기)과 유효초점 크기(필름 및 형광 스크린에서 본 영역)가 있는데 국제규격에서는 유효초점 크기를 말한다.

64. "유효 초점 크기(effective focal spot)"란 조사 필드의 중심에서 본 유효한 초점 크기를 말한다. 핀홀법 또는 해상력법에 의해 측정한다.

65. "핀홀법(pin hole method)"이란 지름 30~100 ㎛의 구멍을 가진 핀홀관에 의해, 유효초점의 기하학적 치수를 측정하는 방법을

말한다.

66. "해상력법(wire grid method)"이란 해상력 차트 또는 몇 종류의 와이어 그리드에 의해 유효 초점의 해상력적 치수를 측정하는 방법을 말한다.

67. "선형 가속기(LINAC, linear electron accelerator)"란 도파관을 따라 전자를 가속시켜 고에너지 전자를 얻는 장치를 말한다. 이 가속 전자가 표적에 충돌하여 X선을 발생시킨다.

68. "베타트론(betatron)"이란 전자를 원형 궤도에서 가속시킨 후 표적에 편향시켜 고에너지 X선을 발생시키는 장치를 말한다.

69. "방사선 투과 사진용 필름(radiographic film)"이란 투명한 기저에 방사선에 민감한 감광 유제를 도포한 필름을 말하며, 보통 양면에 도포한다.

70. "명료도, 선예도(definition, sharpness)"란 방사선 투과 사진에서 상의 융관이 선명한 정도를 말한다.

71. "입상성(graininess)"이란 입상도의 시각적 나타남을 말하며, 투과사진상에서의 농도 불균일성의 시각적인 상을 나타낸다.

72. "사진 농도(photographic density)"란 사진의 검은 정도를 나타내는 척도를 말하며, 투과 농도와 반사 농도가 있다.

73. "잠상(latent image)"이란 방사선에 의해 필름에 형성된 눈에 보이지 않는 상으로서, 현상 처리를 통해 가시상으로 변환이 가능한 상을 말한다.

74. "증감지(intensifying screen)"란 방사선 투과 에너지의 일부를 빛이나 전자로 바꾸어 주는 것으로서, 노출시 기록 매체에 접촉되어 반사선 투과 사진의 질을 높이거나 노출 시간을 줄여 주는 역할을 하는 재료를 말한다.

75. "필름 관찰기(film illuminator, viewing screen)"란 방사선 투과

사진 관찰을 위한 반투명 관찰면과 광원을 갖춘 장비를 말한다.

76. "필름 마커(film marker)"란 투과 사진에 식별용 문자나 기호를 나타내기 위한 마커를 말한다.

77. "상질계(IQI, image quality indicator)"란 상질의 측정이 가능하도록 일련의 단계별 두께로 구성된 기구를 말한다. 투과도계, 계조계, 선질계 등의 총칭이다. 상질계는 통상적으로 투과도계를 말하며, 선형 또는 구멍을 가진 계단형이 있다.

78. "투과도계(penetrameter)"란 방사선투과검사에서의 상질을 평가하기 위한 게이지를 말하며 일반적으로 선형 및 유공형이 있다.

79. "선형 투과도계(wire type penetrameter)"란 금속선으로 구성한 투과도계를 말한다. 지름이 다른 7개의 철사를 사용한 일반형과 동일 지금의 9개의 철사를 사용한 띠형의 2종류가 있다.

80. "유공형 투과도계(hole type penetrameter)"란 판에 관통 구멍을 만든 투과도계를 말한다. 직사각형의 판에 지름이 다른 3개의 관통 구멍을 만든 사각형과, 원형의 판에 지름이 다른 2개의 관통 구멍을 만든 원형의 2종류가 있다.

81. "계조계(contrast indicator)"란 투과 사진의 상질을 평가하기 위한 게이지를 말한다. 투과사진의 콘트라스트르 구하기 위해서 두께를 1단, 2단 또는 3단으로 변화시킨 블록이다.

82. "선질계(X-ray quality indicator)"란 X선의 선질을 투과 사진에서 직접 측정하기 위해서 사용하는 재질이 다른 3장의 얇은 판을 조합시킨 게이지를 말한다.

83. "방사선투과검사(radiographic testing)"란 영구적인 기록 매체 위에 상을 형성하는 방사선 투과 사진을 제작하는 것을 말한다.

84. "직접 촬영 방법(direct radiography)"이란 시험체를 투과한 방사선을 직접 X선 필름에 받아 기록하는 촬영 방법을 말한다.

85. "간접 촬영 방법(fluorography)"이란 시험체를 투과한 방사선을 형광판 또는 형광 증배관으로 받아 형광면 위의 투시상을 카메라 등으로 기록하는 촬영하는 방법을 말한다.

86. "형광 투시법(fluoroscopy)"이란 X선에 의해 형광 스크린 위에 가시적인 상이 형성되도록 하여 육안으로 관찰이 가능하게 하는 방법을 말한다.

87. "입체 방사선투과검사(stereo radiography)"란 흡집의 위치, 크기를 구하기 위해서 2방향에서 방사선을 조사하여 2장의 투과사진을 촬영하고, 이를 입체적으로 관찰하는 방사선투과검사 방법을 말한다.

88. "컴퓨터 단층 촬영방법(CT, computed tomography)"이란 필요한 단면을 횡단하는 방사선의 흡수에 관한 정보 또는 방사능 분포에 관한 정보를 기억·축적하고, 컴퓨터에 의해 재편성해서 단면상을 얻는 방법을 말한다.

89. "내부 선원 촬영 방법(internal source technique)"란 선원을 관 내부에 두고, 관의 바깥쪽에 필름을 부착하여 촬영하는 방법을 말하며, 전 둘레 동시 촬영 방법과 분할 촬영 방법이 있다.

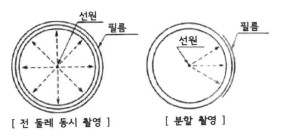

[전 둘레 동시 촬영]   [분할 촬영]

90. "이중벽 단면 촬영 방법(double wall single image technique)"이란 관의 원주 맞대기 용접부를 촬영하는 경우, 선원 및 필름을 용접부를 포함하는 평면과 적당한 각도를 잡아 배치하고, 관벽을

이중으로 투과하여 촬영하는 방법을 말한다. 필름을 설치한 면의 용접부를 검사의 대상으로 한다.

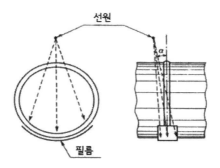

91. "이중벽 양면 촬영 방법(double wall double image techique)" 이란 비교적 작은 지름관의 원주 맞대기 용접부를 관벽을 이중으로 투과하여 촬영하는 방법을 말한다. 필름을 부착한 면과 그것에 상대되는 면의 양쪽의 용접부를 시험 대상으로 한다.

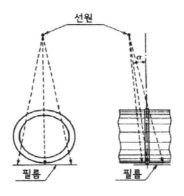

92. "파노라마 촬영(panoramic exposure)"이란 감마선원 또는 파노라마 X선 장치의 다방향 특성을 이용한 방사선투과검사 배치를 말한다. 예를 들면, 여러 시험체를 동시에 또는 원통형 시험체의 전체 원주부를 한 번에 방사선투과검사하는 방법이 있다.

93. "노출량(exposure quantity)"이란 조사되는 X선량을 말한다.

94. "상질(image quality)"이란 방사선 투과 사진 화상의 상세 정도를 결정하는 특성을 말한다.

95. "시험 시야(test field of vision)"란 제1종 흠집의 등급 분류를 하는 경우에 설정하는 시험부 중의 시야를 말한다.

96. "결함 점수(flaw mark)"란 흠집의 긴 지름에 따라 규정하는 점수를 말한다. 시험 시야에 존재하는 흠집의 결함 점수의 합계에 따라 등급이 결정된다.

97. "납당량(lead equivalent)"이란 동일 조사 조건에서 대상으로 하고 있는 물지과 같은 차폐 능력을 가진 납의 두께를 말한다.

■ 초음파탐상검사

1. "초음파(ultrasonic wave)"란 통상 주파수가 20 kHz 이상으로, 가청주파수 범위보다 큰 주파수를 갖는 음파를 말한다.

2. "음압(sound pressure)"이란 음파가 매질을 지날 때 입자 진동에 의해 형성되는 각 지점의 압력의 변화량을 말한다.

3. "음압 반사 계수(reflection coefficient)"란 어떠한 반사면에서 입사된 음압에 대한 반사된 총 음압의 비율을 말한다.

4. "전파 시간, 노정 시간(propagation time, time of flight)"이란 송신된 초음파 신호가 수신 지점에 이르는 시간을 말한다.

5. "초음파 빔(ultrasonic beam)"이란 균질한 재료(비분산성 재료)에서 초음파 에너지의 주된 부분이 그대로 전달되는 영역을 말한다.

6. "빔축(beam axis)"이란 원거리 음장에서 최대 음압을 갖는 점들을 통과하여 음원까지 연장시킨 선을 말한다.

7. "빔 퍼짐(beam spread)"이란 음파가 재료 내를 진행할 때 빔의 퍼짐을 말한다.

8. "퍼짐 각(divergence angle)"이란 원거리 음장에서 진폭이 규정된 크기로 떨어지는 지점의 빔 가장자리와 빔 축 사이의 각도를 말한다.

9. "감쇠 계수(attenuation coefficient)"란 음파가 매질을 진행할 때 산란과 흡수에 의해 음압이 감소하는 것을 감쇠라 한다. 이러한 감쇠는 재료의 성질, 파장 및 파동의 종류에 의존하며, 보통 dB/m로 단위 진행 거리당 감쇠를 나타내는 데 사용되는 계수이다.

10. "음향 임피던스(acoustic impedance)"란 어떤 재료의 한 지점의 입자의 진동 속도에 대한 음압의 비율이며, 일상적으로 음속과 밀도의 곱으로 표현된다.

11. "음향 이방성(acoustical anisotropy)"이란 초음파의 전파 속도와 같은 음향 특성이 전파하는 방향에 따라 차이를 나타내는 재료의 음향 특성을 말한다.

12. "음향 결합(coupling)"이란 초음파를 검사 대상체로 효과적으로 입사되도록 초음파 탐촉자와 검사 대상체를 접촉 매질을 사용하여 접촉시키는 것을 말한다.

13. "판파, 램파(plate wave, Lamb wave)"란 입사각과 주파수와 판 두께의 특정한 값에서만 생성될 수 있고 얇은 판의 두께 내에서 전파하는 파동을 말한다.

14. "대칭 모드(symmetric wave)"란 판파의 입자 진동이 판의 중심에 대해 대칭적으로 진동하면서 전파하는 모드를 말한다.

15. "반대칭 모드(asymmetric wave)"란 판파의 입자 진동이 판의 중심에 대해 대칭적이지 않게 진동하면서 전파하는 모드를 말한다.

16. "표면파, 레일리파(surface wave, Rayleigh wave)"란 대략 한 파장 정도의 유효적인 침투를 하여 매질의 표면에서 전파하는 파

동을 말한다.

17. "종파, 압축파(compressional wave, longitudinal wave)"란 입자의 진동 방향이 파의 전파 방향과 같은 방향으로 갖는 파동을 말한다.

18. "횡파, 전단파(shear wave, distortional wave, transverse wave)"란 입자의 진동 방향이 파의 전파 방향에 수직인 파동을 말한다.

19. "수평 횡파(SH wave)"란 입자 진동 방향이 시험체 표면과 평행한 방향이고 시험체 내부로 전파하는 횡파를 말한다.

20. "수직 횡파(SV wave)"란 입자의 진동방향이 시험체 표면과 수직한 방향의 성분을 갖고 시험체 내부로 전파하는 횡파를 말한다.

21. "크리핑파(creeping wave)"란 제1 임계각에서 발생하여 표면을 따라 전파하는 파를 말한다.

22. "입사각(angle of incidence)"이란 입사 빔 축과 경계면에 대한 법선 사이의 각도를 말한다.

23. "반사각(angle of reflection)"이란 반사 빔 축과 경계면에 대한 법선 사이의 각도를 말한다.

24. "굴절각(angle of refraction, beam angle)"이란 굴절 빔 축과 경계면에 대한 법선 사이의 각도를 말한다.

25. "공칭 굴절각(nominal angle of refraction)"이란 주어진 재료와 온도에 대해 표시된 공칭의 탐촉자 굴절각을 말한다.

26. "STB 굴절각(angle of refraction by STB)"이란 표준 시험편 STB-A1 또는 STB-A3 을 사용하여 측정한 굴절각을 말한다.

27. "임계각(critical angle)"이란 굴절 이후 전파 형태가 변하는 서로 다른 두 물질 사이의 경계면에서 입사각을 말한다.

28. "펄스(pulse)"란 짧은 순간의 전기 신호 또는 초음파 신호를 말한다.

29. "송신 펄스(transmitted pulse, initial pulse indication)"란 초음파 탐상기의 발신부에 의해 발생되며 탐촉자를 여기시키는 전기적인 펄스를 말한다.

30. "에코(echo, reflection)"란 탐촉자로 반사된 음의 펄스를 말한다.

31. "표면 에코, S 에코(boundary echo, surface echo)"란 일상적인 수침법 또는 지연재가 부착된 탐촉자를 사용하는 접촉법에서 사용되는 탐촉자에 시험체의 첫번째 경계면에서 반사된 에코의 지시를 말한다.

32. "흠집 에코, F 에코(flaw echo, defect echo, F)"란 흠집이나 불연속으로부터 오는 에코의 지시를 말한다.

33. "바닥면 에코, B 에코(bottom echo, back wall echo, back reflection)"란 수직 탐촉자로 평행한 표면을 가진 시험체를 탐상할 때 반대면으로부터 오는 에코에 대해 일반적으로 사용되는 초음파 빔 축에 수직인 경계면으로부터 반사되는 펄스를 말한다.

34. "경계면 에코(interface signal, interface echo)"란 서로 다른 두 재료 사이의 경계면에서 발생하는 에코를 말한다.

35. "고스트 에코, 잔향 현상(ghost echo, wrap around)"이란 선행 주기에서 발생한 송신된 펄스로부터 생성된 에코를 말한다.

36. "지연 에코(delayed echo)"란 파의 모드 변환이나 다른 경로로 인하여 동일한 반사원으로부터 발생된 다른 에코들에 비해 동일한 수신점에 나중에 도달되는 에코를 말한다.

37. "거짓 에코, 기생 에코(spurious echo, parasitic echo)"란 불연속과 관련되지 않은 지시를 말한다.

38. "임상 에코, 조직상 에코(grass)"란 재료 내의 입자 경계면들

또는 미세한 반사체로부터 발생되는 에코들 때문에 공간적으로 생성되는 불규칙한 신호를 말한다.

39. "측면 에코(side wall echo)"란 시험체 표면과 저면이 아닌 기타 다른 표면에 의해 반사된 에코 지시를 말한다.

40. "가장자리 에코(edge echo)"란 경사각 또는 판파가 진행하다가 판의 가장자리에서 반사되어 돌아온 에코를 말한다.

41. "웻지 에코(echoes in refracting prism, echoes in wedge)"란 경사각 탐촉자에서 진동자에 의해 발생된 초음파 빔이 웻지와 시험체 경계면에서 반사되어 웻지 내부로 반사되어 웻지의 경계면에서 여러 번 반사되어 진동자로 되돌아와 수신된 거짓 에코를 말한다.

42. "탐촉자(probe, search unit)"란 전기 음향적인 장치로서, 통상 초음파의 송신 또는 수신하기 위한 하나 또는 수 많은 진동자의 결합체를 말한다.

43. "진동자(crystal, transducer, element)"란 전기적인 에너지를 기계적인 에너지로 변환 또는 음향 에너지를 전기적인 에너지로 변환시키는 탐촉자의 능동 소자를 말한다.

44. "웻지, 굴절 프리즘(wedge, refracting prism)"이란 진동자와 검사체 사이에 음향적인 접촉 상태일 때, 정해진 각도로 검사체로 초음파를 굴절시키도록 하는 특별한 형상의 부품(일상적으로 플라스틱 재료로 구성)을 말한다.

45. "음향 차단 벽(acoustic barrier, acoustical separator)"이란 분할형(2진동자) 탐촉자의 송신용과 수신용 진동자가 서로 직접적으로 음향 결합을 차단하기 위한 장벽을 말하며, 음향 분할면이라고도 한다.

46. "판파 탐촉자(plate wave probe)"란 판파를 발생시키거나 수신할 수 있는 탐촉자를 말한다.

47. "전자기 음향 변환기(electro-magnetic acoustic transducer)"란 전자기 유도 효과(로렌츠 효과)로부터 전기적인 진동을 음파 에너지로 바꾸거나 그 역으로 바꿀수 있는 변환 장치를 말한다.

48. "A1 감도(A1 sensitivity)"란 STB-A1의 R100면을 사용해서 규정한 탐상 감도를 말한다.

49. "A2 감도(A2 sensitivity)"란 STB-A2의 지름 1.5㎜ 관통 구멍을 사용해서 규정한 탐상 감도를 말한다.

50. "입사점(probe index, beam index)"이란 탐촉자 표면과 음파 빔 축과의 교차점을 말한다.

51. "불감대(dead zone)"란 관심 있는 에코가 나타나지 않는 검사 대상체 표면에 인접한 영역을 말한다.

52. "지향 편각(squint angle, angle of squint)"이란 사각 탐촉자의 지향 편각은 사각 탐촉자에서 시험체 표면에 투영된 빔의 축과 사각 탐촉자의 기하학적인 축 사이의 각도이며, 수직 탐촉자의 지향 편각은 수직 탐촉자의 빔의 축과 기하학적인 축 사이의 각도이다.

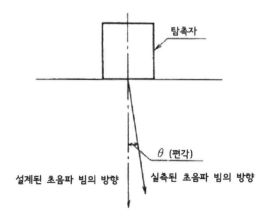

53. "입사점간 최소 거리"란 2개의 경사각 탐촉자를 같은 방향으로 향하도록 배치하고, 두 탐촉자를 가능한 가깝게 접근시켰을 때 두 탐촉자의 입사점 사이의 거리를 말한다.

54. "초음파 탐상기(ultrasonic flaw detector)"란 비파괴검사용으로 초음파 신호를 송신하고 수신하며, 처리하고 표시하는 초음파 탐촉자 또는 탐촉자들과 함께 사용되는 계기를 말한다.

55. "게이트(gate, time gate)"란 감시나 추가적인 처리를 위해 시간 축의 일부를 선택하는 전자적인 수단을 말한다.

56. "게인(gain)"이란 수신기의 입력 신호를 증폭하는 정도를 나타내는 값으로 증폭하기 전의 신호의 진폭과 증폭한 후의 신호의 진폭의 비로 평가한다. 통상적으로 두 신호의 비에 대해 밑을 10으로 하는 상용로그 값에 20을 곱한 데시벨(dB)로 나타낸다.

57. "게인 조정, dB 조정(gain control, dB control)"이란 신호를 편리한 높이가 되도록 조정하는, 일반적으로 데시벨(dB) 단위로 교정되는 장비의 조정을 말한다.

58. "감쇠기(attenuator)"란 에코 높이를 낮추는 기능을 갖는 조정기를 말한다.

59. "DAC 곡선(distance amplitude compensation curve)"란 동일한 크기의 반사체가 탐촉자로부터 거리를 다르게 함으로써 피크 에코 진폭 변화에 의해 작성된 대비 곡선을 말한다.

60. "시간 축 직선성"이란 시간 축 상의 지시 위치와 교정된 시간 발생기 또는 이미 알고 있는 판으로부터 얻어진 다중 에코에 의해 제공된 입력 신호 사이의 비례관계를 말한다.

61. "진폭 직선성"이란 수신기 상의 입력 신호의 진폭과 초음파 탐상장비 또는 보조 영상표시기 상의 나타나는 신호 진폭과의 비례 관계의 측정 값을 말한다.

62. "접촉 매질(couplant, coupling medium)"이란 물, 글리세린 등과 같이 초음파 에너지가 탐촉자로부터 검사 대상체에 잘 전달될 수 있도록 탐촉자와 검사 대상체 사이에 적용하는 매개체를 말한다.

63. "분해능(resolution)"이란 두 개의 분리 가능한 지시로 나타나게 하는 두 반사체 사이의 최소 거리로 정의되는 초음파 탐상 장비의 특성을 말하며, 전파 방향에 평행인 축 방향 분해능과 전파 방향에 수직인 횡 방향 분해능으로 구분된다.

64. "펄스 형상(pulse shape)"이란 시간 영역에서 펄스의 형태를 말한다.

65. "펄스(에코) 진폭, 신호 진폭(pulse amplitude, signal amplitude)"이란 A-스캔 표시를 사용할 때 일반적으로 시간 축 선에서 피크까지 펄스(에코)의 최대 진폭을 말한다.

66. "펄스(에코) 길이"란 정해진 높이에서 측정된 펄스(에코)의 선단 및 후단 사이의 시산 간격을 말한다.

67. "초음파 두께 측정기(ultrasonic thickness meter)"란 초음파에 의해 시험체의 두께를 측정하는 장치를 말한다.

68. "초음파탐상검사(UT, ultrasonic testing)"란 초음파를 검사 대상체 내부로 입사시켜 검사 대상체 내부에서 일어나는 초음파와의 상호작용의 결과를 이용하여 검사 대상체 내부의 흠집이나 재질의 특성을 조사하는 비파괴검사를 말한다.

69. "투과법(transmission technique, through transmission technique)"이란 시험체를 투과한 초음파의 강도 변화를 검지하여 내부의 흠집이나 재질 등을 조사하는 방법을 말한다.

70. "펄스 에코법, 펄스 반사법(pulse echo technique, reflection technique)"이란 초음파 에너지를 재료에 투과시킨 후 수신 탐

촉자에 검출된 초음파 에너지의 세기에 의해 재료의 품질을 평가하는 검사 기법을 말한다.

71. "초음파 펄스법(ultrasonic pulse technique)"이란 시험체에 초음파 펄스를 전파시켜 음속의 측정이나 음향적인 불연속 부분을 검출하는 방법을 말한다.

72. "수직 탐상법(straight beam technique)"이란 수직 탐촉자를 이용한 검사법을 말한다.

73. "경사각 탐상법(angle beam technique)"이란 탐상면에 수직이 아닌 입사각을 갖는 경사각 탐촉자의 초음파 빔을 이용하는 기법을 말한다.

74. "판파법(plate wave technique, Lamb wave testing)"이란 얇은 판 모양의 고체를 전파하는 판파를 사용하여 탐상하는 방법을 말한다. 주로 얇은 판의 탐상에 사용한다.

75. "표면파법(surface wave technique, Rayleigh wave technique)"이란 시험체의 탐상 표면을 따라 진행하는 표면파를 사용하여 탐상하는 방법으로 표면 근처의 흠집 검출에 사용한다.

76. "1탐촉자법(single probe technique)"이란 한 개의 탐촉자로 초음파를 발생시키고 검출하는 방법을 말한다.

77. "2탐촉자법, 송수신법(double probe technique, pitch catch technique)"이란 두 개의 탐촉자를 송순용 및 수신용으로 사용하는 초음파 탐상 기법을 말한다.

78. "탠덤 탐상법(tandem probe technique)"이란 한 개는 송신용 탐촉자로, 다른 하나는 수신용으로 사용되는 두 개 이상의 경사각 탐촉자를 사용하는 탐상법으로, 일반적으로 같은 방향을 바라보면서 동일한 굴절각을 가지고, 시험체 표면에 수직한 같은 평면 내에 초음파 빙 축을 가진다. 이 검사 기법의 목적은 주로 시험체 표면에 수직인 결함을 검출하는 것이다.

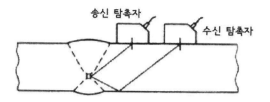

송신 탐촉자 · 수신 탐촉자

79. "접촉법(contact scanning, contact testing, contact method)"
이란 초음파 탐촉자를 검사 대상체 표면에 직접 접촉하여(접촉매
질의 사용 유무에 관계없이) 탐상하는 방법을 말한다.

80. "수침법(immersion testing)"이란 접촉 매질 또는 굴절 프리즘
으로 사용하는 액체 속에 시험체와 탐촉자를 넣어 검사하는 초음
파 탐상 기법을 말한다. 수침은 전몰 수침과 국부 수침을 할 수
있으며, 물 분사 또는 바퀴형 탐촉자를 사용한 방법도 포함된다.

81. "국부 수침법(local immersion method)"이란 탐촉자와 탐상면
사이면 국부적으로 물을 개재시켜 탐상하는 방법으로 물 분사 방
식이 대표적인 방법이다.

82. "격자점 탐상법, 교점 탐상법(specified cross point examination)"
이란 강판 등의 탐상면에 일정 간격으로 가로 세로선을 긋고, 그
교점을 수직 탐상하는 방법을 말한다.

83. "끝단 에코법, 끝단 회절법(tip echo technique, tip diffraction
technique)"이란 검사 대상체 표면과 평행하지 않은 불연속의 명
확한 크기는 두 끝단으로부터 나온 두 개의 최대 에코의 거리와
경사각 탐촉자의 입사각으로 평가되는 검사 기법을 말한다. 이것
은 크기 평가법 중의 하나이다.

84. "다중 에코 감쇠법(decay technique)"이란 반복적으로 반사되
는 저면 에코의 진폭을 관찰하여 검사 대상체의 품질이나 접합부

를 평가하는 방법을 말한다.

85. "싱 어라운드 법(음속 연속 측정법)(sing around technique)"
    이란 시험체 안을 통과하는 시간에서 송신 펄스의 여진 주기를
    결정하고 그 주기에서 음속을 구하는 방법을 말한다.

86. "펄스 겹침 법(pulse overlap technique)"이란 다중 에코 중에
    서 2개의 에코를 사용하여 그 위상을 겹침으로써 전파 시간을
    구하여 음속을 구하는 방법을 말한다.

87. "직사법, 0.5 스킵법(single traverse technique, direct scan
    technique)"이란 경사각법에서 초음파 빔을 뒷면에 방사시키지
    않고 직접 흠집을 목표로 하는 방법을 말한다.

88. "1회 반사법(double traverse techique, single bounce technique)"
    이란 경사각법에서 뒷면에 1회만 반사시켜 흠집을 목표로 하는
    방법을 말한다.

89. "2회 반사법(triple traverse technique)"이란 경사각법에서 초
    음파 빔을 뒷면과 탐상면에 각각 1회 반사시켜 흠집을 목표로
    하는 방법을 말한다.

90. "깊이 스캔(depth scanning)"이란 경사각 탐상법에서 탐촉자를
    용접선 방향과 수직하게 움직이는 탐상을 말한다. 흠집의 깊이
    방향의 크기를 평가하기 위해 사용한다.

91. "좌우 스캔(lateral scanning)"이란 경사각 탐상법에서 탐촉자
    를 용접선 방향과 평행하게 움직이는 탐상을 말한다. 용접선 방
    향으로 흠집의 길이를 평가하기 위해 사용한다.

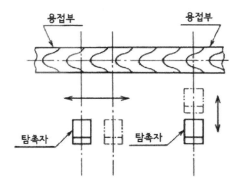

92. "종방형 스캔(square scanning)"이란 경사각법에서 일정 간격
으로 용접선과 직각으로 탐촉자를 이동시켜 실시하는 주사 방법
을 말한다.

93. "횡방형 스캔(lateral square scanning)"이란 경사각법에서 일
정 간격으로 용접선과 평행으로 탐촉자를 이동시켜 실시하는 주
사 방법을 말한다.

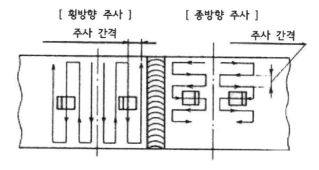

94. "용접선 종 스캔(longitudinal scan of weld surface)"이란 경
사각 탐상법에서 횡 균열과 같은 흠집 등을 검출하기 위해 용접
캡이 제거된 용접부 및 열열향부 위에 탐촉자를 놓고, 초음파 빔
을 용접선 방향으로 향하게 하여 탐촉자를 용접선 방향과 평행하
게 이동시키면서 탐상하는 방법을 말한다.

95. "스트래들 스캔(straddle scanning)"이란 경사각 탐상법에서 횡균열과 같은 흠집 등을 검출하기 위해 용접선의 양쪽에 탐촉자를 각 하나씩 놓고 두 초음파 탐촉자의 중심선이 이루는 각도(β)를 일정하게 유지하면서 두 탐촉자를 동시에 이동시키면서 탐상하는 방버을 말한다. 2탐촉자법의 일종이다.

96. "경사 평행 스캔(parallel scanning of a probe slanted)"이란 경사각 탐상법에서 한 개의 탐촉자만을 사용하여 탐촉자의 중심선이 용접선에 대해 어떤 각도(α)를 갖도록 한 상태에서 용접선과 평행하게 탐촉자를 이동시키면서 탐상하는 방법을 말한다.

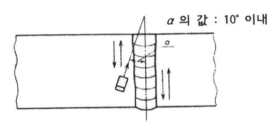

97. "지그재그 스캔(zig-zag scanning)"이란 경사각 탐상법에서 약간의 목돌림 탐상과 깊이 탐상을 결합하여 용접선 방향으로 이동시키면서 탐상하는 방법을 말한다.

98. "부채꼴 스캔, S-스캔(sector scanning)"이란 배열형 탐촉자를 사용하여 정해진 활성구경으로 정해놓은 부채꼴 영역 내에서 초음파 빔 각도를 전자적으로 변경시킴으로써 초음파 빔을 조절하는 전자적 탐상법을 말한다.

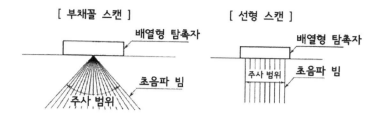

[부채꼴 스캔]　　[선형 스캔]

99. "선형 스캔, E-스캔, 전자적 스캔(linear scanning)"이란 배열형 탐촉자를 사용하여 배열의 활성 구경을 일직선 상으로 움직이게 함으로써 초음파 빔을 조절하는 전자적 탐상법을 말한다.

100. "V 경로법(V path method)"이란 2개의 경사각 탐촉자를 1 스킵 거리로 떨어뜨려 마주보게 하여 하나는 초음파르 송신하고 다른 하나는 초음파를 수신하는 방법을 말한다.

101. "선 탐상법(scan on lines)"이란 전면 탐상을 필요로 하지 않는 판두께의 탐상에서 규정된 일정 간격으로 그린 선 위를 주사하는 방법을 말한다.

102. "갭 탐상법(gap scanning)"이란 검사 대상체 표면에 초음파 탐촉자를 직접 접촉시키지 않고 파장의 수 배에 해당하는 두께의 액체 기동을 통해 접촉시키는 기법을 말한다.

103. "투과 탐상법(double probe technique)"이란 검사 대상체의 마주보는 표면에 각각 탐촉자를 배치하여 한쪽의 탐촉자로 초음파를 송신하고 다른 쪽의 탐촉자로 수신하는 방법을 말한다.

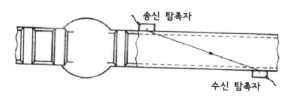

104. "기준 감도(specified sensitivity)"란 절차서 또는 규격에 의거

하여 교정 시험편 또는 대비시험편에 있는 대비 반사체에 의한 에코가 화면의 일정 높이가 되도록 조정했을 때의 게인값을 말한다.

105. "탐상 감도(seanning sensitivity)"란 탐상할 때 결함을 효과적으로 검출하기 위하여 기준 감도에서 일정한 게인 값을 더한 전체 게인값을 말한다.

106. "스킵 점(skip point)"이란 경사각 탐상법에서 초음파 빔의 중심이 탐상면과 반대쪽의 면에 도달되고 반사되는 지점을 말한다.

107. "스킵 거리(skip distance)"란 경사각 탐촉자의 입사점으로부터 검사 대상체 바닥면에서 1회 반사된 후 검사 대상체 표면과 만나는 지점까지의 표면 거리를 말하며, 1 스킵 거리는 1S와 같이 약기한다.

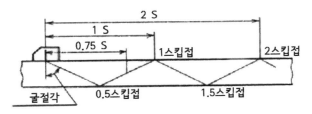

108. "탐촉자 거리(probe distance)"란 경사각 탐촉자의 입사점에서 반사원까지의 탐상면 위의 표면 거리를 말한다.

109. "그림자 영역(shadow zone, acoustical shadow)"이란 어떤 특정 방향으로 전행하는 초음파 에너지가 검사 대상체의 기하학적 모양 또는 검사 대상체의 불연속으로 인하여 도달되지 않는 검사 대상체 내의 영역을 말한다.

110. "탐상 도형 기본 기호(basic symbols for ultrasonic testing)"는 탐상 도형 위의 각 지시를 나타내기 위한 기호로서 다음과 같다.

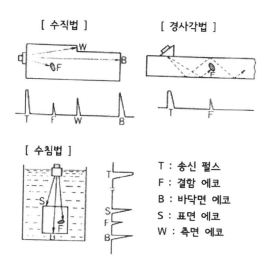

[수직법]   [경사각법]

[수침법]

T : 송신 펄스
F : 결함 에코
B : 바닥면 에코
S : 표면 에코
W : 측면 에코

■ 음향방출검사

1. "음향 방출(AE, acoustic emission)"이란 고체가 변형 또는 파괴될 때 그 때까지 저장되어 있던 변형 에너지가 해방되어 탄성파를 발생하는 현상을 말한다.

2. "AE 원(AE source)"이란 AE가 발생한 장소를 말한다.

3. "AE 파(AE wave)"란 AE에 의해 발생한 탄성파를 말한다.

4. "카이저 효과(kaiser effect)"란 어떤 시험체에 응력 이력이 있는 경우, 가해진 최대 응력에 도달할 때까지 거의 AE가 발생하지 않는 현상을 말한다.

5. "AE 구분값, 구분값 전압(threshold voltage)"이란 AE 신호를 식별하기 위해서 만들어지는 전압 레벨을 말한다.

6. "AE 계수(AE count)"란 AE 신호의 진폭이 AE 구분값을 넘는 횟

수를 말한다.

7. "AE 사상수(AE event count)"란 계측 장치에서 검출되는 돌발형 AE의 수를 말한다.

8. "AE 표정(source location)"이란 AE원의 위치를 추정하는 것을 말한다.

■ 자기탐상검사

1. "강자성체(ferromagnetic substance, ferromagnetic materials)"란 철, 니켈, 코발트 및 그 합금 등과 같이 자성에 강하게 끌어 당겨져서 그 비투자율이 1에 비해서 크고, 또한 자기 이력을 나타내는 물질을 말한다.

2. "자계, 자장(magnetic field)"이란 철의 작은 조각에 힘이 작용하는 자석 또는 전류의 주위에 생기는 특수한 공간을 말한다. 자계의 강도는 그 점에 놓은 일정한 강도의 자극에 작용하는 힘으로 정한다. 단위 기호는 AT/m 이다.

3. "자력선(magnetic lines of force)"이란 자계 중에 가상의 선으로 그 위의 접선 방향이 항상 그 점의 자계 방향과 일치하는 선을 말한다.

4. "자속(magnetic flux)"이란 자기 회로에서의 자력선의 총수를 말한다.

5. "자속 밀도(magnetic flux density, magnetic induction)"란 자화된 재료에서의 단위 면적당 자속을 말하며 단위 기호는 T 이다.

6. "히스테리시스 곡선, BH 곡선(hysteresis loop, hysteresis curve)"이란 자계 H의 증감에 따라 생기는 자속 밀도 B의 이력 현상을 나타내는 곡선을 말한다.

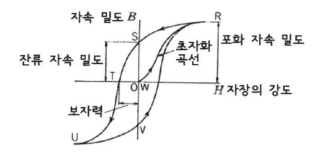

7. "투자율(permeability)"이란 자속 밀도(B)와 자계(H)의 비(B/H)를 말한다. 단위는 H/m를 사용한다. 자성체의 자기 특성을 나타내는 양으로 일반적으로 투자율과 최대 투자율이 사용된다.

8. "보자력(coercive force)"이란 어떤 재료의 히스테리시스 곡선에서 자속밀도가 0을 나타내는 자계의 값을 말한다. 단위 기호는 A/m 이다.

9. "누설자속(magnetic flux leakage)"이란 표면 흠집 등에서 누설되는 자속을 말한다.

10. "탈자(demagnetization)"란 자화된 시험체의 잔류 자기를 필요한 한도까지 감소 시키는 것을 말하며, 교류 탈자와 직류 탈자가 있다.

11. "자분(magnetic particles)"이란 자분탐상검사에 사용하는 강자성체의 미분말을 말한다.

12. "분산매(carrier fluid, vehicle)"란 시험체의 표면에 적용하기 위해서 자분율 분산 시키는 기체 또는 액체를 말한다.

13. "검사액(suspension, examination medium)"이란 습식법에 사용하는 자분을 분산·현탁한 액을 말한다.

14. "도체 패드(contact pad)"란 시험체의 국부적 손상을 방지할 목적으로 시험체와 전극 사이에 삽입해서 사용하는 도체를 말한다.

15. "자화 장치(magnetizing equipment)"란 시험체를 자화하기 위한 장치를 말한다. 자화 전류를 공급하기 위한 장치, 전원, 전자석 및 코일 등이 있다.

16. "검출 소자(sensing element)"란 누설자속 등을 전기 신호로서 뽑아내는 소자를 말한다. 예를 들어 서치 코일, 홀소자, 자기 저항 소자, 자기 다이오드 및 플럭스 게이트형 소자 등을 말한다.

17. "자기탐상검사(megnetic testing)"란 누설자속을 이용하는 탐상 방법을 말하며, 자분 탐상 시험, 누설자속 탐상 시험 및 녹자 탐상 시험이 있다.

18. "자분탐상검사(MT, magnetic particle testing)"란 철강 재료 등의 강자성체를 자화하고, 흠집부에 생긴 자극에 자분이 부착되는 것을 이용해서 흠집을 검출하는 비파괴 시험방법을 말한다.

19. "누설자속 탐상검사(MLFT, magnetic leakage flux testing, flux leakage testing)"란 흠집이 존재하는 부분에서의 누설자속을 코일, 자기 테이프 및 감자성 반도체 등으로 측정하여 탐상하는 비파괴검사 방법을 말한다.

20. "연속법(continuous method)"이란 자화 전류를 보내면서 또는 영구 자석을 접촉하면서 자분의 적용을 완료하는 방법을 말한다.

21. "잔류법(residual method)"이란 자화 전류를 끊은 후 자분의 적용을 하는 방법을 말한다.

22. "건식법(dry method)"이란 건조한 자본을 기체에 분산시켜 적용하는 방법을 말한다.

23. "습식법(wet method)"이란 자분을 적당한 액체에 분산, 현탁시켜 적용하는 방법을 말한다.

24. "선형 자화(longitudinal magnetization)"란 시험체의 길이 방향 축에 평행한 방향으로 자속선이 지나도록 자화하는 것을 말한다.

25. "원형 자화(circular magnetization)"란 원형 자계가 발생하도록 자화하는 것을 말하며, 축 통전법, 직각 통전법, 전류 관통법, 프로드법, 자속 관통법에 의한 자화는 원형 자화이다.

26. "코일법(coil method)"이란 시험체를 코일 안에 넣고 코일에 전류를 보내는 자화 방법을 말한다.

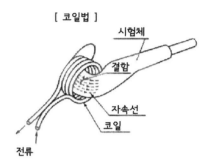

[코일법]

27. "축 통전법(direct contact method, axial current method)"이란 시험체의 축방향으로 직접 진류를 보내는 자화 방법을 말한다.

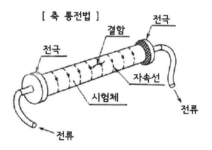

[축 통전법]

28. "직각 통전법(direct contact method, cross current magnetization, cross current method)"이란 시험체의 축에 대해서 직각 방향으로 직접 전류를 보내는 자화 방법을 말한다.

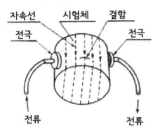

[직각 통전법]

29. "자속 관통법(induced current method, through flux method)"이란 시험체의 구멍 등을 지나는 자성체에 교류 자속 등을 줌으로써 시험체에 유도 전류를 보내는 자화 방법을 말한다.

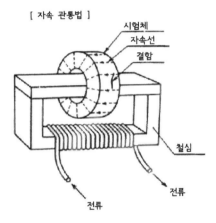

[자속 관통법]

30. "극간법(yoke method)"이란 시험체 또는 시험받는 부위를 전자석 또는 영구자석의 자극 사이에 놓는 자화 방법을 말한다.

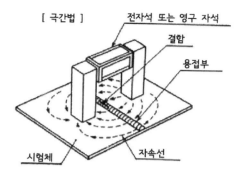

31. "프로드법(prod method)"이란 시험체의 국부에 2개의 전극(이 것을 프로드라 한다)을 대고 전류를 보내는 자화 방법을 말한다.

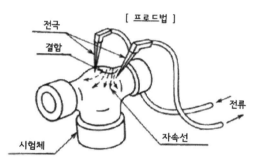

32. "전류 관통법(central conductor method, through conductor method)"이란 시험체의 구멍으로 지나는 도체에 전류를 보내는 자화 방법을 말한다.

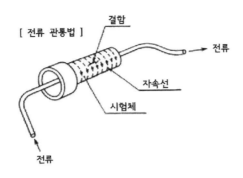

[전류 관통법]

결함

전류

자속선

시험체

전류

■ 침투탐상검사

1. "형광(fluorescence)"이란 어떤 종류의 화학 물질이 자외선의 조사를 받고 있는 동안 가시광을 방출하는 현상 또는 그 빛을 말한다.

2. "침투액(penetrant)"란 흠집의 가는 몸에 침투하여 현상 조작으로 표면에 베어나와 지시 모양을 만들기 위한 액체를 말한다.

3. "수세성 형광 침투액, 수세성 염색 침투액"이란 유화제를 포함하는 기름 상태의 물질로, 물에 씻음으로써 세척 가능한 형광(또는 염색) 침투액을 말한다.

4. "후유화성 형광 침투액, 후유화성 염색 침투액"이란 유화 처리를 하고 나서 물로 세척 처리를 하는 기름 상태의 형광(또는 염색) 침투액을 말한다.

5. "용제 제거성 형광 침투액, 용제 제거성 염색 침투액"이란 세척제로 제거 처리를 하는 유성의 형광(또는 염색) 침투액을 말한다.

6. "2원성 침투액"이란 형광 및 염색 양쪽의 침투 탐상 시험에 사용할 수 있는 침투액을 말한다.

7. "현상제(developer)"란 흠집에서 침투액을 빨아 내거나 흡수해서 지시 모양이 눈으로 보이도록 하는 약제를 말한다.

8. "건식 현상제(dry developer)"란 건조한 상태에서 사용하는 백색 미분말 상태의 현상제를 말한다.

9. "습식 현상제(aqueous developer)"란 물을 분사시켜 사용하는 백색 미분말 상태의 현상제를 말한다.

10. "수용성 현상제(water soluble developer)"란 물에 녹여 사용하는 백색 미분물 상태의 현상제를 말한다.

11. "속건 현상제(nonaqueous developer)"란 백색 미분말을 휘발성 유기 용제에 분산시킨 현상제를 말한다.

12. "자외선 조사 장치(black light)"란 필터를 통과함으로써 320 ㎚ ~ 400 ㎚ 파장의 근자외선을 내보내고, 형광 침투액에 조사하면 형광체가 들뜨게 되어 가시광을 제공하는 장치를 말한다.

13. "액체침투탐상검사(PT, liquid penetrant testing)"란 시험체 표면에 열려 있는 흠집에 침투액을 침투시킨 후 확대한 상의 지시 모양으로서 흠집을 관찰하는 비파괴검사 방법을 말한다. 염색 침투 탐상 검사와 형광 침투 탐상 검사로 나뉜다.

14. "염색침투탐상검사(visible dye penetrant testing)"란 수세성, 후유화성 또는 용제 제거상 염색 침투액을 사용하는 침투 탐상 시험 방법을 말한다.

15. "형광침투탐상검사(fluorescence penetrant testing)"란 수세성, 후유화성 또는 용제 제거성 형광 침투액을 사용하는 침투 탐상 검사 방법을 말한다.

16. "전처리(precleaning)"란 침투 탐상 검사 작업 직전에 하는 시험체의 청정 처리를 말한다.

17. "현상 시간(developing time)"이란 건신 현상제에서는 현상제를 적용하고 나서 관찰을 개시할 때까지의 시간을 말하며, 습식 또는 속건식 현상법에서는 현상제가 건조하고 나서 관찰을 개시하기 까

지의 시간을 말한다.

18. "침투 시간(penetration time, dwell time)"이란 침투액을 적용하고 나서 유화 처리 또는 세척 처리를 개시할 때까지의 시간을 말하며, 배액에 필요한 시간을 포함한다.

19. "유화 처리(emulsification)"란 유화제를 시험체의 표면에 적용하는 조작을 말한다.

20. "후처리(post-cleaning)"란 침투 탐상 검사 종료 후에 시험체 표면에 잔존하고 있는 현상제 또는 침투액을 없애는 조작을 말한다.

21. "배액(drain)"이란 시험체 표면의 일부분에 액이 모여 있지 않도록 하기 위해서 실시하는 적하 등의 조작을 말한다.

22. "침투 탐상 감도(sensitivity of penetrant)"란 침투액, 공정 기술 및 현상제가 흠집의 지시 모양을 현출하는 능력을 말한다.

23. "지시 모양(flaw indication)"이란 흠집 안으로 침투한 침투액에 의해 나타나는 지시, 또는 침투 시험을 실시한 결과로 나타나는 지시를 말한다.

24. "의사 지시(false indication, nonrelevant indication)"란 흠집 이외의 원인으로 나타나는 지시 모양을 말한다.

■ 와류(전자 유도) 탐상검사

1. "와전류(eddy current)"란 교류 등의 시간적으로 변화하는 자계 안에 놓여진 도체 가운데 전자 유도에 의해 생기는 전류를 말한다.

2. "침투 깊이(depth of penetration)"란 반의 무한 평면 도체에 똑같은 자계가 주어졌을 때 자계 또는 와전류 밀도가 표면의 약 37 %가 되는 표면으로부터의 깊이를 말한다. 표피 효과의 기준으로 사용된다.

$$\delta = \frac{1}{\sqrt{\pi f \sigma \mu}}$$

여기서,

δ : 침투 깊이(m)

f : 주파수(Hz)

σ : 도전율(S)

μ : 투자율(H/m)

3. "자기 포화(magnetic saturation)"란 시험체에서 자성의 불균일에 의해 생기는 잡음을 억제하기 위해서 시험체를 강하게 자화하는 것을 말하며, 일반적으로는 직류를 사용한다.

4. "표피 효과(skin effect)"란 시험체에 가한 교류 전류나 교류 자속이 표면에서 최대이고 내부에서는 점차 감소하는 현상을 말한다.

5. "리프트오프 효과(lift-off effect)"란 상치 코일(프로브 코일)을 사용하는 전자 유도시험에서 시험 코일과 시험체 표면의 상대거리(시험 코일과 시험체 사이의 빈틈)의 변화에 의해 지시가 변화하는 것을 말한다.

6. "속도 효과(speed effect)"란 시험체와 시험 코일의 상대 속도의 변화에 따라 생기는 브리지 밸런스의 변화 또는 흠집의 검출 감도의 변화를 말한다.

7. "단말 효과(end effect)"란 시험 코일과 시험체의 끝 부분이 가까워짐으로써 지시를 만드는 것을 말한다.

8. "위상각(phase angel)"이란 신호 전압과 기준으로 하는 전압(일반적으로 발진기 출력 전압)의 위상의 차를 말한다.

9. "도전율(S, conductivity)"이란 전류가 흐르기 쉬움을 나타내는 물질 고유의 값을 말한다. 비저항의 역수이다.

10. "와류탐상검사(eddy current testing)"란 코일을 사용하여 도체에 시간적으로 변화하는 자장(교류 등)을 주고, 도체에 생긴 와전

류가 흠집 등에 의해 변화하는 것으로 이용해서 흠집을 검출하는 비파괴검사 방법을 말한다.

11. "전자유도검사(electromagnetic testing)"란 전자 유도 또는 와 전류의 현상을 이용한 비파괴검사를 말한다. 전자 유도에 의한 탐상 검사, 재질 시험, 막두께 측정 등의 검사가 포함된다.

12. "다중 주파수 와류탐상법(multi-frequency eddy current method)" 이란 시험 코일에 복수 주파수의 교류 전류를 겹치기 또는 시분할 로 인가하고, 각각의 주파수에서의 검파 출력의 연산을 이용한 와 류 탐상 검사 방법을 말한다.

13. "리모트 필드 와류탐상법(remote field eddy current method)" 이란 전자 유도를 사용한 검사 방법의 일종으로 검출 코일을 여자 코일에서 떨어지 위치에 배치하여 실시하는 검사 방법을 말한다.

14. "브리지 밸런스(bridge balance)"란 시험 코일에 생기는 와전류 변화의 영향을 검출하기 위해서 사용하는 교류 브리지 등 평형 회로의 설정 및 조정을 말한다.

15. "자기 비교 방식(differential coil method)"이란 2개의 코일을 나란히 놓고 사용하며 인접한 부분의 지시차를 검출하는 방법을 말한다. 관 등의 탐상에 사용한다.

16. "표준 비교 방식(standard comparison coil method)"이란 2 개의 코일을 분리 독립해서 사용하며, 한쪽에 기준으로 하는 시 험편, 다른 쪽에 시험체를 넣고, 양자의 차를 검출하는 방법을 말한다.

17. "리젝션(rejection)"이란 어떤 전압 레벨 이하의 지시를 전기적 으로 없애는 것을 말한다.

18. "위상 해석(phase analysis)"이란 시험에 영향을 주는 재료 인 자에 의해 얻어지는 전기 신호의 위상이 다르다는 것을 이용해서 동기 검파에 의해 신호를 분별하는 것을 말한다.

■ 누출검사

1. "누출(leak)"이란 구멍 또는 틈을 지나서 압력이 높은 쪽에서 낮은 쪽으로 흐르는 유체의 흐름을 말한다.

2. "진공(vacuum)"이란 통상적인 대기압보다 낮은 압력의 기체로 채워진 공간안의 상태를 말한다.

3. "누출 검출기(leak detector)"란 용기 누출의 존재, 누출 부분 및 누출량을 검출하는 장치를 말한다.

4. "할로겐 누출 검출기(halogen leak detector)"란 할로겐 원소를 포함하는 서치 가스로 느끼는 누출 검출기를 말한다. 할로겐 원소를 포함하는 기체가 가열 백금 양극에 닿았을 때 거기에서부터 양이온 방사가 늘어나는 현상을 이용하고 있다.

5. "무게 분석계형 누출 검사기(mass-spectromete-type leak detector)"란 서치 가스에만 반응하도록 조정된 질량 분석계를 말한다.

6. "헬륨 가스 누출 검출기(helium leak detector)"란 헬륨 가스만을 검출하는 질량 분석계를 말한다.

7. "서치 가스, 트레이서 가스(search gas, tracer gas)"란 누출 검출에 사용하는 특정한 기체를 말한다.

8. "발포액(bubble solution)"이란 발포 누출 시험에 사용하는 발포성을 가진 액체를 말한다.

9. "스프레이 프로브(spray probe)"란 서치 가스를 시험부에 뿜는 프로브를 말한다.

10. "흡입 프로브, 스니퍼 프로브(sniffing probe)"란 시험체 표면에서 새어 나온 서치 가스를 빨아들이는 프로브를 말한다.

11. "누출검사(LT, leak testing)"란 누출의 존재, 누출 부분 또는 누출량을 검출하는 방법을 말한다.

12. "기밀 시험(sealing testing method)"이란 시험체가 요구받고 있는 밀폐 구조를 만족하고 있는지를 판정하기 위한 시험 방법을 말한다.

13. "가압법(pressure method)"이란 시험체 안에 기체로 압력을 가하고, 시험체의 내부에서 외부로의 기체 누출을 측정하는 방법을 말한다.

14. "진공법(vacuum method)"이란 시험체를 진공으로 해서 그 누출을 검지하는 방법을 말한다.

15. "수침적시험(water-submersion testing)"이란 시험체를 기체로 가압하여 물에 담가, 물 속 또는 수면의 발표 상태에 따라 누출을 검출하는 시험 방법을 말한다.

16. "발포누출검사(bubble leak testing)"란 시험면의 한쪽을 가압 또는 진공으로 하고, 시험면에 도포한 발포액의 기포 형성을 관찰함으로써 누출 부분을 검지하는 검사 방법을 말한다.

17. "방치법에 따른 누출검사"란 시험체를 가압 또는 진공으로 해서, 일정 시간 경과 전후의 압력차에 의해 누출량을 측정하는 누출 시험 방법을 말한다.

18. "암모니아 누출검사(ammonia leak testing)"란 암모니아 가스의 누출을 발포제로 검지하는 누출 검사방법을 말한다.

19. "할로겐 누출검사(haologen leak testing)"란 할로겐계 가스와 할로겐 누출 검출기를 사용하여 누출량과 누출 부분을 검지하는 누출 검사 방법을 말한다.

20. "헬륨누출검사(helium leak testing)"란 헬륨 가스와 질량 분석계형 헬륨 누출 검출기를 사용하여 누출량과 누출 부분을 검지하는 누출 검사 방법을 말한다.

21. "진공 분무법(spray method)"이란 시험체 안을 진공 배기하고,

헬륨 가스를 시험체의 바깥쪽에서 스프레이건으로 뿜어, 시험체 안으로 누출된 헬륨 가스를 검출하는 방법을 말한다.

22. "진공 외복법, 진공 후드법(hood method)"이란 시험체 안을 진공 배기하고, 시험체의 일부 또는 전부를 헬륨 가스로 덮고, 시험체 안으로 누출 되는 헬륨 가스를 검출하는 방법을 말한다.

23. "진공 적분법(vacuum accumulation method)"이란 시험체 안을 진공 배기하고, 시험체를 후드로 덮고 후드 안에 헬륨 가스를 봉입하고, 일정 시간 모은 헬륨 가스를 검출하는 방법을 말한다.

24. "흡입법, 스니퍼법(sniffer method)"이란 시험체 안에 헬륨 가스를 넣고, 시험체의 바깥쪽으로 누출된 헬륨 가스를 스니퍼 프로브로 빨아들이여, 누출을 검출하는 방법을 말한다.

25. "가압 적분법(pressure accumulation method)"이란 시험체 안에 헬륨 가스를 넣고 시험체의 일부 또는 전부를 후드로 덮고, 시험체의 바깥쪽에서 누출된 헬륨 가스를 일정 시간 후드 안에 모아, 스니퍼 프로브를 사용하여 누출을 검출하는 방법을 말한다.

26. "흡반법, 석션컵법(suction cup method)"이란 시험체 안에 헬륨 가스를 넣고 바깥쪽으로 누출된 헬륨 가스를 시험체에 눌러 댄 석션컵으로 빨아들여 헬륨 가스를 검출하는 방법을 말한다.

27. "진공 용기법, 벨자법(bell jar method)"이란 시험체를 진공 용기 안에 설치하고 시험체의 내부(또는 외부)로 헬륨 가스를 넣고 시험체의 외부(또는 내부)를 배기하고, 시험체의 외부(또는 내부)로 누출된 헬륨 가스를 검출하는 방법을 말한다.

28. "침적법, 보밍법(bomb test, bombing method)"이란 시험체에 헬륨이 스며들게 한 후 시험체의 바깥쪽으로 배기하고, 시험체의 바깥쪽으로 누출되는 헬륨 가스를 검출하는 방법을 말한다.

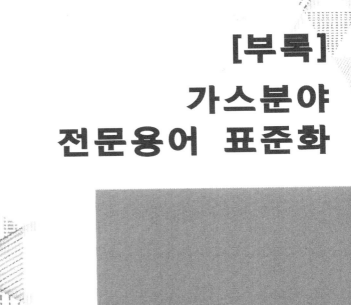

[부록]
가스분야
전문용어 표준화

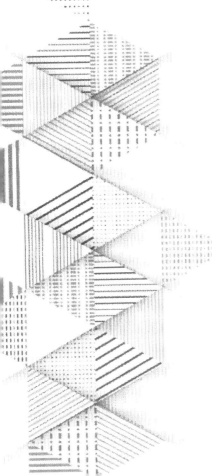

1. 개요

가스분야 전문용어 표준화[6]란 가스분야에서 사용되는 용어 중에 일본식 한자, 어려운 축약어 및 외래어 용어 등 이해하기 어려운 용어를 일반인들이 보다 쉽게 이해하며 사용할 수 있도록 가스분야 전문용어들을 쉬운 용어로 바꾸는 작업을 거쳐 표준화 하는 것을 말한다. 단, 표준화 용어는 사회적으로 완전히 정착 등의 현실적인 수용성을 감안하여 당분간 표준화되기 이전의 용어를 병용 또는 병기하여 사용하 수 있다.

2. 가스분야 전문용어 표준화 대상 : 29개

번호	변경 대상 용어	표준어
1	염소처리설비 鹽素處理設備 hypochlorite treatment system	차아염소산염^처리 설비
	[예] 염소처리설비(→차아염소산염 처리 설비)는 해양생물의 부착·성장을 방지하고자 이에 필요한 차아염소산나트륨의 생산, 저장 및 공급을 하기 위한 설비이다.	
2	샘플링 가스 sampling gas	시료^가스
	[예] 배관으로부터 채취된 샘플링 가스(→시료 가스)는 가스 샘플 용기를 통해 운반된다.	
3	디피에스 DPS: Disaster Prevention System	방재^장치
	[예] 생산기지에 화재가 발생하면 운전원은 DPS(→방재 장치)로 소화설비를 작동시킬 수 있다.	

---

6) (참고) "가스분야 전문용어 표준화", 산업통상자원부고시 제2019-32호

번호	변경 대상 용어	표준어
4	노멀 루베 [Nm^3] normal cubic meter	표준^세제곱미터
	[예] 가스도매요금이 1 노멀 루베(→표준 세제곱미터)에 12 원이 올랐다.	
5	가우징 gouging	홈파기^작업
	[예] 용접 불량부 제거를 위하여 가우징(→홈파기 작업)을 시행한다.	
6	피에프디 PFD: Process Flow Diagram	공정^흐름도
	[예] 신규로 추가된 생산기지 설비를 PFD(→공정 흐름도)에 반영하여 설계 부서에 검토 요청하여야 한다.	
7	가스 크로마토그래피 gas chromatography	가스^분석기
	[예] 2012 년 7 월부터 시행될 열량거래제를 대비하여 가스 크로마토그래피(→가스 분석기)가 없는 계량설비에 신규로 설치하고 동시에 열량거래제 적용이 가능한 유량계산기로 교체가 필요함	
8	입상배관 立像配管	수직^배관
	[예] 금일 작업은 입상배관(→수직 배관) 설치 작업이다.	
9	로깅 logging	기록
	[예] 가스 설비처럼 온도 제어와 데이터를 로깅(→기록)하는 장비에서 발생하는 열 등으로 최종 측정값에 오류가 생길 가능성이 높다.	

번호	변경 대상 용어	표준어
10	비오지　BOG: Boil-Off Gas	증발가스
	[예] 세계 최초로 액화천연가스(LNG)선에서 발생하는 비오지 (→증발가스)를 완전 재액화시켰다.	
11	오픈 록 베이퍼라이저/ 오아르브이 ORV: Open Rack Vaporizer	개방식^(해수^이용)^기화기
	[예] Open Rack Vaporizer:ORV(→개방식 (해수 이용) 기화기)는 초저온 상태의 액화천연가스(LNG)를 기체 상태의 천연가스(NG)로 기화시키는 설비로 해수를 열교환매체로 사용하는 기화기다.	
12	서브머지드 컴버스천 베이퍼라이저 / 에스시브이/ 에스엠브이　SCV: Submerged Combustion Vaporizer, SMV	액중^연소^기화기
	[예] 액화천연가스를 수용가로 보낼 때 연소열을 이용해 기화시키는 SCV(→액중 연소 기화기) 대신 질소산화물을 배출하지 않는 공기식기화기 시범설치와 질소산화물 감축 연구용역을 했다.	
13	샘플링 설비 sampling 設備	시료^(가스)^채취 장치
	[예] LNG 탱크로 하역되는 LNG 성분분석을 위한 샘플링 설비(→시료 (가스) 채취 장치)는 탐침, 기화기, 홀더, 압축기, 용기 등으로 구성된 정교한 시스템으로 설계되어야 한다.	
14	샘플링 하우스　sampling house	시료^(가스)^채취실
	[예] LNG 성분 분석을 위한 샘플링 하우스(→시료 (가스) 채취실)의 위치는 기지마다 다르다.	

번호	변경 대상 용어	표준어
15	엠시에스　MCS: Main Control System	주^제어^장치
	[예] 설비 운전원은 MCS(→주 제어 장치)를 이용하여 설비를 운전할 수 있다.	
16	런아웃　run-out	(중심축)^이탈
	[예] 고압펌프의 축을 분해한 후 축의 런아웃(→(중심축) 이탈)을 측정하여 기록한다.	
17	피앤드아이디　P&ID: Piping & Instrumentation Diagram	배관^설비^도면
	[예] 공급관리소 내 신설, 증설 또는 철거 대상인 설비는 변경관리를 통하여 사전 PFD(→공정 흐름도) 및 P&ID(→배관 설비 도면)에 반영하여야 한다.	
18	플러싱　flushing	(관)^세척
	[예] 배관이설공사가 끝난 이후 배관 내부 이물질 제거를 위하여 공기압축기를 사용하여 플러싱(→(관) 세척) 작업을 시행한다.	
19	벤트　vent	배출
	[예] 고압펌프의 압력을 벤트(→배출) 배관을 통하여, 압력을 해소하여야 한다.	
20	(LNG) 터미널, 인수기지, 引受基地 (LNG) terminal, 　　　receiving terminal	인수기지, 생산기지
	[예] 한국가스공사는 평택, 인천, 통영, 삼척 총 4개의 인수기지(→인수기지/생산기지)를 운영하고 있다.	

번호	변경 대상 용어	표준어
21	리콘덴서/재응축기 re-condenser/再凝縮機	재응축기
	[예] 자연증발가스나 강제증발가스 중 일부는 저압펌프(LP)를 통해 리콘덴서/재응축기(→재응축기)에 공급될 수 있다.	
22	샘플링 지점 sampling 地點	시료^(가스)^채취 지점
	[예] LNG 성분분석을 위한 샘플링 지점(→시료 (가스) 채취 지점)은 여러 군데 위치하여 있다.	
23	웜업, 웜업하다 warm-up	예열, 예열하다
	[예] 작업 시 웜업(→예열)을 안 하면 기기에 균열 발생 가능성이 크다.	
24	쿨다운, 쿨다운하다 cool-down	냉각, 냉각하다
	[예] 고압펌프 정비 완료 후 시운전 기간 중 배관에 적당량의 LNG를 주입하여 배관을 천천히 쿨다운(→냉각)한다.	
25	이디엠에스 EDMS, Electrical Diagnostic & Monitoring System	전기^진단^감시 장치
	[예] EDMS(→전기 진단 감시 장치)를 이용하여 생산기지 전력설비의 상태를 실시간으로 확인할 수 있다.	
26	드라이아웃, 드라이아웃하다 dry-out	건조, 건조하다
	[예] 가스배관을 질소를 이용하여 드라이아웃(→건조)한 후에 이슬점을 측정해야 한다.	
27	부압, 負壓 negative pressure	음압
	[예] 문이 부압(→음압)으로 여는 것이 힘들다.	

번호	변경 대상 용어	표준어
28	부취/부취제 附臭/附臭劑	냄새^첨가물
	[예] 천연가스 분리 제조과정에서 불순물 등 방향성 물질이 모두 제거됨으로 인하여 천연가스가 무색무취하여 누출되어도 인지할 수가 없다. 그러므로 누설을 손쉽게 알기 위하여 생산기지에서 기화/송출되는 무색무취의 천연가스에 TBM, THT, DMS와 같은 부취제(→냄새 첨가물)을 주입한다.	
29	로그시트 log-sheet	운영^기록지
	[예] 설비운영부서와 운전원은 설비운영에 관련된 각종 정보를 로그시트(→운영 기록지)에 반드시 남겨야 한다.